③ Vergleiche den jährlichen Temperaturverlauf von Berlin mit Cayenne in den Tropen (Diagramm 6). ◐

④ Erkläre die Unterschiede des Wetters in Mitteleuropa und im Kongo. ◐ ∽

⑤ Einige besondere Wettererscheinungen in Mitteleuropa können mit Großwetterlagen in Verbindung gebracht werden. Erkläre „Schafskälte" und „Weihnachtstauwetter". ●

→
Tropischer Regenwald
Seite 46/47

○ leicht
◐ mittel
● schwer

Basisaufgaben,
mit denen du
Neues lernst.
∽ Hierzu erhältst
du Lösungshilfen.

Aufgaben
zum Anwenden
und Üben

Verweise im Buch
Mit dem Pfeil wird
auf andere Seiten
im Buch verwiesen.

Schwierigkeitsgrad
So erkennst du den
Schwierigkeitsgrad.

Am Ende kannst du ...	– die Naturlandschaft Wattenmeer beschreiben, – die Gezeiten beschreiben und ihre Entstehung erklären, – den Naturraum an der Nordseeküste gliedern,	– Steilküste und Flachküste zuordnen/darstellen, – die Aufgabe eines Nationalparks erklären, – die Auswirkungen einer Sturmflut beschreiben, – Maßnahmen des Küstenschutzes erläutern.	– die Bedeutung eines Hafens für den Warenumschlag erklären, – Vor- und Nachteile der Energiegewinnung auf hoher See sowie des Energietransportes erläutern.

So überprüfst du deine Kompetenzen. Was du jetzt kannst, steht in der Kompetenzbox der Trainingsseite.

⊕ **Material**
Selbsteinschätzungsbogen
wj7b58

⊕ **Material**
Kompetenzcheck
32d28y

Selbsteinschätzung und Selbstüberprüfung
Mit den Selbsteinschätzungsbogen, den dazugehörigen Checks aber auch mit den Lösungen der Trainingsaufgaben im Internet kannst du deine Kompetenzen überprüfen.

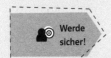

Werde
sicher!

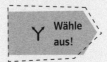

Fordere
dich!

Y Wähle
aus!

Hier kannst du dir Sicherheit bei schwierigen Themen holen.

Hier kannst du dich herausfordern, wenn du bereits fit bist.

Hier kannst du nach deinen Interessen ein Thema oder eine Aufgabe zur Vertiefung auswählen oder auf Arbeitsseiten deinen individuellen Lernweg wählen.

Arbeitsanhang

Endmoräne   **107, 308**
Entwaldung   154, 215

Sachverzeichnis: hier findest du eine Übersicht der geografischen Begriffe. Die dort **fett** gedruckten Begriffe werden als „Wichtige Begriffe" genau erläutert.

E
Endmoräne: Am Rande des Inlandeises abgelagertes Material, vor allem grober Gesteinsschutt

Wichtige Begriffe: hier sind alle wichtigen Begriffe des Bandes zusammengestellt.

Haack-Kartenteil

Diese Karten ermöglichen dir einen schnellen Überblick über die behandelten Regionen.

Umschlagbild: Luftbild der Kapawi Öko-Lodge, Ecuador © Getty Images (Education Images/UIG), München

1. Auflage

1 7 6 5 4 3 | 22 21 20 19 18

Autoren: Christian Beck, Weingarten; Dr. Egbert Brodengeier, Lichtenberg; Prof. Dr. Friedhelm Frank, Bad Schwalbach; Dr. Thomas Hoffmann, Lauff; Helmut Obermann, Ettlingen; Kathleen Renz, Tübingen; Thomas Rosenthal, Esslingen; Andreas Schmid, Tübingen
Mit Beiträgen von: Dr. Joachim Bierwirth, Gusborn; Christian Grosscurth, Siesbach; Bernd Haberlag, Ilsede; Hans Georg Herrnleben, Worms; Robert Jansen, Aachen; Peter Kraus, Wäschenbeuren; Dr. Andreas Thierer, Isny im Allgäu; Dietmar Wagener, Hofgeismar; Prof. D. Volker Wilhelmi, Wackernheim; Katja Wolter, Sohren
Redaktion: Christoph Rausch
Herstellung: Sandra Schneider

Gestaltung: Nathanaël Gourdin & Katy Müller GbR, Leipzig
Umschlaggestaltung: Nathanaël Gourdin & Katy Müller GbR, Leipzig
Illustrationen: Steffen Butz, Karlsruhe; Diana Jäckel, Erfurt; Steffen Jähde, Sundhagen; Wolfgang Schaar, Grafing; Schwarwel (Agentur Glücklicher Montag), Leipzig
Karten: Ernst Klett Verlag GmbH, Leipzig (Matthias Dietrich, Peer Janson, Ralf Ruge, Dr. Henry Waldenburger); Artalis, Mühlhausen/Felchta (Jacqueline Böttcher); kartografix, Suhl (Dagmar Hengelhaupt); mr-kartographie Müller & Richert GbR, Gotha
Satz: satzzeichen, Diana Jäckel, Erfurt
Reproduktion: Druckmedienzentrum Gotha GmbH, Gotha
Druck: Firmengruppe APPL, aprinta druck, Wemding

Printed in Germany
ISBN 978-3-12-104605-8

Christian Beck, Dr. Egbert Brodengeier, Prof. Dr. Friedhelm Frank,
Dr. Thomas Hoffmann, Helmut Obermann, Kathleen Renz,
Thomas Rosenthal, Andreas Schmid

TERRA

Geographie 7/8
Gymnasium

Ernst Klett Verlag
Stuttgart · Leipzig

INHALT

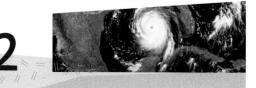

Farblegende:

TERRA METHODE
TERRA TRAINING
TERRA FÜR DICH
TERRA ORIENTIERUNG

INHALT

Farblegende:

TERRA **METHODE**
TERRA **TRAINING**
TERRA **FÜR DICH**
TERRA **ORIENTIERUNG**

13

Raumanalyse Botsuana 208

14

Arbeitsanhang 218

15

Haack-Kartenteil 242

1

Die Welt verändern

Muhammad Yunus wurde 1940 in Chittagong, im Süden von Bangladesch geboren. Dank eines Stipendiums konnte er in den USA Wirtschaftswissenschaften studieren. Zurück in Chittagong wurde er zunächst Projektmanager und später Direktor der Grameen Bank. Anders als alle anderen Banker dieser Welt entschied er, den Armen Geld zu leihen ohne Sicherheiten zu verlangen. Damit wollte er gezielt gegen die weitverbreitete Armut in seinem Land in den 1970er-Jahren vorgehen. Vor allem Frauen nahmen bisher diese Chance wahr. Sie können sich mithilfe sehr kleiner Kreditsummen eine Kuh, eine Nähmaschine oder aber einige Legehennen kaufen und so die Basis für eine solide wirtschaftliche Existenz legen und ein Leben in Würde führen.

Wangari Maathai kam 1940 südlich von Nairobi, der Hauptstadt Kenias, zur Welt. Sie starb 2011. Auch sie konnte nur dank eines Stipendiums in den USA und Deutschland Biologie studieren. Wangari Maathai war die erste Kenianerin, die einen Doktortitel erwarb und Professorin an der Universität in Nairobi wurde. Sie erkannte, dass sich das Leben vieler Menschen infolge der Rodung der Wälder und der dadurch verstärkten Erosion verschlechterte. Wangari Maathai beschloss, gegen diese Entwicklung vorzugehen. Ihre Idee war, viele Millionen Bäume zu pflanzen. Mittlerweile hat die von ihr gegründete „Grüngürtelbewegung" (Green Belt Movement) allein in Afrika etwa 50 Millionen Bäume neu gepflanzt. Sie hatte die Bedeutung der Bäume für die Existenzsicherung der Menschen erkannt und befürwortete daher ein Leben mit der Natur als Grundsatz.

Die Kräfte der Natur und das Handeln der Menschen gestalten die Erde und damit immer auch unsere Lebensbedingungen. Unsere derzeitige Lebensweise hat dabei offensichtlich eine Reihe sehr ernster Probleme geschaffen, die sogar unsere Lebensgrundlage bedrohen können. Diesen Herausforderungen müssen wir uns stellen, indem jeder Einzelne zukunftsorientiert handelt.

MENSCHLICHE BEDÜRFNISSE	GLOBALE HERAUSFORDERUNGEN		
Gesundheit	**Seuchen stoppen**	**Armut bekämpfen**	**Klima stabilisieren**
		Finanzsystem und Wirtschaft stabilisieren	Biodiversität erhalten
Nahrung zum Essen	**Welternährung**	Böden und Fischgründe schützen	Wälder nutzbar halten
Sichere Geburt	Voraussetzungen sicherer Geburt		
Wasser zum Trinken	Zugang zu sicherem Wasser		Verfügbarkeit von Wasser
Luft zum Atmen	Saubere Luft in Innenräumen		Saubere Luft in Städten
Unversehrtheit	Verkehrssicherheit, Arbeitsschutz Frieden und Sicherheit Katastrophenschutz	Sichere Technologien	Schadstoffvermeidung
			Erhalt der Ozonschicht
Material und Energie	Nachhaltige Ressourcennutzung		
Chancen, die Lebensbedingungen zu verbessern	Kooperation, Bürgerschaftlichkeit und Demokratie	Menschenrechte und Geschlechtergerechtigkeit	Information und Bildung, Forschung und Innovation

1 Globale Herausforderungen für menschliche Bedürfnisse

Globale Herausforderungen

„Die Welt hat genug für die Bedürfnisse aller Menschen, aber nicht für die Gier."
(Mahatma Gandhi)

→
Klimawandel
Seite 190–207

Wangari Maathai und Muhammad Yunus sind zwei von vielen Menschen, die sich mit den vielerorts durch Armut und Umweltzerstörung geprägten Lebensbedingungen nicht abfinden wollen. Sie haben sich entschlossen zu handeln und ihren Teil für eine zukunftsfähige Entwicklung der Erde beizutragen, anstatt sich den herrschenden Verhältnissen zu ergeben. Überwindung der Armut und Schutz der Natur richten sich gegen zwei zentrale Missstände in unserer Welt. Zugleich steht die Menschheit vor weiteren globalen Herausforderungen.

Vor allem die ungleichen Entwicklungschancen zwischen Staaten und innerhalb der einzelnen Gesellschaften führen dazu, dass die bestehenden sozialen und räumlichen Unterschiede weiter zunehmen. Die Globalisierung der Weltwirtschaft erscheint dabei den einen als Lösung, anderen als Ursache dieser Fehlentwicklung. In jedem Fall aber gilt die Beseitigung der Armut in den entwickelten Ländern wie in den Ländern des Südens als Schlüssel, um die „geteilte Welt" unserer Zeit in Richtung „eine Welt der Chancengleichheit" zu verändern.

Die herrschenden Unterschiede wirken zudem als Motor für die weltweit zu beobachtende Zunahme der Migrationsströme sowie der Verstädterung. Beide Prozesse werden durch das anhaltend hohe Bevölkerungswachstum verstärkt.

Vor allem aber verschärft der Klimawandel die globalen Herausforderungen. Unstrittig ist, dass die Durchschnittstemperatur der Erde deutlich angestiegen ist und vor allem in den Ländern des Südens die Lebensbedingungen durch Wassermangel, Ernteeinbußen und Wetterextreme massiv beeinträchtigt. Hinzu kommt die Tatsache, dass die Weltbevölkerung bis zum Jahr 2050 voraussichtlich auf mehr als 9 Milliarden Menschen angewachsen sein wird. Um zu erahnen, was dies bedeutet, stelle man sich vor, dass zur heutigen Weltbevölkerung die Bewohner Indiens und Chinas noch einmal hinzukommen.

Angesichts dieser Situation müssen nicht nur Einzelne, sondern jeder Einzelne zugunsten einer zukunftsfähigen Entwicklung in der „Einen Welt" handeln. Viele haben bereits damit begonnen.

Herausforderung Klimawandel

Al Gore hatte sich bereits vor seiner Amtszeit mit Umweltverschmutzung und Klimaveränderung befasst. Er entwickelte die Idee, einen globalen Rettungsplan für die Umwelt zu begründen, den „Global Marshall Plan". Dieses Engagement setzte er in den letzten Jahren fort, wobei er sich zum Ziel nahm, die Weltbevölkerung über den Fortgang und die Gefahren des Klimawandels zu informieren und

Surftipp
Netz der Globalen Herausforderungen
p84yz3

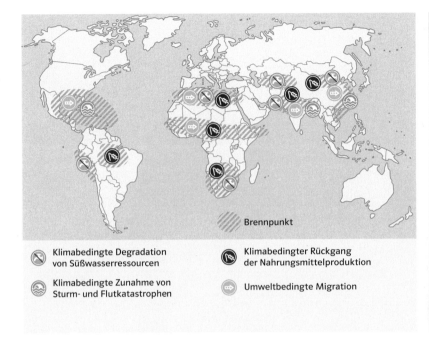

Brennpunkt

🚫 Klimabedingte Degradation
von Süßwasserressourcen

〰️ Klimabedingte Zunahme von
Sturm- und Flutkatastrophen

🚫 Klimabedingter Rückgang
der Nahrungsmittelproduktion

⇨ Umweltbedingte Migration

2 Klimabedingte Konfliktsituationen in ausgewählten Brennpunkten

3 Kinoplakat

sie wachzurütteln. Jeder kann, so seine Botschaft, durch seinen ganz persönlichen Lebensstil und bewusstes Handeln die Treibhausgasemissionen verringern und damit einen Beitrag zur Begrenzung des Klimawandels leisten. Al Gores Leistung ist es, mit seinen Vorträgen, vor allem aber mit dem Film „An Inconvenient Truth" („Eine unbequeme Wahrheit") Millionen Menschen auf der ganzen Welt erreicht zu haben. Wie Muhammad Yunus und Wangari Maathai wurde Al Gore zusammen mit dem IPCC mit dem Friedensnobelpreis ausgezeichnet, „für ihre Bemühungen ein größeres Verständnis über den menschenverursachten Klimawandel aufzubauen und zu verbreiten und den Grundstein für die erforderlichen Maßnahmen zu legen, um dem Klimawandel entgegenzuwirken".

Die Menschheit nimmt durch die Verbrennung fossiler Energieträger entscheidend Einfluss auf die Temperaturerhöhung. Sollte die Durchschnittstemperatur der Erde um mehr als zwei Grad ansteigen, ist mit nicht mehr kontrollierbaren Folgen zu rechnen – so die Botschaft des IPCC. Die Folgen des Klimawandels bewirken jedoch nicht nur höhere Temperaturen sowie Dürren oder Überschwemmungen, sondern auch große wirtschaftliche Probleme. Und schließlich verursacht der Klimawandel nach Studien des WGBU die Verknappung von Süß-

4 Al Gore (Vizepräsident der USA 1993 – 2001)

wasserressourcen, die Zunahme von Sturm- und Flutkatastrophen sowie den Rückgang der Nahrungsmittelproduktion, millionenfache Umweltflucht und vielfältige Konflikte. Diese Folgen treten zunächst vor allem in den Ländern des Südens ein. Das führt dazu, dass viele Menschen ihre Lebensgrundlagen verlieren und sich auf den Weg machen, eine neue Heimat zu finden. Klimaschutz ist somit zugleich auch als friedenssichernde Maßnahme zu begreifen und zu realisieren. Erreichen können wir dies, wenn wir alle zusammen die weltweiten Treibhausgasemissionen jedes Jahr um ein Prozent senken. Dazu muss aber jeder in unserer „Einen Welt" seinen Beitrag leisten.

IPCC
Intergovernmental Panel on Climate Change, wurde 1988 vom Umweltprogramm der Vereinten Nationen gegründet und veröffentlicht etwa alle fünf Jahre den Stand der Klimaforschung.

WGBU
Wissenschaftlicher Beirat der Bundesregierung für globale Umweltveränderungen

5 Masdar City

6 Modell von Masdar City, Vereinigte Arabische Emirate (VAE)

Herausforderung Stadt

Seit 2008, so sagen die Statistiker, leben erstmals in der Geschichte mehr Menschen in Städten als in Dörfern. Und bis zum Jahr 2030 soll deren Zahl dann auf nahezu fünf Milliarden Menschen angewachsen sein. Mit dieser extremen Bevölkerungskonzentration geht eine Fülle von Herausforderungen – wie die Versorgung mit sauberer Luft, Energie, Nahrungsmitteln und Wasser sowie die Entsorgung von Wasser und Müll – einher. Diese Herausforderungen gilt es zu meistern im „Jahrtausend der Städte".

→
Verstädterung
Seite 156 – 171

7 Modellzeichnung Masdar

Masdar – Muster für die Stadt der Zukunft?

In den Vereinigten Arabischen Emiraten begannen im Februar 2008 die Arbeiten zur Errichtung der vollkommen emissionsfrei funktionierenden Stadt Masdar. 15 Kilometer von Abu Dhabi entfernt soll hier in den nächsten Jahren eine 6 km² große, von niedrigen Häusern geprägte Stadt entstehen und 50 000 Menschen Wohnraum bieten. Der innerstädtische Verkehr wird ausschließlich über solarbetriebenen öffentlichen Personenverkehr bewältigt. Die durch Sonnensegel und Überdachungen beschatteten Wege sowie ausgeklügelte Solartechnologie werden die innerstädtische Temperatur um 20 Grad gegenüber denen außerhalb der Stadt herrschenden Temperaturen verringern und selbst nach Sonnenuntergang noch die Gewinnung elektrischen Stroms ermöglichen. Das Emirat Abu Dhabi will mit diesem Prestigeobjekt den erneuerbaren Energien zum Durchbruch verhelfen und das Potenzial nachhaltigen Städtebaus beweisen. Mit dem Großprojekt Masdar wird der Versuch unternommen, auf die globalen Herausforderungen Klimawandel und Verstädterung eine Antwort zu finden.

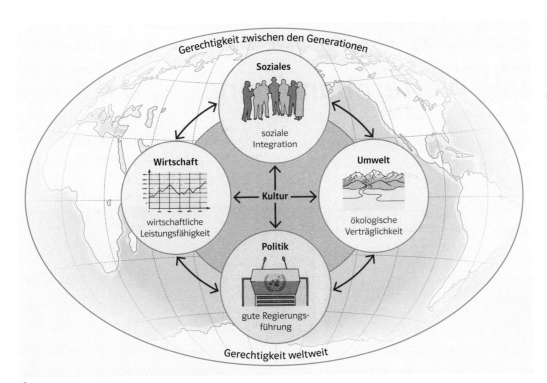

9 Hans Carl
von Carlowitz
(1645 – 1714)

Hans Carl von
Carlowitz war Ende
des 17. Jh. Oberberg-
hauptmann in Frei-
berg, Sachsen. Zu
seinen Aufgaben
zählte u.a. die aus-
reichende Bereit-
stellung von Holz
für den Ausbau
neuer Stollen im
Bergbau. Seine
Überlegungen, wie
der Wald am besten
zu bewirtschaften
sei, führten ihn zu
der Erkenntnis, dass
man nie mehr Holz
einschlagen dürfe,
als gleichzeitig
nachwachse. Dieses
von ihm erkannte
Prinzip diente als
Vorlage des Nach-
haltigkeitsprinzips,
das auf der Weltum-
weltkonferenz von
Rio de Janeiro (1992)
beschlossen wurde.

8 Lösungsansatz Nachhaltigkeit

Lösungsansatz Nachhaltigkeit

Die Menschheit steht an einem entscheidenden Punkt ihrer Geschichte. Wir erleben eine zuneh-mende Ungleichheit zwischen Völkern und inner-halb von Völkern eine immer größere Armut, immer mehr Hunger, Krankheit und Analphabetentum sowie eine fortschreitende Schädigung der Öko-systeme, von denen unser Wohlergehen abhängt. Durch eine Vereinigung von Umwelt- und Entwick-lungsinteressen und ihre stärkere Beachtung kann es uns jedoch gelingen, die Deckung der Grundbe-dürfnisse, die Verbesserung des Lebensstandards aller Menschen, einen größeren Schutz und eine bessere Bewirtschaftung der Ökosysteme und eine gesicherte, gedeihlichere Zukunft zu gewährleis-ten. Das vermag keine Nation allein zu erreichen, während es uns gemeinsam gelingen kann: in ei-ner globalen Partnerschaft, die auf eine nachhal-tige Entwicklung ausgerichtet ist.

Auf diese Botschaft hat sich die Weltgemeinschaft im Rahmen der Welt-Umweltkonferenz 1992 in Rio de Janeiro verständigt und in der „Agenda 21" das Nachhaltigkeitsprinzip festgeschrieben. Dieses ver-pflichtet alle, so zu handeln, dass spätere Genera-tionen die gleichen Lebens- und Entwicklungsmög-lichkeiten haben wie wir heute.

Dies kann erreicht werden, wenn wir ökologisch im Sinne der Natur, gesellschaftlich im Sinne der Menschen und zugleich wirtschaftlich erfolgreich entscheiden und handeln. Dies setzt eine gute Re-gierungsführung (good governance) voraus. Das bedeutet, dass politische Entscheidungen zum Wohle der Menschen, der Natur und der Wirtschaft getroffen werden.

Wangari Maathai, Muhammad Yunus und Al Gore verbindet die Überzeugung, dass nur durch ein auf Nachhaltigkeit ausgerichtetes Handeln aller Armut und Ungleichheit sowie Umweltzerstörung und Klimawandel begegnet werden kann. Und sie ver-bindet die Überzeugung, dass nur viele kleine, lokal umgesetzte Schritte zur Verbesserung der globalen Situation führen. „Think global – act local" lautet da-her das in Rio de Janeiro ausgegebene Motto für nachhaltiges Handeln.

Die Geographie leistet dazu einen wichtigen Bei-trag. Sie versteht die wechselseitige Beeinflus-sung menschlichen Handelns und naturräumlicher Bedingungen als System. Mit der Erkenntnis von und dem Verständnis für das System Erde kann im Geographieunterricht die Basiskompetenz für ein nachhaltiges Handeln in der „Einen Welt" erworben werden.

2

Globale Wetterphänomene

Taifun Rammasun, Philippinen, 16. Juli 2014

Taifun, Manila, September 2009

Dürre, Sizilien, 2002

Sonniges, regnerisches oder stürmisches Wetter – ihr habt sicherlich schon alles erlebt. Auch in dieser Stunde zeigt sich irgendwo auf der Erde das Wetter von seiner extremen Seite, häufig mit katastrophalen Folgen für Mensch und Natur. Doch wie, warum und wo kommt es zu bestimmten Wetterereignissen und Wetterphänomenen?

Hurrikan Katrina, 2005

1   Deutschland (Ettlingen) im Juli

3   Deutschland (Ettlingen) im Dezember

Wetter mal so und mal so

Mal Sonnenschein, mal Regen oder Schnee, mal Sturm – das Wetter ändert sich bei uns in Deutschland fast ständig. Aber wie ist das zu erklären und ist das überall auf der Erde so?

Wetterelemente
Temperatur, Strahlung, Luftdruck, Wind, Luftfeuchtigkeit, Bewölkung, Niederschlag

Das Wetter ist immer das Zusammenspiel aller Wetterelemente an einem konkreten Ort und zu einem bestimmten Zeitpunkt. Häufig wechselt das Wetter bei uns von Tag zu Tag, mal ist es sonnig, mal regnet oder stürmt es. Hält ein bestimmtes Wetter mehrere Tage über einem großen Gebiet an, dann spricht man von einer Großwetterlage. Das Wetter in Mitteleuropa wird überwiegend geprägt von Großwetterlagen. Dabei sind Westlagen am häufigsten. Der Wind weht dann überwiegend aus westlichen Richtungen und trägt als Hauptluftmasse feuchte Meeresluft mit sich.

Drei weitere Hauptluftmassen bestimmen weitestgehend unser Wetter in Mitteleuropa: die aus dem Norden strömende kalte Polarluft, die aus dem Süden kommende warme Tropikluft und die von Osten kommende trockene Kontinentalluft. Je nach Jahreszeit unterscheiden sich diese Luftmassen hinsichtlich ihrer Temperatur und Feuchtigkeit.

Luftmassen
Große Luftmengen mit einheitlicher Temperatur oder Feuchtigkeit. Bei ihrer Verlagerung in andere Gebiete behalten sie ihre Eigenschaften bei.

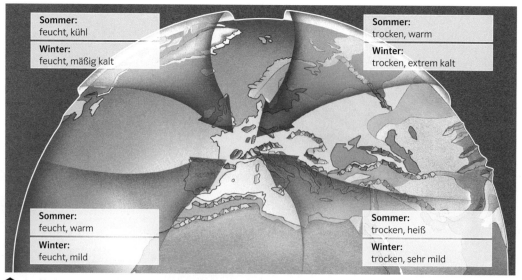

Sommer: feucht, kühl
Winter: feucht, mäßig kalt

Sommer: trocken, warm
Winter: trocken, extrem kalt

Sommer: feucht, warm
Winter: feucht, mild

Sommer: trocken, heiß
Winter: trocken, sehr mild

2   Großluftmassen, die das Wetter in Europa bestimmen

4 Guatemala (Tikal) im Juli

5 Guatemala (Tikal) im Dezember

Ein Tag im Kongo

„Der Tag bricht um sechs Uhr an, eine Dämmerung gibt es praktisch nicht. Der nächtliche Dunst löst sich langsam auf und die ersten Sonnenstrahlen kommen durch. Wie eine undurchdringliche Mauer erscheint uns der Tropische Regenwald am Flussufer. Der Himmel ist wolkenlos und bei ca. 20 °C ist es in den frühen Morgenstunden noch angenehm kühl. Doch die Sonne steigt rasch höher. Der Dunst lichtet sich weiter und wir brechen mit unserem einheimischen Führer auf in den Wald. Je weiter wir uns vom Ufer entfernen, desto düsterer wird es. Dämmerlicht umfängt uns. Kein Wind regt sich. Die Luft ist stickig und schwül. Überall tropft es.

Im Laufe unserer Wanderung beobachten wir erste weiße Wolken am Himmel. Nach und nach türmen sich diese immer höher auf, sodass am Nachmittag der gesamte Himmel von einer schwarzen Wolkenmasse bedeckt ist. Die Lufttemperatur beträgt mittlerweile über 30 °C und die Schwüle ist unerträglich. Wir fühlen uns erschöpft und lustlos. Zudem machen uns die zahlreichen Stechmücken zu schaffen. Fast jeden Tag bricht ein Unwetter herein. Grelle Blitze erleuchten den dunklen Himmel, Donner zerreißt die Luft und es setzt sintflutartig ein heftiger Regen ein. Es ist, als ob die Wassermassen aus Fässern über uns geschüttet würden. Im Nu sind wir bis auf die Haut durchnässt. Doch genauso plötzlich wie das Unwetter begonnen hat, endet es auch. Erneut scheint die Sonne. Alles trieft vor Nässe. Wir setzen unseren Weg fort und erreichen kurz vor Sonnenuntergang gegen 18 Uhr den Ausgangspunkt unserer Wanderung."

Dieser Ablauf des Wetters ist für alle tropischen Regenwaldgebiete typisch, aber er ist nicht täglich zu erwarten, so auch der **tropische Mittagsregen**.

→
tropischer Regenwald
Seite 46/47

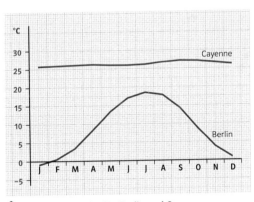

6 Temperaturverlauf in Berlin und Cayenne

1 Beschreibe die Wettersituation im Juli und Dezember für Mitteleuropa (Fotos 1 und 3) und für Amazonien (Fotos 4 und 5). ○

2 Beschreibe mithilfe der Grafik 2 die vier Hauptluftmassen, die das Wetter in Mitteleuropa bestimmen. ○

3 Vergleiche den jährlichen Temperaturverlauf von Berlin mit Cayenne in den Tropen (Diagramm 6). ◕

4 Erkläre die Unterschiede des Wetters in Mitteleuropa und im Kongo. ◕ ∞

5 Einige besondere Wettererscheinungen in Mitteleuropa können mit Großwetterlagen in Verbindung gebracht werden. Erkläre „Schafskälte" und „Weihnachtstauwetter". ●

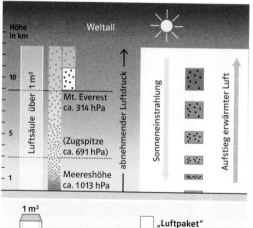

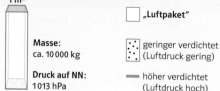

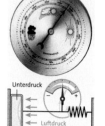

1 Barometer

2 Luftdruck

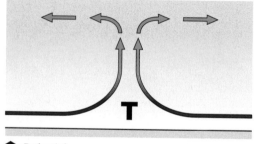

3 Bodentief

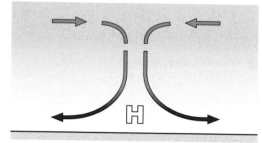

4 Bodenhoch

Was bewegt die Luft?

Wer mit dem Fahrrad gegen den Wind fährt, muss mehr Kraft aufwenden, um voranzukommen. Andererseits nutzen Segelboote oder Windräder die Kraft des Windes. Bei Orkanen erfahren wir zudem deren zerstörerische Kraft. Aber wie entstehen Winde überhaupt?

Luft hat eine Masse

Es ist erstaunlich: Auf jedem Quadratmeter der Erdoberfläche lasten etwa 10000 Kilogramm. An die unsichtbare Last der Luft haben wir uns gewöhnt. Wir Menschen spüren sie allerdings nicht, da wir kein Sinnesorgan hierfür haben. Nur schnelle und ausreichend starke Luftdruckschwankungen, die bei Fahrten in Aufzügen, Seilbahnen, bei Tunneldurchfahrten oder bei Flugzeugstart und -landungen auftreten, können wir als Druckgefühl im Ohr wahrnehmen. Probleme bereiten uns somit die plötzlichen Änderungen des Luftdrucks.

Unter **Luftdruck** versteht man also die Kraft, die die Masse der **Erdatmosphäre** unter der Wirkung der Erdanziehung auf eine Einheitsfläche ausübt. Die über einer Bezugsfläche lagernde Luftsäule drückt die darunter befindliche Luft zusammen. Die gleiche Luftportion hat zum Beispiel in Meereshöhe ein geringeres Volumen als in fünf Kilometer Höhe. Der Luftdruck wird mithilfe eines Barometers gemessen und in der Einheit Hektopascal (hPa) angegeben.

Entstehung eines Tiefdruckgebietes

Material: 14 Teelichter oder Kerzen mit feuerfester Unterlage; Streichhölzer
Durchführung: Stelle die Kerzen im windstillen Klassenzimmer kreisförmig auf und beobachte die Flammen.
Auswertung: Zeigen alle Flammen nach innen, dann deuten sie ein temperaturbedingtes Tief an.

5 Versuch

6 Entstehung von Hoch- und Tiefdruckgebieten

Luft bewegt sich

Wird die Erdoberfläche stark erwärmt, so erwärmt sich auch die darüber liegende Luft. Sie dehnt sich aus, wird leichter und steigt auf. In der Höhe fließt sie zur Seite ab. Als Folge sinkt am Boden der Luftdruck, ein **Tiefdruckgebiet** oder „Tief" ist entstanden. Andererseits entsteht über kälterem Untergrund, wo Luft absinkt und zusätzlich Luft in der Höhe Luft nachfließt, am Boden ein **Hochdruck-gebiet** oder ein „Hoch". Tief- und Hochdruckgebiete, die durch Erwärmung und Abkühlung entstehen, werden als thermische Druckgebiete bezeichnet.

Ein Wind entsteht

Den Unterschied zwischen dem Gebiet mit hohem Druck und dem mit tiefem Druck gleicht die Luft aus. Anschaulich zeigt sich dies, wenn man das Ventil eines Fahrradschlauches löst, so strömt Luft heraus. Sie bewegt sich vom Gebiet höheren Drucks zum Gebiet niedrigeren Drucks. Es weht ein Wind,

um den Druckunterschied auszugleichen. Je größer der Luftdruckunterschied ist, umso größer ist auch die Geschwindigkeit des Windes. Ein Wind wird danach benannt, aus welcher Richtung er weht. Dementsprechend wird ein Wind, der zum Beispiel von Westen nach Osten weht, als Westwind bezeichnet. Ein Wind strömt nicht auf direkten Weg von einem Hochdruckgebiet zu einem Tiefdruckgebiet, sondern er wird durch die Erddrehung abgelenkt.

Wie man Wind beobachtet und misst

Zur Beobachtung und Messung des Windes wird seine Eigenschaft, eine Kraft auf Gegenstände auszuüben, genutzt. Die Windstärke wurde früher nach der Beaufort-Skala mit Windstärken von 0 bis 12 angegeben. Da diese Skala nicht ausreicht, benutzt man heute folgende Maßeinheiten: Meter pro Sekunde (m/s) oder Kilometer pro Stunde (km/h).

7 Windwegmesser

8 Windrichtungs-messer

---

1 Nenne mithilfe von Grafik 2 den mittleren Luftdruck auf Meereshöhe und auf dem Mt. Everest. ○

2 Führe den Versuch 5 durch:
a) Beschreibe deine Beobachtungen. ◖
b) Vergleiche deine Beobachtungen mit Grafik 3. ●

3 Beschreibe mithilfe der Grafiken 3 und 4, wie ein Hoch und wie ein Tief in Bodennähe entsteht. ◖

4 Erkläre die Entstehung von Wind. ◖

5 Joghurtbecher oder Chipstüten wirken im Hochgebirge aufgebläht. Erkläre dieses Phänomen. ◖

6 Warum zerquetscht mich der Luftdruck nicht? ◖ ⚭

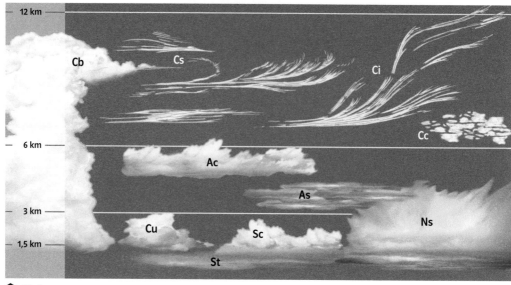

Wolkengattungen

Hohe Wolken:
Cirrus (Ci)
Cirrocumulus (Cc)
Cirrostratus (Cs)

Mittelhohe Wolken:
Altocumulus (Ac)
Altostratus (As)

Tiefe Wolken:
Stratocumulus (Sc)
Stratus (St)

Wolken mit großer vertikaler Ausdehnung:
Nimbostratus (Ns)
Cumulus (Cu)
Cumulonimbus (Cb)

1 Wolkengattungen

Wolken – Gebilde auf Zeit

Wolken können einen stimmungsvollen Himmel zieren, sie können aber auch bedrohlich wirken. Wolken zählen zu den grundlegenden Elementen des Wetters. Doch unter welchen Bedingungen bilden sich Wolken?

Wasser in der Luft

Durch Verdunstung wird der Atmosphäre ständig Wasser in Form des unsichtbaren Wasserdampfes zugeführt. Je höher die Lufttemperatur ist, umso mehr Wasserdampf kann die Luft aufnehmen. Beim Föhnen von nassen Haaren nutzen wir diesen Effekt zum Trocknen.

So kann kalte Luft weniger Wasserdampf aufnehmen als warme Luft. Es gibt auch eine natürliche Obergrenze, bis zu der Luft bei einer bestimmten Temperatur eine maximale Menge an Wasserdampf aufnehmen kann. Dies ist die maximal absolute Feuchte. Häufig finden wir die Angabe **relative Luftfeuchtigkeit** in Prozent. Dies gibt das Verhältnis der wirklich in der Luft vorhandenen zu der von ihr maximal aufnehmbaren Wasserdampfmenge an. In einem Wohnraum sollte die Luftfeuchtigkeit zwischen 40 und 60% liegen. Dieser Wert wird als optimal für das Wohlbefinden seiner Bewohner angesehen. Hauchen wir einen Spiegel an, so beschlägt dieser und verliert seine Spiegelwirkung. Die warm-feuchte Atemluft trifft auf eine kältere Spiegeloberfläche. Kühlt feuchte Luft ab, so bilden sich kleinste Wassertröpfchen, die nun sichtbar sind. Es wird der Taupunkt von Wasser erreicht und unsichtbarer Wasserdampf kondensiert zu flüssigem Wasser. Diesen Vorgang nennt man **Kondensation**. Am Taupunkt herrscht immer 100% relative Luftfeuchte.

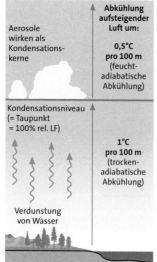

2 Wasser in der Luft und Wolkenbildung

A

Die von Sonneneinstrahlung erhitzte Boden-
oberfläche erwärmt die darüberliegende Luft, die
aufsteigt. Mit der Höhe nimmt der Luftdruck ab
und die Luft dehnt sich aus. Dabei kühlt sie sich
ab. Wird die Luft bis zum Taupunkt abgekühlt,
kondensiert der in ihr enthaltene Wasserdampf.
Bei vertikaler Luftströmung entstehen Haufen-
oder Cumuluswolken. Sie können heftige Niederschläge bringen.

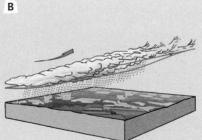

B

Feuchte und wärmere Luftmassen werden vom
Wind über ein Gebiet mit kälterer Luft geschoben.
Bei der Aufgleitung wird das Kondensationsniveau
erst in großer Höhe erreicht. Dort bilden sich
zunächst Cirren (Federwolken) und in der Folge
sehr dichte Schichtwolken durch die überwiegend
horizontalen Luftbewegungen. Die Niederschläge
sind ergiebig und lang anhaltend.

C

Kalte Luftmassen dringen vor und stoßen auf
feuchte und wärmere Luft, die dadurch zum
schnellen Aufstieg gezwungen wird. Es entsteht
eine dichte Quellbewölkung in Form von hoch
aufgetürmten Haufenwolken. Es kommt zu kräfti-
gen Niederschlägen.

3 Wolken bilden sich

Niederschlag entsteht

Es müssen verschiedene Bedingungen erfüllt sein,
damit Wolken entstehen können. Zunächst muss
Luft abgekühlt werden. Je kälter die Luft wird,
desto weniger Wasserdampf kann sie speichern.
Wird der Taupunkt erreicht, kondensiert der Wasserdampf bei weiterer Abkühlung. Um feinste
schwebende Teilchen (Aerosole), die als Konden-
sationskerne wirken, lagern sich dann immer mehr
kleinste Wassertropfen an. Erst viele kleine Wassertropfen bilden eine Wolke. Wachsen Millionen von
Wassertröpfchen oder Eiskristallen zusammen, die
nicht mehr schweben können, kommt es zum Niederschlag als Regen oder Schneefall.

Niederschlag	Art	Zustand	Größe in mm
Nieselregen	fallend	flüssig	0,1 bis 0,5
Regen	fallend	flüssig	0,5 bis 4
Nebel	fallend	flüssig	> 0,001
Schnee	fallend	fest	
Graupel	fallend	fest	> 0,5
Hagel	fallend	fest	4 bis 50
Tau	abgesetzt	flüssig	
Reif	abgesetzt	fest	

Versuch zur Wolkenentstehung

Material: hohes Becherglas,
Kühlelement aus dem Tief-
kühlschrank, heißes Wasser,
Streichholz

Durchführung Versuch 1:
Gieße vorsichtig heißes Wasser
etwa 3 cm hoch in das Becherglas. Lege das Kühlelement oben
darauf.
Auswertung: Notiere die
Beobachtungen.

Durchführung Versuch 2:
Wiederhole den Versuch 1. Bevor das Kühlelement aufgelegt
wird, entzünde ein Streichholz und
blase es im Becherglas aus, sodass
der Rauch im Becherglas bleibt.
Auswertung: Notiere die Beobachtungen.

1 Beschreibe an Beispielen aus dem Alltag das Phänomen Kondensation. ○

2 Erkläre den Unterschied der simulierten
Wolkenentstehung bei Versuch 1 und 2. ◕

3 Skizziere und erkläre mithilfe der Zeichnung 3 die Entstehung von Cumulonimbus-
wolken. ◕

4 Erkläre, warum nicht aus jeder Wolke
Niederschläge fallen. ◕

5 Es gibt Tage, an denen keine einzige
Wolke am Himmel zu erkennen ist. Finde
eine Erklärung. ◕ ∞

6 Besprühe ein Thermometer mit Kälte-
spray. Erkläre die Beobachtung. ◕ ∞

AFB I: 1 AFB II: 2, 3, 4, 5, 6

1 Tropischer Wirbelsturm aus dem Weltall betrachtet (Taifun, Neoguri, 07.07.2014)

Sturmgiganten

Riesige Wirbelstürme bedrohen jedes Jahr die Küsten in den Tropen, verursachen Schäden von katastrophalem Ausmaß und kosten unzählige Menschenleben. Ihre Hochsaison haben sie auf der Nordhalbkugel in den Monaten Juli bis November. Doch wo und wie entstehen diese Wirbelstürme und welche Gebiete sind besonders betroffen?

Bezeichnung tropischer Wirbelstürme

Hurrikane, Willy-Willies, Mauritius-Orkane, Cordonazos, Bengalen-Zyklone, Taifune, Monsun-Stürme

Tropische Wirbelstürme zählen zu den größten Naturgewalten der Erde. Mit Orkanböen, sintflutartigen Regenfällen und haushohen Flutwellen hinterlassen sie an Küsten oder Inseln eine Spur der Verwüstung. Es sind Tiefdruckgebiete mit einem Durchmesser von 500–1000 km. Sie setzen sich aus riesigen kreisförmigen Bändern von Gewitterwolken zusammen, die spiralförmig um das Sturmzentrum ("Auge") kreisen.

Auf ihren Zugbahnen verfrachten sie einen großen Teil der tropischen Wärme und Feuchtigkeit über die Wendekreise hinweg in kühlere und trockenere Zonen bis hin in unsere Breiten. Die Wirbelsturmsaison beginnt auf der Nordhalbkugel im langjährigen Mittel im Juni eines jeden Jahres und endet meist im November. Sie werden nach der Saffir-Simpson-Hurrikan-Skala den Kategorien 1 bis 5 zugeordnet.

1 Ein Wirbelsturm im Blick
a) Beschreibe die Lage des tropischen Wirbelsturmes in Foto 1. ◯
b) Ermittle mit einer geeigneten Atlaskarte oder GoogleEarth den Durchmesser des Taifuns. ◖

2 Nenne Voraussetzungen, die für die Entstehung tropischer Wirbelstürme nötig sind. (Text und Grafik 3) ◯

3 Tropische Wirbelstürme verlieren ihre zerstörerische Wirkung, wenn sie ins Landesinnere angelangt sind. Erkläre. ◖

4 Zeige die Folgen von verheerenden Flutwellen auf, die von einem tropischen Wirbelsturm ausgehen können. (Grafik 2) ◖

5 Recherchiere, woher die Bezeichnung Hurrikan kommt. ●

AFB I: 1a, 2   AFB II: 1b, 3, 4   AFB III: 5

Wie tropische Wirbelstürme entstehen

Hurrikane entstehen immer über warmen Meeren mit Wassertemperaturen über 27°C. Intensive Sonneneinstrahlung lässt große Mengen Wasser verdunsten, die von warmer Luft aufgenommen wird. Warme und feuchte Luftmassen strömen ein, steigen auf und kühlen dabei ab. Der in der Luft enthaltende Wasserdampf kondensiert und es bilden sich hoch aufgetürmte Quellwolken. Bei dieser Kondensation wird sehr viel Wärme frei und dem Luftraum wird ununterbrochen Energie zugeführt. Dadurch schießt immer mehr Luft in die Höhe. Durch die Ablenkung der Windströmung beginnt das Sturmsystem zu drehen und zwar ringförmig um das Zentrum. Im Zentrum der Hurrikans entsteht nach einiger Zeit das sogenannte Auge, eine 20 bis 60 km breite, wolkenfreie, fast windstille Zone. Dort herrscht meist absteigende Luftbewegung mit Wolkenauflösung. Am Boden des Auges ist es weitgehend still und niederschlagsfrei. Tropische Wirbelstürme bilden sich meist zwischen 10 und 20 Grad nördlicher Breite im westlichen Atlantik, in der Karibik, im Golf von Mexiko oder über dem Pazifik, aber niemals in Äquatornähe. Dort ist die Ablenkung der Winde noch zu schwach. Solange sich ein tropischer Wirbelsturm über warmes Meerwasser bewegt, steht genügend Energie für die Erhaltung des Wirbels zur Verfügung. Kommt er aber an Land, ist die Zufuhr von Energie unterbrochen, da der Regen die Temperatur des Bodens erniedrigt. Zusätzlich wird die Reibung des Landes wirksam. Der tropische Wirbelsturm wird instabil. Dennoch reicht die Energie noch aus, um küstennah verheerende Schäden und Überflutungen anzurichten.

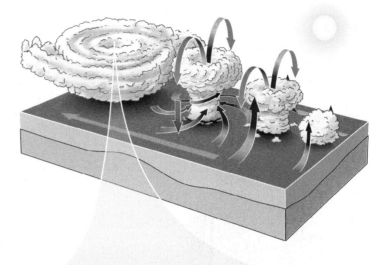

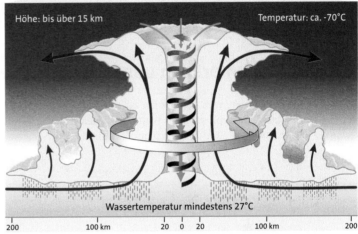

3 Entwicklungsstadien und Aufbau eines Hurrikans auf der Nordhalbkugel

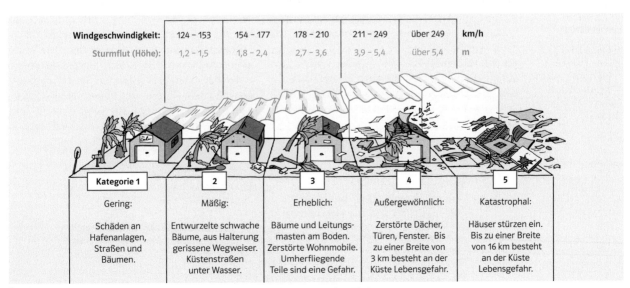

Windgeschwindigkeit:	124 – 153	154 – 177	178 – 210	211 – 249	über 249	km/h
Sturmflut (Höhe):	1,2 – 1,5	1,8 – 2,4	2,7 – 3,6	3,9 – 5,4	über 5,4	m

Kategorie 1	2	3	4	5
Gering:	Mäßig:	Erheblich:	Außergewöhnlich:	Katastrophal:
Schäden an Hafenanlagen, Straßen und Bäumen.	Entwurzelte schwache Bäume, aus Halterung gerissene Wegweiser. Küstenstraßen unter Wasser.	Bäume und Leitungsmasten am Boden. Zerstörte Wohnmobile. Umherfliegende Teile sind eine Gefahr.	Zerstörte Dächer, Türen, Fenster. Bis zu einer Breite von 3 km besteht an der Küste Lebensgefahr.	Häuser stürzen ein. Bis zu einer Breite von 16 km besteht an der Küste Lebensgefahr.

2 Stärke und Folgeschäden von Hurrikans nach der Saffir-Simpson-Hurrikan-Skala

1 Eine Front im Anmarsch

Zyklonen prägen unser Wetter

Die von Westen, vom Atlantik her auf den Kontinent ziehenden Tiefdruckgebiete (Zyklonen) bestimmen unser Wetter entscheidend. Wie verläuft aber das Wetter beim Durchzug einer Zyklone typischerweise?

Von Warmfronten und Kaltfronten

Der Geburtsort der Zyklonen, die über Mitteleuropa hinwegziehen, liegt meist über dem Nordatlantik. Mit dem **Westwind** ziehen diese normalerweise über den europäischen Kontinent hinweg. Überquert eine Zyklone Mitteleuropa, zeigt der Wetterablauf eine charakteristische Abfolge, die mit den Wettervorgängen an der Warmfront und Kaltfront erklärt werden kann.

An der Vorderseite des Tiefs gleitet warme Luft auf die vor ihr liegende kältere, schwerere Luft auf und wird dabei gehoben. Sie kühlt sich dabei ab, Kondensation setzt ein und es bilden sich zunächst hakenförmig aufgebogene Federwolken (Cirrus) als Vorboten einer nahenden Warmfront. Dann bilden sich Schichtwolken (Stratus, Nimbostratus), aus denen es anhaltend regnen kann. Nach dem Durchzug der Warmfront kann es zum Auflösen der Wolkendecke kommen.

Warmluft aus südlicher Richtung fließt in den Warmsektor ein und steigt in große Höhen auf, wo es wieder zur Wolkenbildung und eventuell zu örtlich schauerartigem Niederschlag kommen kann.

Mit der folgenden Kaltfront wird rasch die Warmluft nach oben verdrängt. Hoch reichende Konvektionswolken (Cumulus) entstehen. Starke Schauerregen mit großen Tropfen und teilweise Hagelbildung sind die Folge. Auch Gewitter gehören dazu. Nach dem Durchzug der Kaltfront hat man eine hervorragende Fernsicht aufgrund der klaren Luft.

1 Arbeitet im Team. Stellt für die drei Abschnitte einer Zyklone (Vorderseite, Warmsektor, Rückseite) die Merkmale von Temperatur, Bewölkung, Niederschlag und Luftdruck in einer Tabelle zusammen. (Abbildung 2) ◓

2 Erkläre die Wettervorgänge an einer Warmfront. ◓

3 An der Kaltfront treten vermehrt Starkregen auf. Erkläre. ◓

4 Formuliere für den Ort in Abbildung 2 einen Wetterbericht beim Durchzug einer Zyklone. ● ∞

AFB II: 1, 2, 4   AFB III: 3

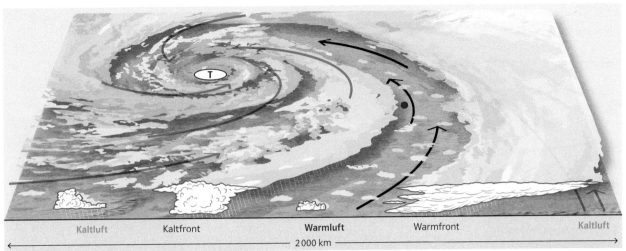

Kaltluft — Kaltfront — **Warmluft** — Warmfront — Kaltluft

2000 km

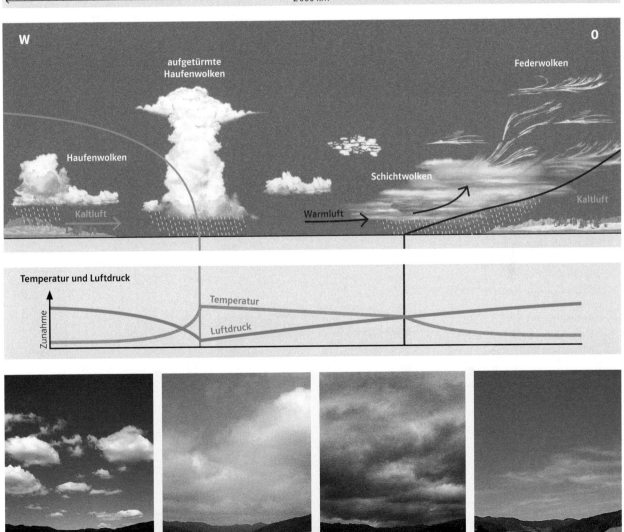

W

O

aufgetürmte
Haufenwolken

Federwolken

Haufenwolken

Schichtwolken

Kaltluft

Warmluft

Kaltluft

Temperatur und Luftdruck

Zunahme

Temperatur

Luftdruck

2 Schematisches Profil und Wettererscheinungen einer ideal ausgebildeten Zyklone

TERRA TRAINING

Wichtige Begriffe	Luftdruck	Niederschlag	Westwindzone
Hurrikan/Taifun	Luftfeuchte	Sturm (Orkan)	Wetter

Sich orientieren

1 Ordne zu

Ordne die Wirbelstürme den Ziffern 1 bis 7 in Karte 1 korrekt zu.

Zur Auswahl stehen: Hurrikane, Willy-Willies, Mauritius-Orkane, Cordonazos, Bengalen-Zyklone, Taifune, Monsun-Stürme. Nutze einen Atlas. ◗

Kennen und verstehen

2 Nenne die Begriffe ○

a) Wasserdampf in der Luft

b) das Zusammenspiel aller Wetterelemente an einem konkreten Ort und zu einem bestimmten Zeitpunkt

c) tropischer Wirbelsturm vor der Küste Floridas

d) Fachbegriff für Gewitterwolke

3 Entscheide dich

Welche Aussagen treffen zu? ○

a) Die Lufttemperatur nimmt mit zunehmender Höhe ab.

b) Der Luftdruck ist im Hochgebirge höher als im Tal.

4 Ergänze die Aussagen ○

a) Der Luftdruck wird in der Einheit … angegeben.

b) Steigt erwärmte Luft nach oben entsteht am Boden … .

c) Luft bewegt sich vom … zum … .

d) Ein Ostwind weht von … nach… .

e) Cirruswolken und fallender Luftdruck sind Vorboten für eine … .

5 Aussagen überprüfen

Überprüfe, welche der Aussagen die absolute und welche die relative Feuchte beschreibt. ●

a) Gibt an, wie viel Wasserdampf in Gramm pro Kubikmeter Luft enthalten ist.

b) Gibt an, wie viel Wasserdampf höchstens enthalten sein darf, bevor er kondensiert.

c) Ist der Quotient aus absoluter und maximaler Luftfeuchte, multipliziert mit hundert.

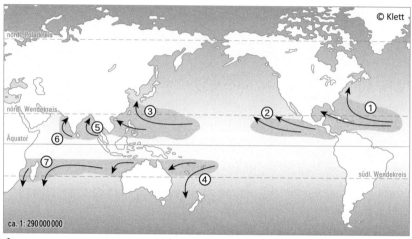

© Klett

nördl. Polarkreis

nördl. Wendekreis

Äquator

südl. Wendekreis

ca. 1: 290 000 000

1 Tropische Wirbelstürme

6 Wolkenexperte

Foto 2 und 3: Bezeichne die Wolkenformen und erkläre ihre Entstehung. ◗

7 Geheimnisse der Luftdichte

Erkläre die Aussage der Grafik 4 und formuliere ganze Sätze. ◗

8 Nebelbildung

Foto 5: In klaren Herbstnächten bildet sich häufig Nebel in Tälern. Erkläre. ◗

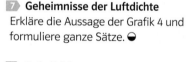

2

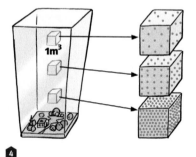

$1 m^3$

4

3

5

Material
Selbsteinschätzung
ds4yp3

Material
Kompetenzcheck
ds4yp3

Lernen im Netz
interaktive Übungenn
ds4yp3

Wind   Zyklone
Wirbelsturm

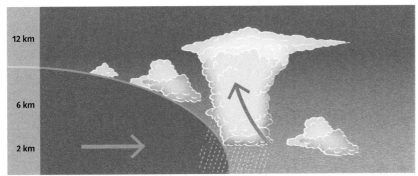

6

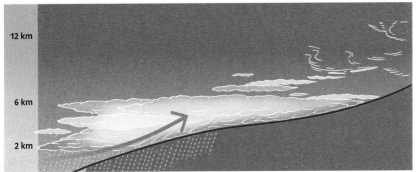

7

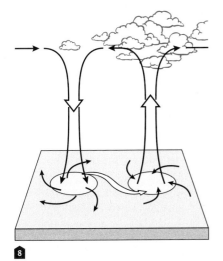

8

Fachmethoden anwenden

9 **Skizze erstellen**
Übertrage die Zeichnungen 6 und 7 in das Heft und beschrifte jeweils die Abbildungen. Folgende Begriffe stehen zur Verfügung: Warmfront, Kaltfront, warme Luftströmung, kalte Luftströmung, Haufenwolken, Federwolken, Schichtwolken, Gewitterwolken. ◗

10 **Skizze erstellen**
Zeichne die Skizze 8 in dein Heft und beschrifte die Skizze. Benutze auch die Farbe Rot für warme Luftmassen und Blau für kalte Luftmassen. ◗

Beurteilen und bewerten

11 Beurteile jeweils die Aussagen. ●
a) Die Energie der Sonne erwärmt den Erdboden und Wasser steigt auf.
b) Die Temperatur von aufsteigender Luft steigt an.
c) Warme Luft steigt auf und kalte Luft sinkt ab.
d) Eine Abkühlung von feuchter Luft kann zur Kondensation führen.

12 **Gemeinsamkeiten und Unterschiede**
Bild 9 zeigt eine Zyklone über Nordeuropa und Bild 10 einen Hurrikan vor der Südküste der USA. Bewerte die Aussage: Beide Sturmgebilde zeigen Gemeinsamkeiten und Unterschiede. ●

9

10

Am Ende kannst du ...
– typische Wetterabläufe der inneren Tropen im Vergleich zu Mitteleuropa beschreiben,
– das Zusammenwirken der Wetterelemente erklären,
– den Durchzug einer Zyklone beschreiben,
– ein ausgewähltes Wetterextrem sowie daraus resultierende Bedrohungen darstellen.

2

TERRA FÜR DICH

Wähle ein Thema aus, das dich besonders interessiert, und erstelle dazu einen Kurzvortrag.

Die USA im Griff der Naturgewalten: das Beispiel Blizzards.
Berücksichtige den Verbreitungsraum, Erklärung der Entstehung, Schadensumfang.

Y Wähle aus!

1 Blizzard, Philadelphia Airport am 27.12.2010

Blizzard hat US-Ostküste fest im Griff. Von "Jonas" werden noch Generationen erzählen.

Der Wintersturm "Jonas" hat gigantische Ausmaße erreicht. Er tobt vom südlichen Florida bis ins nördliche Neuengland an der Ostküste der USA mit Schnee und Orkanwinden. Mindestens 19 Menschen kamen ums Leben. Am schlimmsten trifft es Washington und New York. Dort stehen alle Räder still.
"Jonas" hat nahezu das gesamte öffentliche Leben an der US-Ostküste zum Erliegen gebracht. Die rund 80 Millionen Menschen in den betroffenen US-Staaten wurden aufgefordert, zu Hause zu bleiben. Mehrere Staaten riefen den Notstand aus, darunter Tennessee, North Carolina, Pennsylvania, Virginia, Maryland, der Hauptstadtbezirk D.C. und New Jersey. Auf glatten Straßen, beim Schneeräumen und durch Unterkühlung kamen bislang 19 Menschen ums Leben. Für bis zu 240 000 Bewohner von North Carolina, New Jersey und Virginia fiel der Strom aus.

Was ist ein Blizzard?

Blizzards werden die heftigen Schneestürme mit starken Temperaturstürzen in Nordamerika genannt. Nach der Definition der US-Wetterbehörde NOAA sorgt bei einem Blizzard Wind mit mehr als 56,3 Kilometern (35 Meilen) in der Stunde mindestens drei Stunden lang bei starkem Schneefall für Sichtbehinderungen. Kaltluft aus den arktischen Regionen Kanadas strömt dabei am Rand von Tiefdruckgebieten nach Süden. Bei oftmals −35°C lässt der Blizzard unter einem Schnee- und Eispanzer auch weite Teile der USA erstarren und bringt dort das öffentliche Leben zum Erliegen.
In Deutschland sprechen Meteorologen von einem Schneesturm, wenn heftiger Wind mit mehr als 75 Kilometern in der Stunde von starkem Schneefall begleitet wird. Die Schneemassen türmen sich dann bisweilen zu meterhohen Verwehungen auf.

Warum gibt es Blizzards in Nordamerika?

Enormen Einfluss auf das Wettergeschehen in den USA hat das Relief. Die Nord-Süd-Ausrichtung der großen Gebirgszüge wie der Rocky Mountains verhindert den Luftmassenaustausch von West nach Ost. Wegen des Fehlens derartiger Gebirgshindernisse in Nord-Süd-Richtung kann dagegen ein Luftmassenaustausch hier ungehindert stattfinden. Polare Kaltluft aus der „Ice Box" der Hudson Bay kann in kürzester Zeit bis weit in den Süden, an die Küsten Floridas, vordringen. Tropisch warme Luft gelangt dagegen ungehindert aus dem Süden bis weit in den Norden, ins Gebiet der Großen Seen. Feuchtwarme Luftmassen aus dem Golf von Mexiko treffen nicht selten im Bereich der Inneren Ebenen auf kalte, trockenere Luft aus nördlicheren Herkunftsgebieten und bilden den Nährboden für besondere Winde.

So enstehen Tornados

Tornados entstehen immer über Land in Verbindung mit energiereichen Gewitterwolken, die auch Superzellen genannt werden. Diese bilden sich, wenn feuchtwarme Luft am Boden auf hoch reichende Kaltluft trifft und wenn Windstärke und Windrichtung am Boden und in der Höhe sich stark unterscheiden. Häufig ist in den mittleren Luftschichten zusätzlich kalte und sehr trockene Luft vorhanden. Wenn die Warmluft die Trennschicht zur darüber liegenden Kaltluft durchbricht, kondensiert der Wasserdampf und es bilden sich gewaltige Gewitterwolken. Gleichzeitig stürzt Kaltluft auf der Gewitterrückseite herab. Während sich dieser Fallwind auf der Gewitterseite ausbreitet, wird durch die Sogwirkung der riesigen Gewitterwolke Warmluft schräg in die Höhe geführt. Durch diese entgegengesetzte Windrichtung in 1 bis 2 km Höhe entsteht eine Luftzirkulation, deren Wirbelachse zunächst horizontal ist. Dieser Wirbelschlauch wird nun von der Gewitterwolke überrollt und dadurch die Wirbelachse bis zur Senkrechten gedreht. Nun beginnt sich der untere Teil der aufströmenden Luft in Rotation zu versetzen. Zwischen Erdoberfläche

2 Tornado

und Wolkenuntergrenze entwickelt sich dabei der typische Wolkenschlauch in Form eines Rüssels. Im Tornadorüssel rotiert die Luft mit ungeheurer Geschwindigkeit aufwärts.

Tornados wirken im Gegensatz zu Hurrikanen relativ kleinräumig. Aufgrund des hohen Staudrucks des Windes hinterlassen Tornados eine Schneise der Verwüstung von 5 bis 10 km, manchmal bis zu 300 km Länge.

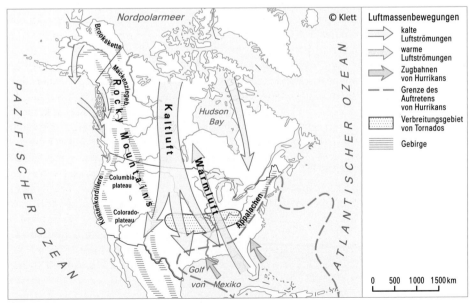

1 Luftmassenbewegungen, Verbreitungsgebiete von Tornados und Hurrikans

3

Klima- und Vegetationszonen der Erde

Laub-, Misch-, Nadelwal

Hartlaub-
gewächse

Wüste

Wüste

Dorn-, Trocken-,
Feuchtsavanne

Tropischer
Regenwald

Auf der Erde gäbe es ohne die Sonnenstrahlung kein Leben. Die Sonne ist unser wichtigster Energielieferant. Allerdings ist sie auf der Erde ungleich verteilt.

Während am Äquator das ganze Jahr über hohe Lufttemperaturen herrschen, sind die Pole immer mit Eis bedeckt. Lassen sich die Unterschiede erklären? Welche Folgen hat dies für die Vegetation?

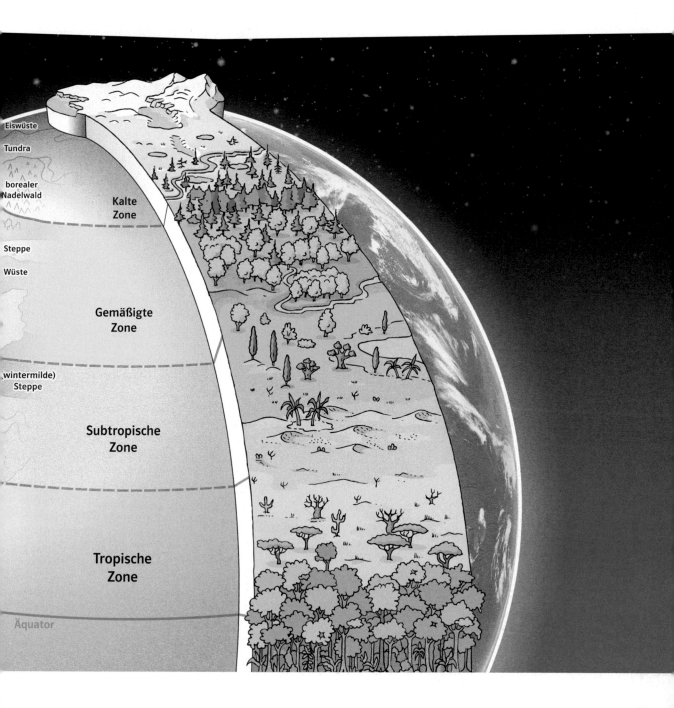

Eiswüste

Tundra

borealer
Nadelwald

Kalte
Zone

Steppe

Wüste

Gemäßigte
Zone

(wintermilde)
Steppe

Subtropische
Zone

Tropische
Zone

Äquator

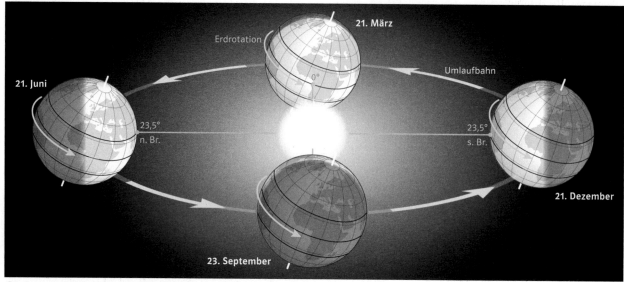

1 Die Bahn der Erde um die Sonne

Licht und Wärme – ungleich verteilt

Warum sind die Tage und Nächte bei uns unterschiedlich lang?
Und warum herrschen auf der Erde unterschiedliche Temperaturen?

Im Laufe eines Jahres, genau in 365 Tagen und 6 Stunden, bewegt sich die Erde einmal um die Sonne (Erdrevolution). Zudem dreht sich die Erde alle 24 Stunden einmal um sich selbst (Erdrotation). Die Erdachse ist bei diesem Umlauf um die Sonne in einem Winkel von 23,5 Grad geneigt. Diese Neigung der Erdachse bleibt während des Umlaufs um die Sonne immer gleich.

Grundsätzlich wird immer nur die der Sonne zugewandte Hälfte der Erde beleuchtet (Tag), die andere liegt im Schatten (Nacht). Im Laufe eines Jahres verändern sich jedoch die Einfallswinkel der Sonnenstrahlen auf die Erde. Ein halbes Jahr werden die nördliche, ein halbes Jahr die südliche Halbkugel stärker bestrahlt und dadurch stärker erwärmt. Es entstehen die **Jahreszeiten**. Am 21. Juni ist der Nordpol der Erde zur Sonne geneigt, der Südpol dagegen abgewandt. Die Schattengrenze verläuft an den Polarkreisen. An diesem Tag geht die Sonne nördlich des Polarkreises nicht unter, es herrscht Polartag. Wir in Deutschland merken das an den langen Tagen und den hohen Tagesbögen der Sonne im Sommer.

Beleuchtungszonen und Tageslängen

Weil sich der Neigungswinkel der Erdachse während der Drehung der Erde um die Sonne nicht ändert, lassen sich drei mathematische **Beleuchtungszonen** ableiten:
Die **Polarzonen** zwischen den beiden Polen und den Polarkreisen sind Bereiche der Erde, in denen es den Polartag und die Polarnacht gibt. An den Polarkreisen dauert der Polartag 24 Stunden, an den Polen ein halbes Jahr. Der Sonnenstand im Sommerhalbjahr der jeweiligen Halbkugel ist niedrig.

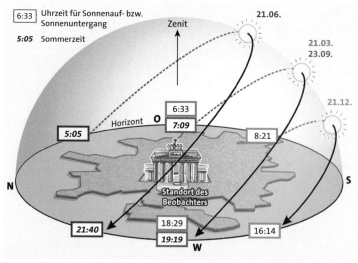

2 Der Tagesbogen der Sonne im Jahresverlauf

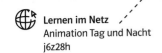

Lernen im Netz
Animation Tag und Nacht
j6z28h

Lernen im Netz
Beleuchtungszonen der Erde
j6z28h

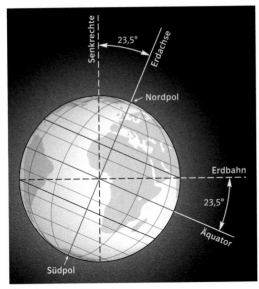

3 Die Neigung der Erdachse

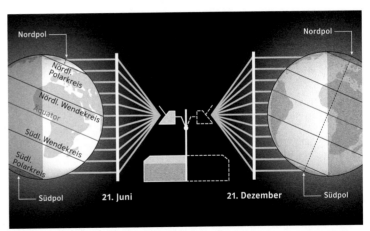

4 Die „Entstehung der Beleuchtungszonen" mit dem Globus veranschaulichen

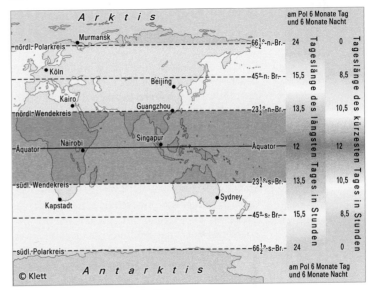

5 Die Beleuchtungszonen der Erde

In den **Gemäßigten Zonen** und den **Subtropen**, zwischen den **Polar- und den Wendekreisen**, wechseln im Verlauf eines Jahres die Sonnenstände. Dadurch entstehen die uns bekannten typischen vier Jahreszeiten mit unterschiedlich langen Tagen und Nächten. Je näher ein Ort an den Wendekreisen liegt, desto kleiner werden die Unterschiede.

Die **Tropenzone** liegt zwischen den Wendekreisen. Weil der Sonnenstand in dieser Zone ganzjährig hoch ist, gibt es keine temperaturbedingten Jahreszeiten wie bei uns. Die Tage und Nächte sind dort das ganze Jahr fast gleich lang. Nur wenn bei uns Frühling und Herbst beginnen, am 21. März und 23. September, sind überall auf der Erde zwölf Stunden Tag und zwölf Stunden Nacht. Diese Erscheinung wird als Tagundnachtgleiche bezeichnet. Nur in den Tropen kann die Sonne im **Zenit** stehen, d.h. senkrecht über dem Beobachter auf der Erdoberfläche. Am 21. Juni „erreicht" der Zenitstand seinen nördlichsten Punkt bei 23,5 Grad Nord. Dann „wendet" sich der Sonnenhöchststand wieder nach Süden. Die Breitenkreise 23,5 Grad Nord und Süd werden daher Wendekreise genannt. Weil diese Verlagerung des Zenitstandes eine Folge der geneigten Erdachse ist, spricht man von einer scheinbaren Wanderung zwischen den Wendekreisen.

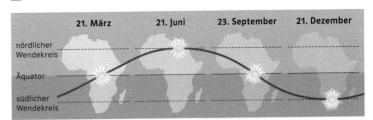

6 Zenitstände der Sonne im Jahresverlauf

---

1 Beschreibe mithilfe der Grafik 1 die unterschiedliche Beleuchtung der Erde im Jahresverlauf. (Grafik 1) ○

2 Erkläre die gleiche Länge von Tag und Nacht am 21. März und am 23. September. ◗

3 Erstelle eine Tabelle zu den Jahreszeiten auf der Nord- und Südhalbkugel. ◗

4 Erkläre die Entstehung der Jahreszeiten für die Nord- und Südhalbkugel. ◗

5 Ermittle die Folgen für Tageslängen und Jahreszeiten, wenn die Erdachse nicht geneigt wäre. ● ✂

AFB I: 1   AFB II: 2, 3, 4   AFB III: 5

Versuch: Folgen der Sonneneinstrahlung

Material: 2 gleiche Taschenlampen, Maßband, Globus

Durchführung: Richtet die Strahlen der einen Taschenlampe auf den Äquator des Globus. Richtet die zweite Taschenlampe auf den Breitenkreis bei 66,5° N. Achtet darauf, dass beide Lampen parallel und in gleicher Entfernung vom Globus gehalten werden.

Auswertung: Messt mit dem Maßband die Ausdehnung der beiden beleuchteten Flächen und vergleicht. Erklärt den Zusammenhang zwischen Sonneneinstrahlung und Verteilung von Licht und Wärme auf der Erde.

7

Die Erwärmung der Erdoberfläche

Durch die Kugelgestalt der Erde treffen die Sonnenstrahlen am Äquator fast senkrecht auf die Erdoberfläche. Zu den Polen hin wird dieser Einstrahlungswinkel immer kleiner. Dabei gilt: Je kleiner der Einstrahlungswinkel, desto geringer ist die zugestrahlte Energiemenge je Flächeneinheit.

Durch die Schrägstellung der Erdachse verändern sich während des Umlaufs um die Sonnen die Einfallswinkel der Sonnenstrahlen. Die Erde wird dadurch fortlaufend unterschiedlich erwärmt – es entstehen Jahreszeiten. Am 21. Juni ist der Einstrahlungswinkel auf der Nordhalbkugel am größten, der Sommer beginnt. Alle Orte der Erdoberfläche, die auf einem Breitenkreis liegen, erhalten so die gleiche „Menge" an Sonnenstrahlen. Sie werden aber trotzdem unterschiedlich erwärmt, da die Lufttemperatur nicht nur vom Einstrahlungswinkel der Sonne abhängt.

Ein Blick auf den Globus zeigt, wie sich die Oberflächengestalt entlang eines Breitenkreises verändert. Meeresflächen, Kontinente, Gebirge und Tiefländer wechseln einander ab. Diese Unterschiede wirken sich auch auf die Lufttemperaturen und Niederschläge aus. Die unterschiedlich erwärmten Luftmassen werden dann durch Winde verlagert.

Temperaturzonen und Klimazonen

Durch die unterschiedliche Erwärmung der Erdoberfläche finden wir Gebiete auf der Erde mit ähnlichen Jahresdurchschnittstemperaturen. Sie verlaufen fast parallel zu den Breitenkreisen. Vier große Temperaturzonen lassen sich abgrenzen.
- Die Kalte Zone: mit einer Jahresdurchschnittstemperatur um oder unter 0 °C und kalten Wintern;
- die Gemäßigte Zone: mit einer Jahresdurchschnittstemperatur um 8 °C und gemäßigten Winter und Sommer;
- die Subtropen: mit Jahresdurchschnittstemperatur um etwa 18 °C und milde Winter und heiße Sommer;
- die Tropen: mit Jahresdurchschnittstemperatur um etwa 25 °C, immer heiß und niemals Frost.

Doch die Verteilung von Land und Meer, die Auswirkungen von Meeresströmungen und die Höhenlage führen zu Abweichungen.

Neben der Temperatur ist der Niederschlag der wichtigste Faktor zur Abgrenzung von Zonen. Die großen Temperaturzonen der Erde werden deshalb weiter in Klimazonen untergliedert. Da sich unter gleichen Klimabedingungen eine ähnliche charakteristische Vegetation ausbildet, entstehen fast deckungsgleich Vegetationszonen.

Sonnenstrahlung

Wärmestrahlung

erwärmte Erdoberfläche

8 Die Erwärmung der Erdoberfläche

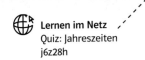
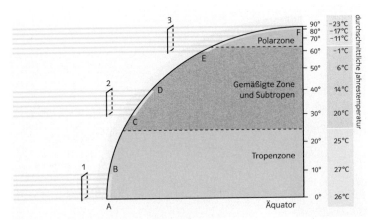

9 Sonneneinstrahlung und Beleuchtungszonen

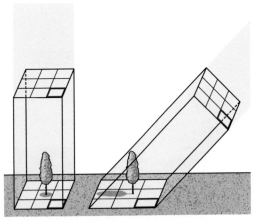

11 Der Zusammenhang von Einfallswinkel und erwärmter Fläche (z. B. Tropen und Gemäßigte Zone)

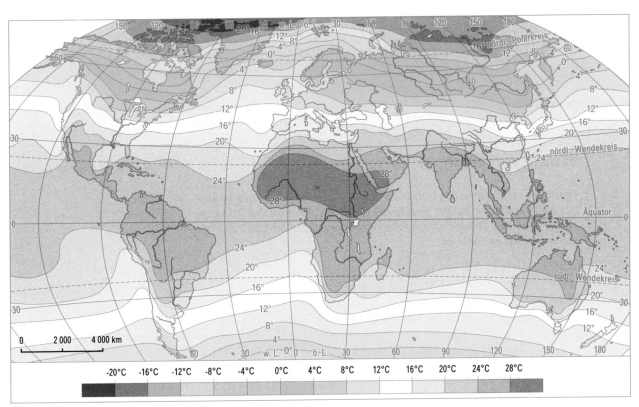

10 Jahresdurchschnittstemperaturen

6 Führt den Versuch 7 durch. ○

7 Sonneneinstrahlung und Wärme
Erkläre mithilfe des Textes sowie der Grafiken 9 und 11 das Zustandekommen der unterschiedlichen Jahresdurchschnittstemperaturen auf der Erde. ◗

8 Werte die Temperaturkarte 10 aus. Beschreibe die Verteilung der Temperaturzonen. ◗

9 Suche nach möglichen Gründen für die unterschiedliche Erwärmung von Orten gleicher geographischer Breite. ● ∽

AFB I: 6   AFB II: 7, 8   AFB III: 9

1 Aufnahme 6. Juli 2014

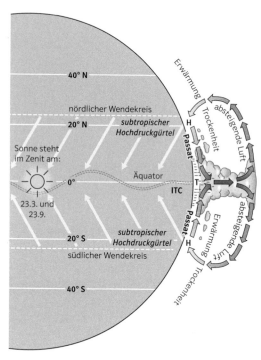

2 Passatkreislauf und Lage der ITC im März und September

Winde mit System

Luftmassen sind weltweit in Bewegung und Winde beeinflussen überwiegend das Wettergeschehen auf der Erde. Einige Winde bringen Hitze und Trockenheit, andere Kälte oder Wolken mit ausgiebigen Niederschlägen. Ist dies Zufall oder steckt dahinter ein System?

Auch im weltweiten Maßstab werden Luftdruckunterschiede ständig durch Winde ausgeglichen. Luftdruck und Winde bestimmen so die atmosphärische Zirkulation. In den Tropen, im Bereich des Zenitstandes der Sonne, steigt ständig erwärmte Luft auf. Mit zunehmender Höhe kühlt sie sich ab, wobei der Wasserdampf kondensiert. Es bilden sich mächtige Wolken, aus denen ergiebige Niederschläge fallen können. Mit dem Aufstieg der erwärmten Luft kommt es am Boden zu einer Abnahme und in der Höhe zu einer Zunahme des Luftdrucks gegenüber den umgebenden Gebieten. So entstehen am Boden Tiefdruckgebiete, die als äquatoriale Tiefdruckrinne die ganze Erde umspannen.

In der Höhe strömen die abgekühlten Luftmassen nach Norden und Süden ab. Im Bereich der Wendekreise sinkt dann die Luft zu Boden. Absinkende Luft bedeutet Erwärmung, Auflösung der Wolken und damit Ausbleiben von Niederschlägen. Am Boden entstehen dadurch trockene Gebiete mit hohem Luftdruck: Hier befindet sich der **subtropische/randtropische Hochdruckgürtel** mit seinen charakteristischen Trockengebieten, wie z. B. der Sahara. Der Luftdruckunterschied zur äquatorialen Tiefdruckrinne wird durch bodennahe Winde, die **Passate**, in Richtung Äquator ausgeglichen. Durch die Erdrotation werden diese abgelenkt und zu Nordostpassat und Südostpassat. Dieser ständige Kreislauf der Luftmassen wird als **Passatkreislauf** bezeichnet. Weil sich diese Zirkulation um die ganze Erde erstreckt, spricht man auch von einem Windgürtel.

Dort, wo Nordost- und Südostpassat zusammentreffen (konvergieren), liegt die **innertropische Konvergenzzone** (ITC). Es ist die Zone der aufsteigenden Luftmassen, die sich mit dem Zenitstand der Sonne überwiegend verlagern.

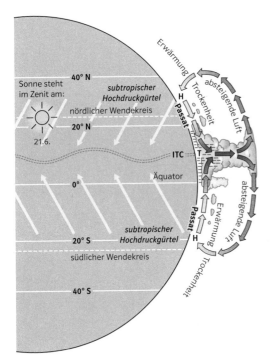

3 Passatkreislauf und Lage der ITC im Juli

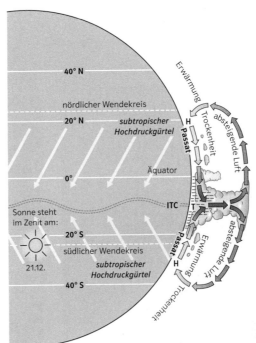

4 Passatkreislauf und Lage der ITC im Dezember

Mit der scheinbaren Verlagerung des Zenitstandes der Sonne verschieben sich auch die Tiefdruckgebiete, im Juni auf die Nordhalbkugel und im Dezember auf die Südhalbkugel. Dadurch verlagern sich ebenso die Niederschläge, die man als Zenitalregen bezeichnet. Mit der Verlagerung der Zenitalregen kommt es zum Wechsel von **Trockenzeit** zur **Regenzeit** in den Randgebieten der Tropen. In gleicher Weise verschieben sich die Hochdruckgebiete und damit Bereiche mit trockener Luft.

Schon Kolumbus nutzte auf seiner Überfahrt nach Amerika die Passatwinde. „Trade winds" – Handelswinde nannten die Matrosen der Segelschiffe daher die beständig wehenden Passatwinde zwischen den Wendekreisen.

Auch in ihren Eigenschaften unterscheiden sich die Passatwinde: Haben die Passate einen weiten Weg über das Festland zurückgelegt, dann sind sie trocken und heiß. Passate, die lange Strecken über Meeresflächen wehen, bringen dagegen viel Feuchtigkeit mit sich.

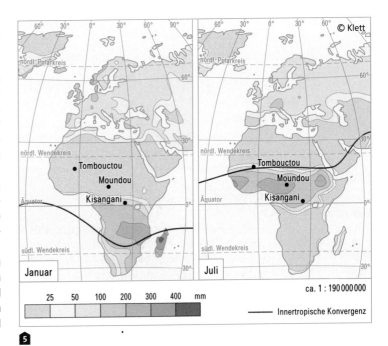

5

1 Bewölkung in Äquatornähe
a) Beschreibe die Verteilung der Bewölkung zwischen den Wendekreisen auf Bild 1. ○
b) Erkläre mithilfe der Grafik 2 die Verteilung der Bewölkung. ◐

2 Erstelle eine Skizze des Passatkreislaufes und beschreibe die Abläufe. ◐

3 Erläutere die unterschiedliche Lage der ITC in den Grafiken 3 und 4. ◐

4 Ermittle für die Stationen Tombouctou, Moundou und Kisangani die Niederschläge im Januar und Juli. ◐

5 Begründe die Niederschlagsverteilung in Afrika im Juli und im Januar (Karte 5). ●

AFB I: 1a   AFB II: 1b, 2, 3, 4   AFB III: 5

Wie man ein einfaches Klimadiagramm zeichnet und auswertet, hast du bereits gelernt. Jetzt erfährst du, wie du Regen- und Trockenzeiten in einem Klimadiagramm erkennen kannst.

1 Savanne in Afrika in der Nähe von Mondou (Tschad) zur Regenzeit ...

2 ... zur Trockenzeit

Ein Klimadiagramm auswerten: Regenzeit und Trockenzeit erkennen

Klimadiagramme werden so gezeichnet, dass die beiden y-Achsen im Verhältnis von 1:2 dargestellt werden. Einer Monatsmitteltemperatur von 10 °C entspricht ein monatlicher Niederschlag von 20 mm.

Als Formel notiert sieht dies das folgendermaßen aus: $N = 2T$.

Verläuft die Niederschlagskurve oberhalb der Temperaturkurve, dann fällt mehr Niederschlag als verdunstet. Das Klima ist in dieser Zeit **humid**, also feucht genug für natürliches Pflanzenwachstum. Im Klimadiagramm wird dieser Zeitraum schraffiert.

Verläuft die Niederschlagskurve unter der Temperaturkurve wird dieser Zeitraum als **arid** (trocken) bezeichnet. Als Formel gilt: $N < 2T$. Während dieser Trockenzeit ist für das natürliche Pflanzenwachstum zu wenig Feuchtigkeit vorhanden. Dieser Zeitraum wird im Klimadiagramm mit Punkten gekennzeichnet.

Wenn sich die beiden Kurven schneiden, gilt: $N = 2T$. Dies ist die Trockengrenze.

Vegetationszeit

Zeit, in der ein Pflanzenwachstum möglich ist. Dies ist der Fall bei ausreichenden Niederschlägen und einer Tagesmitteltemperatur über 5 °C.

1. Schritt: Klimastation verorten

Lies den Namen (1) und die Höhenlage (2) der Klimastation ab. Schau im Atlas nach und beschreibe die Lage des Ortes im Gradnetz (3).

> El-Obeid (12 °N/30 °O) liegt im Land Sudan in Ostafrika, 574 m über dem Meeresspiegel.

2. Schritt: Jahreswerte bestimmen

Lies die mittlere Jahrestemperatur (4) und den Jahresniederschlag (5) ab. Benenne den kältesten und den wärmsten Monat.

> Die mittlere Jahrestemperatur beträgt in El-Obeid 26,4 °C. Der Jahresniederschlag beträgt ...
> Der wärmste Monat ist der ... mit ...°C.
> Der kälteste Monat ...

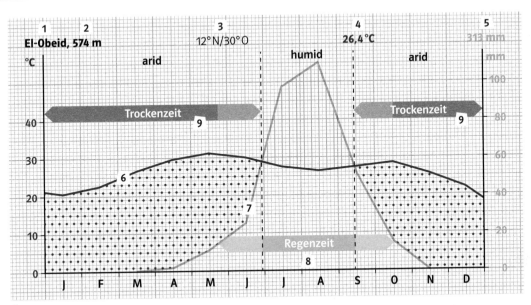

El-Obeid, 574 m   12°N/30°O   26,4°C   313 mm

arid   humid   arid

Trockenzeit   Trockenzeit

Regenzeit

3 Klimadiagramm von El-Obeid

3. Schritt: Jahresverlauf beschreiben

Beschreibe jetzt den Kurvenverlauf der Temperatur (6) und des Niederschlags (7).

Die Temperaturkurve im Klimadiagramm der Stadt El-Obeid verläuft nie unter dem Gefrierpunkt. Die Temperaturen steigen von Dezember bis … an und sinken dann in den Sommermonaten … und … leicht ab. Bis … nehmen die Temperaturen wieder leicht zu, und sinken dann bis … wieder.
Von November bis … fällt so gut wie kein Niederschlag. Im April fängt es an zu regnen. Die höchsten Niederschläge mit bis zu 110 mm fallen in den Sommermonaten … und … . Danach regnet es bis zum … jeden Monat weniger.

4. Schritt: Niederschlagstyp erkennen

Stelle fest, wie viele Monate die Regenzeit (8) und die Trockenzeit (9) dauern. Bestimme dann die ariden und die humiden Monate. Erläutere die Auswirkungen des Klimas auf das Pflanzenwachstum.

Die Regenzeit dauert in El Obeid von Mai bis Mitte Oktober. Etwa … Monate dauert die Trockenzeit.
In den Monaten … herrscht ein humides Klima.
In den Monaten … ist das Klima arid, also zu trocken für ein natürliches Pflanzenwachstum. In dieser Zeit wachsen Pflanzen nur mit künstlicher Bewässerung.

1 Beschreibe die Fotos 1 und 2. ○

2 Erkläre die Begriffe humid und arid. ○

3 Ergänze die Auswertung des Klimadiagramms von El-Obeid. ○

4 Ermittle für die Orte Lagos, Kapstadt (Anhang) die Dauer der Regen- und Trockenzeit. ◖

5 Begründe, woran man erkennen kann, ob eine Klimastation auf der Nordhalbkugel oder auf der Südhalbkugel liegt. ●

3

TERRA ORIENTIERUNG

Bei einem Flug vom Nordpol bis zum Äquator ändert sich die Vegetation fortwährend. Warum ist das so?

Klima und Vegetation zwischen Pol und Äquator

Licht, Wärme, Wasser und Nährstoffe – das brauchen Pflanzen zum Wachsen. Doch nicht alle Pflanzen haben dieselben Ansprüche. Einige Arten können eisige Kälte, andere große Hitze aushalten. Manche Pflanzen brauchen sehr viel Wasser, andere kommen mit sehr wenig aus. Für das Wachstum der Pflanzen sind also Temperatur und Niederschlag entscheidend. Sie sind auch die wichtigsten Elemente des Klimas.

Ein Gebiet mit einem bestimmten Klima weist eine zugehörige typische Vegetation auf. Zu jeder Klimazone gehören deswegen die entsprechenden Vegetationszonen. Durch die Eingriffe des Menschen in die Natur, z. B. Landwirtschaft und Siedlungen, wurde jedoch die natürliche Vegetation stark zurückgedrängt.

→ Karte der Klima- und Vegetationszonen der Erde

Seite 220

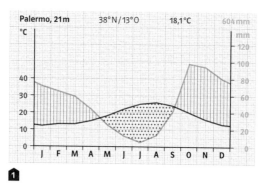

Palermo, 21 m   38°N/13°O   18,1°C   604 mm

1

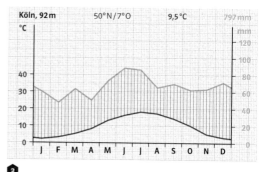

Köln, 92 m   50°N/7°O   9,5°C   797 mm

3

Kalte Zone

Tundra

Borealer Nadelwald (Taiga)

Gemäßigte Zone

Laub-/Mischwald

Subtropische Zone

Hartlaubgewächse

2 Klima- und Vegetationszonen

1 Klima und Vegetation
a) Beschreibe die Fotos 2 der verschiedenen Vegetationszonen. ○

b) Erläutere den Zusammenhang zwischen Klima und Vegetation. ○

AFB I: 1   AFB II: 2   AFB III: 3

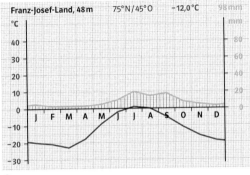

Franz-Josef-Land, 48 m   75°N/45°O   −12,0°C   98 mm

4

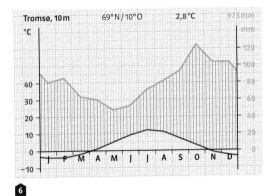

Tromsø, 10 m   69°N/10°O   2,8°C   973 mm

6

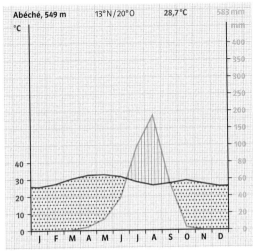

Abéché, 549 m   13°N/20°O   28,7°C   583 mm

5

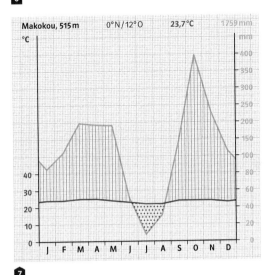

Makokou, 515 m   0°N/12°O   23,7°C   1759 mm

7

Tropische Zone

Steppen und Wüsten

Savannen

Tropischer Regenwald

2 Klimadiagramme und Vegetation

a) Werte die Klimadiagramme 1, 3 und 4–7 aus. ◗

b) Ordne die Fotos 2 den passenden Klima-diagrammen zu. ◗

c) Verorte die Klimastationen 1, 3 und 4–7 auf der Karte S. 220/221. ◗

3 Wähle eine Station aus, die dich beson-ders interessiert. Vergleiche mithilfe ge-eigneter Atlaskarten die natürliche Vege-tation und die tatsächliche Landnutzung. ● ∞

3

TERRA TRAINING

Wichtige Begriffe
arid
Beleuchtungszone
humid

Gemäßigte Zone
Innertropische
Konvergenzzone
(ITC)

Jahreszeiten
Kalte Zone
Klimadiagramm
Klimazone

Passat/Passat-
kreislauf
Polarkreis
Regenzeit

Sich orientieren

1 Wer kennt sich aus?
Arbeite mit Karte 1 und einer Karte im Anhang oder dem Atlas.
a) Benenne die Breitenkreise A – E und die Hauptklimazonen 1–7. ○
b) Ordne den folgenden Städten die entsprechenden Länder und Klimazonen zu: New York, Los Angeles, Rio de Janeiro, Buenos Aires, Moskau, Kairo, Kapstadt, Mumbai, Tokio, Beijing, Sydney. ◖
c) Nenne die Kontinente, die Anteile an allen Hauptklimazonen haben. ◖

Kennen und verstehen

2 Nenne die Begriffe ○
a) Klimazone, in der es ganzjährig gleich warm ist
b) Senkrechtstand der Sonne über einem Beobachter
c) Klimazone, in der wir leben
d) Klimazone, die im Norden an die Gemäßigte Zone anschließt
e) Hier steht die Sonne am 21. Dezember im Zenit
f) Klimazone, die nördlich an die Tropische Zone angrenzt
g) Bereiche der äquatorialen Tiefdruckrinne, in dem die Passatwinde zusammenströmen.

3 Finde die Begriffe ◖
Finde die sieben versteckten Begriffe in der Buchstabentafel 2 und erläutere die drei Begriffe in den Spalten.

4 Ergänze die Aussagen ○
Schreibe die Sätze mit den richtigen Ergänzungen auf.
a) Am Äquator sind Tag und Nacht stets …
b) Borealer Nadelwald gibt es nur in der …
c) Zwischen Klima- und Vegetationszonen besteht ein … enger Zusammenhang.
d) Die Jahreszeiten entstehen durch die …
e) Je flacher der Einfallwinkel der Sonnenstrahlen ist, umso … ist der Energieeintrag pro Flächeneinheit.
f) Die Sonne steht am Polarkreis … im Jahr im Zenit.
g) Je südlicher wir auf unserer Erdhalbkugel reisen, um so … Jahresmitteltemperaturen gibt es.
h) Klimatisch aride Verhältnisse zeigen eine … an.

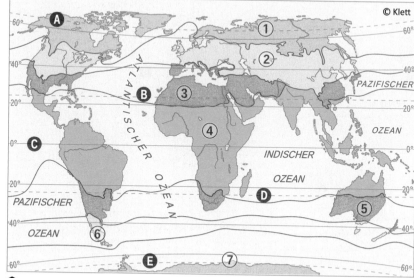

© Klett

1

J	K	R	U	L	M	A	U	R	H	I	M	Z	N	O
G	E	H	M	S	J	H	J	S	W	Q	E	E	O	Z
Z	P	C	L	S	K	A	L	T	E	Z	O	N	E	Y
H	W	J	A	E	A	A	H	W	Q	L	N	I	B	V
Y	E	X	O	V	N	N	R	R	W	A	Z	T	U	S
Z	N	I	F	O	S	K	L	E	B	D	W	C	X	A
I	D	F	B	B	T	H	L	E	W	S	M	N	N	V
G	E	M	A	E	S	S	I	G	T	E	Z	O	N	E
A	K	G	N	D	S	O	I	E	R	W	Q	E	O	P
L	R	Z	N	N	N	L	N	X	O	R	Z	I	I	Q
K	E	Z	Y	A	O	W	Q	N	P	L	A	N	E	T
M	I	N	C	V	E	G	J	K	E	S	F	J	K	G
Z	S	U	B	T	R	O	P	E	N	Z	F	H	J	K

2

5 Experte gesucht ◖
Begründe, warum die Wendekreise bei 23,5°N und bei 23,5°S liegen.

6 Beleuchtungsverhältnisse ◖
Die Zeichnung 3 stellt vier Positionen dar, die die Erde beim Umlauf um die Sonne in einem Jahr einnimmt. Die Sonne ist in der Zeichnung natürlich viel zu klein dargestellt.
a) Ordne den Positionen 1 und 3 sowie 2 ein Datum zu.
b) Beschreibe jeweils einen Tag am nördlichen Polarkreis in den Positionen 1 bis 4.

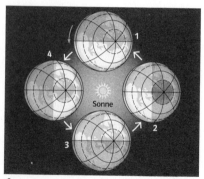

3 Beleuchtung der Erde (Ansicht von oben)

Material
Selbsteinschätzung
j6z28h

Material
Kompetenzcheck
j6z28h

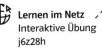

Lernen im Netz
Interaktive Übung
j6z28h

Schrägstellung   sub-/randtropischer   Trockenzeit   Wendekreis
der Erdachse   Hochdruckgürtel   Tropische Zone   Zenit
Subtropische Zone   Vegetationszone

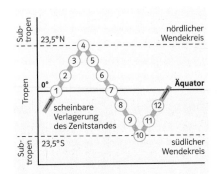

4

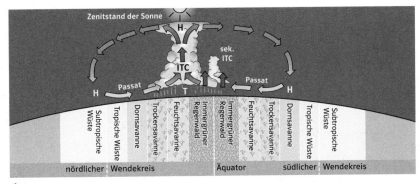

5

7 Zenitstände bestimmen ◒

Die Grafik 4 zeigt den Zenitalstand der Sonne für jeden Monat eines Jahres. Benenne für die Zenitalstände 1, 4, 7 und 10 das genaue Datum.

8 Zirkulationsexperte ◒

Beschreibe und erläutere das dargestellte Zirkulationsschema 5. Erläutere die Lage der Innertropischen Konvergenzzone im Jahresverlauf.

9 Übertrage deine Kenntnisse ◒

Ronja fliegt Weihnachten nach Kapstadt. Markus berichtet, er verbringe seine Sommerferien dort. Welche Kleidung packt Ronja ein, welche Markus? Erläutere deine Aussagen.

Fachmethoden anwenden

10 Temperaturkurven ◒

Diagramm 6: Ordne die Temperaturkurven 1 bis 4 den Städten Berlin, Rom, Kiruna und Lagos richtig zu und begründe die Zuordnung.

11 Klimadiagramm auswerten ◒

a) Werte das Klimadiagramm 7 aus.
b) Ordne El-Obeid einer der Hauptklimazonen zu.

12 Bilder auswerten

a) Beschreibe jeweils die Vegetation (Bilder 8 und 9). ○
b) Ordne die Bilder 8 und 9 einer Klimazone zu. ◒

Beurteilen und bewerten

13 Zusammenhänge erkennen ●

Das Klimadiagramm 7 von El-Obeid und das Bild 9 passen zueinander. Beurteile diese Aussage.

14 Prima Klima? ●

Nimm Stellung zu folgender Aussage: „Die Häuser in Süditalien benötigen keine Heizung oder Öfen zum Heizen."

8

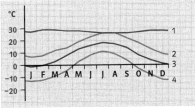

6

7

El Obeid, 574 m   13°N/30°O   26,4°C   313 mm

9

Am Ende kannst du ...

– typische Merkmale der Klimazonen der Erde als Ergebnis der solaren Einstrahlung erläutern,

– die tropische Zirkulation erklären,

– den Zusammenhang zwischen Klima und natürlicher Vegetation im globalen Überblick erklären.

3

TERRA
FÜR DICH

Höhenstufen der Vegetation
Im 19. Jahrhundert berichteten Forscher von ihren Tropen-Expeditionen immer wieder von schneebedeckten Bergen.

Das löste in Europa Verwunderung aus: Wie kann es ein, dass es Schnee in den heißen Tropen gibt? Unmöglich?!

Y Wähle aus!

1 Beschreibe die Veränderungen im Profil 2. ●

2 Begründe die unterschiedliche Landnutzung in den verschiedenen Höhenstufen in Grafik 4. ●

1 Schopfbäume in 4000 m Höhe in Ecuador

3 Im Tropischen Regenwald von Ecuador

Die Temperaturen nehmen mit der Höhe im Mittel um 0,6 °C pro 100 m ab. Für die Pflanzen bedeutet das Wärmemangel und kürzere Wachstumszeit. Mit zunehmender Höhe bilden sich Höhengrenzen, an denen sich bestimmte geographische Erscheinungen ändern, z. B. die Schneegrenze, die Waldgrenze oder die Anbaugrenze für verschiedene Kulturpflanzen. Zwischen den Höhengrenzen bilden sich **Höhenstufen** aus, die sich in Klima, Vegetation und landwirtschaftlicher Nutzung unterscheiden.

In den Polargebieten gibt es nur die Schneegrenze. Je näher man dem Äquator kommt, umso mehr Höhenstufen treten auf. Die Temperaturabnahme mit der Höhe führt außerhalb der Tropen zu einer Verkürzung der Vegetationszeit. Im tropischen Tageszeitenklima tritt mit zunehmender Höhe täglicher Frostwechsel auf.

Für die Höhenstufen gibt es in vielen Gebieten spezielle Bezeichnungen. In Mittel- und Südamerika spricht man von „Tierra caliente", „Tierra templada", „Tierra fria", „Tierra helada" und „Tierra nevada": heißes Land, gemäßigt warmes Land, kaltes Land, Frostland und Schneeland.

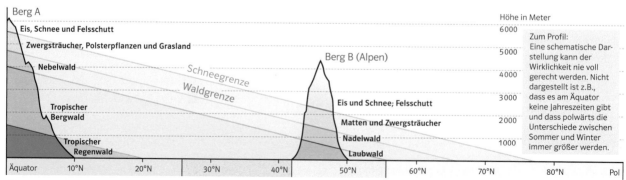

2 Schematische Darstellung der Höhenstufen

3 Vergleiche die Nutzung in den Höhenstufen bis 1000 m und oberhalb von 2000 m am Äquator mit derjenigen auf der Alpensüdseite. ●

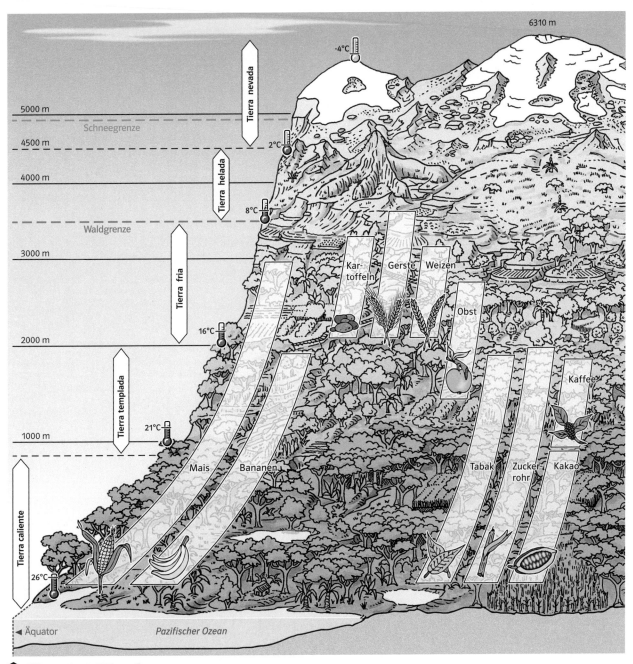

6310 m

-4°C

5000 m

Schneegrenze

4500 m   2°C

4000 m

Tierra nevada

Tierra helada

8°C

Waldgrenze

3000 m

Tierra fria

Kar-
toffeln   Gerste   Weizen

Obst

2000 m   16°C

Tierra templada

Kaffee

1000 m   21°C

Mais   Bananen

Tabak   Zucker- Kakao
                rohr

Tierra caliente

26°C

◄ Äquator   *Pazifischer Ozean*

4 **Höhenstufen in Südamerika**

43

4

In den Tropen

1 Tropischer Regenwald

Die Tropenzone ist die größte und wärmste Klimazone der Erde. Entsprechend der Niederschläge haben sich in diesem Bereich verschiedene Vegetationszonen herausgebildet, die vom Menschen ganz unterschiedlich genutzt werden. Dieses Kapitel nimmt vor allem den Tropischen Regenwald in den Blick.

Weshalb engagieren sich so viele Menschen bei uns und anderswo für den Erhalt des Tropischen Regenwaldes? Worin liegt der besondere Reichtum dieses einzigartigen Lebensraumes? Wie groß ist das Ausmaß seiner Zerstörung und Gefährdung? Welche Maßnahmen werden zum Schutz des Tropischen Regenwaldes durchgeführt?

2 Eisenerztagebau im Tropischen Regenwald, Carajás

© Klett

nördl. Polarkreis

nördl. Wendekreis

Äquator

südl. Wendekreis

ca. 1 : 190 000 000

| | tropische Wüste | | Dornstrauch-savanne | | Trocken-savanne | | Feucht-savanne | | Tropischer Regenwald | | Gebirgsklima |

3 Tropenzone

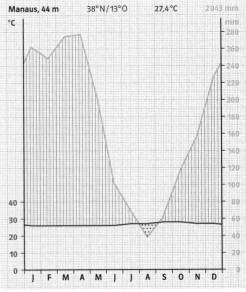

1 Im Regenwald

Was für ein Wald!

In Amazonien (Brasilien) gibt es mindestens 50 000 verschiedene Blütenpflanzen, in ganz Westeuropa dagegen nur ca. 3 000. Warum ist der Regenwald so einzigartig?

2 Bromelie

3 Pfeilgiftfrosch

Die Zone der immerfeuchten **Tropen** erstreckt sich nördlich und südlich des Äquators. Hier gleicht jeder Tag dem anderen. Unterschiede zwischen einzelnen Monaten oder Jahreszeiten wie bei uns gibt es nicht. Lediglich die Tagestemperaturen schwanken um bis zu 10 °C. Wir bezeichnen dieses Klima deshalb als **Tageszeitenklima**. Ein weiteres Merkmal sind die hohen Niederschläge von mindestens 1500 mm im Jahr. Sie nehmen zweimal jährlich, wenn die Sonne im Zenit steht, deutlich zu. So ist es im Tropischen Regenwald ständig warm und feucht. In diesem Treibhausklima gedeihen die immergrünen Pflanzen in üppiger Fülle.

Stockwerkbau

Der Tropische Regenwald gleicht einem Haus mit mehreren **Stockwerken**. Das Dachgeschoss bilden die Urwaldriesen, die bis zu 60 Meter hoch werden und vereinzelt wie Inseln aus dem Kronendach herausragen. Das eigentliche Dach des Regenwaldes stellt die Kronenschicht in 30 bis 40 Meter Höhe dar. Hier leben etwa zwei Drittel aller Tier- und Pflanzenarten. Aufgrund des nahezu geschlossenen Blätterdaches der Kronenschicht dringt nur wenig Licht in die darunter liegenden Bereiche. In der untersten

Schicht, der Strauch- und Krautschicht, kommen je nach Dichte des Kronendachs stellenweise weniger als 10 % des Lichts an. Hier gedeihen Farne und Pilze. Junge Bäume wachsen nur sehr langsam.

4 Klimadiagramm von Manaus

(Diagramm: Manaus, 44 m 38°N/13°O 27,4 °C 2043 mm)

⊕ **Üben interaktiv**
Tagesablauf im Tropischen Regenwald
296iz8

⊕ **Üben interaktiv**
Stockwerkbau im Tropischen Regenwald
296iz8

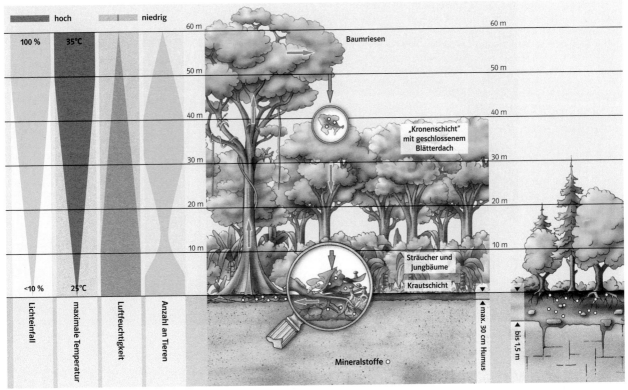

5 Die Ökosysteme Tropischer Regenwald und sommergrüner Laubwald im Vergleich

Kurz geschlossen – der Mineralstoffkreislauf

Beim mitteleuropäischen Wald sind große Teile der zirkulierenden Mineralstoffe im Boden enthalten. Im Tropischen Regenwald hingegen sind sie nahezu ausschließlich in den Pflanzen gespeichert. Abgestorbene sowie zu Boden fallende Pflanzenteile und auch tote Tiere werden im feuchten und heißen Klima sehr schnell von Kleinstlebewesen und Pilzen zersetzt. Die freigesetzten Mineralstoffe dringen lediglich in die oberste etwa 15 bis 30 Zentimeter dünne Schicht des Bodens ein. Dort werden sie über die flachen Feinwurzeln der Bäume sofort wieder aufgenommen und in den Kreislauf zurückgegeben. Da die tiefgründigen mineralstoffarmen Böden der Tropen hier nur eine untergeordnete Rolle spielen, sprechen wir von einem kurz geschlossenen **Mineralstoffkreislauf**.

Vielfalt so weit das Auge reicht

Mehr als ein Drittel aller Pflanzenarten gehört zur Flora der Tropischen Regenwälder. Wachsen in einem Wald in Deutschland etwa fünf verschiedene Baumarten auf einem Hektar, so sind es im Regenwald mehr als 100 Arten. Bezüglich der Fauna registrierte ein Forscher auf nur zehn Bäumen in Borneo mehr als 3 000 Insektenarten. Ständig werden neue Tier- und Pflanzenarten entdeckt. Insgesamt ist der Regenwald ein hochkomplexes **Ökosystem**. Entnimmt man daraus nur eine einzige Baum- oder Tierart, so könnte dies den Zusammenbruch einer ganzen Lebensgemeinschaft bewirken.

Die **Artenvielfalt** wird begleitet von einem alten Phänomen: Viele Arten weisen nur geringe Zahlen an Individuen auf. Eher findet man zwei Exemplare verschiedener Arten als zwei von derselben Art.

6 Koboldmaki

---

1 Arbeite mit dem Klimadiagramm 4:
a) Beschreibe das Klimadiagramm. ○
b) Erkläre den Begriff Tageszeitenklima. ◖

2 Arbeite mit Abbildung 5:
a) Erläutere die Lebensbedingungen in den einzelnen Stockwerken des Tropischen Regenwaldes. ◖

b) Vergleiche den Aufbau des Tropischen Regenwaldes und eines sommergrünen Laubwaldes bei uns. ◖ ✂
c) Beschreibe den Mineralstoffkreislauf in eigenen Worten. ◖

3 Erkläre den Satz „Der Wald wächst im Gegensatz zum Laubwald in Mitteleuropa nicht aus dem Boden, sondern lebt auf diesem. ●

4 Bewerte die Einzigartigkeit des Tropischen Regenwaldes. ◖

AFB I: 1a, 2c; AFB II: 1b, 2a, 2b, 3; AFB III: 4

1 Brandrodungsinsel

Landwirtschaftliche Nutzung so . . .

Die Tropischen Regenwälder, z.B. im Amazonas- oder Kongobecken, werden seit Jahrtausenden von Menschen besiedelt und genutzt. Die Ureinwohner, auch **indigene Völker** genannt, haben sich im Laufe vieler Generationen an das Leben im Wald angepasst. Neben dem Sammeln von Früchten und der Jagd betreiben sie auch Ackerbau. Sie legen mitten im Regenwald Felder an, auf denen sie Grundnah-

Indigene Völker sind die Nachkommen der ursprünglichen Bewohner eines Gebietes. Sie haben dieses als erste besiedelt und sind an die dortigen Lebensbedingungen angepasst.

rungsmittel, aber auch Nutzpflanzen wie Baumwolle oder Heilpflanzen anbauen.

Dabei wird zunächst in der Nähe des Dorfes ein Waldstück gerodet, zumeist mit einfachen Hilfsmitteln wie Beilen. Die abgeschlagenen Äste, aber auch die gefällten Bäume oder die noch stehenden Baumstümpfe werden nach einer gewissen Trocknungszeit verbrannt. Die in den Pflanzen gespeicherten Mineralstoffe werden so dem Boden als Dünger zugeführt. Auf dem durch diese Brandrodung entstandenen Feld werden zu Beginn der Regenzeit Bohnen, Erbsen, Hirse, Mais, Bananen oder andere Produkte in **Mischkultur** angebaut. Die Feldarbeit übernehmen überwiegend die Frauen.

Sind nach wenigen Jahren die Mineralstoffe im Boden verbraucht, geben die Menschen das Feld auf und roden eine neue Fläche. Auf der Brache des verlassenen Feldes siedelt sich mit der Zeit selbstständig ein neuer Wald an, der **Sekundärwald**. Er ist meist lichter und artenärmer als der **Primärwald**. Wenn in der Nähe des Dorfes keine Flächen mehr vorhanden sind, zieht das gesamte Volk weiter und baut neue Hütten an einer anderen Stelle. Diese traditionelle Form der Landnutzung wird **Wanderfeldbau** oder auch **Shifting Cultivation** genannt. Da die Erträge gering sind, dient diese Wirtschaftsform nur der Selbstversorgung.

2 Der Wald brennt

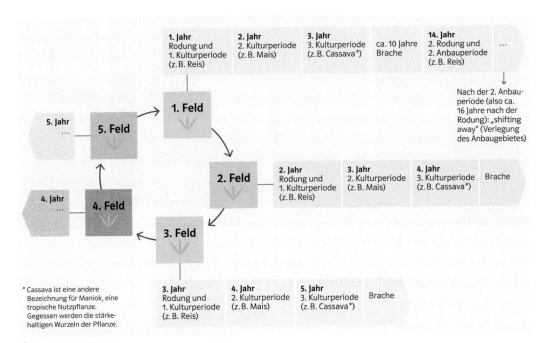

| 1. Jahr
Rodung und
1. Kulturperiode
(z. B. Reis) | 2. Jahr
2. Kulturperiode
(z. B. Mais) | 3. Jahr
3. Kulturperiode
(z. B. Cassava*) | ca. 10 Jahre
Brache | 14. Jahr
2. Rodung und
2. Anbauperiode
(z. B. Reis) | ... |

1. Feld

Nach der 2. Anbauperiode (also ca. 16 Jahre nach der Rodung): „shifting away" (Verlegung des Anbaugebietes)

5. Jahr ... | 5. Feld

| 2. Jahr
Rodung und
1. Kulturperiode
(z. B. Reis) | 3. Jahr
2. Kulturperiode
(z. B. Mais) | 4. Jahr
3. Kulturperiode
(z. B. Cassava*) | Brache |

2. Feld

4. Jahr ... | 4. Feld

3. Feld

| 3. Jahr
Rodung und
1. Kulturperiode
(z. B. Reis) | 4. Jahr
2. Kulturperiode
(z. B. Mais) | 5. Jahr
3. Kulturperiode
(z. B. Cassava*) | Brache |

* Cassava ist eine andere Bezeichnung für Maniok, eine tropische Nutzpflanze. Gegessen werden die stärkehaltigen Wurzeln der Pflanze.

3 Schema des Wanderfeldbaus mit Brandrodung

4 Bestellung eines Maniokfeldes

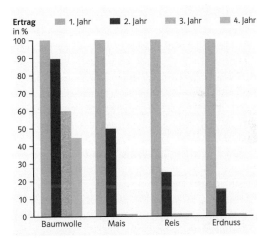

5 Ertrag je nach Nutzungsdauer beim Wanderfeldbau mit Brandrodung

Diese auf den ersten Blick behutsame und ökologisch angepasste Nutzung des Waldes ist heute kaum noch möglich. Wegen seines hohen Flächenbedarfs kann der Wanderfeldbau nur wenige Menschen ernähren. Durch das starke Bevölkerungswachstum und das zunehmende Eindringen von Ausländern und ausländischen Firmen in die Regenwälder sind zahlreiche indigene Völker gezwungen, ihre traditionelle Wirtschaftsform aufzugeben. Die Siedlungen werden nicht mehr verlegt und die Felder in kürzerem Wechsel genutzt, sodass sich der Boden kaum noch erholen kann. Damit sinken aber auch die Erträge. Zudem wird die Brandrodung zunehmend kritisiert, weil riesige Mengen organisch gebundener Energie verfeuert werden und damit Kohlenstoffdioxid (CO_2) freigesetzt wird. Die **Bodenfruchtbarkeit** geht zurück. Darunter versteht man die Fähigkeit des Bodens, Pflanzen ein ertragreiches Wachstum zu ermöglichen.

Bananenplantage

Ein Schlepper zieht die Bananenbüschel zur Halle

1

... und so – zum Nutzen von Mensch und Wald?

Der Anbau der Banane gelingt am besten bei einer durchschnittlichen Temperatur von 27 °C und hohen Niederschlägen von 2 500 mm oder entsprechender Bewässerung. Das Anbaugebiet beschränkt sich daher weitgehend auf die Gebiete des Tropischen Regenwaldes. Die Bananenstaude wird bis zu fünf Meter hoch und bildet einen Stamm aus ineinander geschachtelten Blättern. Nach sieben bis neun Monaten schiebt sich eine rot-violette Blüte durch das Blätterdach, an der später die Bananenfinger wachsen. Bis zu 20 Früchte ergeben eine Hand und 15 Hände bilden die 35 bis 50 kg schweren Büschel.

Plantagenwirtschaft

Bananen werden überwiegend auf **Plantagen** angebaut. Diese Form landwirtschaftlicher Großbetriebe ist in Entwicklungsländern weitverbreitet. Anbau und Vermarktung sind dabei fest in der Hand weniger, weltweit agierender Konzerne. Diese besitzen große Landflächen, vor allem in Lateinamerika und Südostasien, die zumeist in **Monokultur** bewirtschaftet werden. Produziert werden **Cash Crops**. Das sind Agrarprodukte, die nur für den Export und nicht für den Eigenverbrauch erzeugt werden. Neben Bananen gehören zu den Cash Crops auch Kaffee, Kakao, Tee oder Palmöl. Zwei Drittel der Welterzeugung von Bananen stammen von drei US-amerikanischen Großkonzernen, die auch den Bananenhandel kontrollieren. Die Anzahl der Plantagen in kleinbäuerlichem Besitz ist stetig zurückgegangen, da die Kleinbauern mit den kapitalstarken multinationalen Unternehmen nicht konkurrieren konnten. Diese können durch eine intensive Nutzung der Böden und ein niedriges Lohnniveau mit sehr viel geringeren Herstellungskosten arbeiten.

Von der Staude zum Supermarkt

Die Plantage „Valle de la Estrella" liegt in Costa Rica. 1 600 Arbeiter und ihre Familien wohnen auf der Plantage. Außer ihrer Unterkunft findet man dort auch Schulen und Geschäfte. Es wachsen auf 2 400 Hektar Land Bananen in Monokultur. Damit sich die Pflanzen gut entwickeln und der Boden nicht zu rasch ausgelaugt ist, muss dieser oft gedüngt werden. Gegen Pflanzenkrankheiten und Schädlinge werden bis zu 40-mal im Jahr mit dem Flugzeug große Mengen Gift gespritzt. Dies ist eine starke gesundheitliche Belastung für die Arbeiter und führt auf Dauer zur Verseuchung von Boden und Grundwasser.

Oft reicht der Verdienst der auf der Plantage arbeitenden Eltern nicht aus, um den Lebensunterhalt der Familie zu verdienen. Dann müssen die Kinder ab dem Alter von zehn Jahren mithelfen und ab 14 Jahren wie Erwachsene zehn bis zwölf Stunden am Tag arbeiten.

Banane
Das Wort Banane kommt aus dem Arabischen. Dort heißt „banan" Finger. Die Blüten der Bananenstaude hängen nach unten. Erst nach dem Blühen erstrecken sich die Bananenfinger und wachsen dem Licht entgegen. So erhalten sie ihre leicht gebogene Form.

---

1   Wanderfeldbau (Foto 1, Seite 48)
a) Beschreibe das Foto. ○
b) Ordne den Buchstaben A bis E folgende Begriffe zu: Tropischer Regenwald, frisch gerodetes Feld, bewirtschaftetes Feld, Sekundärwald, vor Kurzem aufgegebenes Feld. ○

D

E

Frauen waschen die Bananen am Fließband

Etikettieren und Verpacken

Verladen

Die Bananenbüschel werden grün geerntet. In der Packstation werden sie desinfiziert, gewaschen, sortiert und in Kartons verpackt. In Kühlcontainern bei einer Temperatur von 13 °C legen sie ihre zwölf Tage lange Reise per Schiff nach Deutschland zurück. Hier kommen sie zum Nachreifen in eine Reifestation und von dort zum Verkauf in den Supermarkt.

Bananenproduktion weltweit 2013 (in Mio t)	
Indien	27,6
China	12,1
Philippinen	8,6
Brasilien	6,9
Ecuador	6,0
Indonesien	5,4
Tansania	2,7
Costa Rica	2,2
Mexiko	2,1
Kolumbien	2,1

2

5 % Löhne der Plantagenarbeitskräfte
12 % Kosten für Dünger, Pflanzenschutz
3 % Transport
2 % Gewinn der Plantagenbesitzer
3 % Bananensteuer
16 % Schiffsfracht, Versicherung
7 % Großhändler
21 % Reiferei
31 % Einzelhändler

3 Zusammensetzung des Bananenpreises

2 Erkläre mithilfe deines Wissens aus den vorherigen Seiten die Zusammenhänge zwischen Ertrag und Nutzungsdauer im Diagramm 5 (Seite 49).

3 Brandrodungswanderfeldbau
a) Nenne Vor- und Nachteile des Brandrodungswanderfeldbaus. ○
b) Erkläre, warum er heute eher kritisch beurteilt wird.

4 Beschreibe die Produktionskette der Bananenproduktion.

5 Vergleiche Wanderfeldbau und Plantagenanbau nach Größe, Vielfalt der Anbauprodukte, Dauer der Nutzung, Nutzungszweck, …

6 Beurteile den Anbau in Monokultur. ●

7 Eine weltweit steigende Bananenproduktion der letzten Jahre führte zu sinkenden Weltmarktpreisen. Um den Verlust auszugleichen, werden vielfach die Anbauflächen ausgeweitet. Stelle die Folgen dar, die sich daraus ergeben. ●

AFB I: 1a, 3a; AFB II: 1b, 2, 3b, 4, 5; AFB III: 6, 7

1 In Amazonien

2 In Amazonien

Abgeholzt ist schnell, aber dann ...

Die Zahlenangaben zur Regenwaldzerstörung variieren von Quelle zu Quelle sehr stark. Laut der Vereinten Nationen vernichtete der Mensch zwischen 2000 und 2010 jährlich rund 130000 km² Wald – das sind rund 35 Fußballfelder pro Minute.

Geysir

heiße Springquelle, die durch Grundwasser gespeist wird.

Reliefenergie

Beschreibung des Höhenunterschiedes zwischen dem höchsten und niedrigsten Punkt eines Gebietes. Sie dient gleichzeitig als Maß für das Erosionspotenzial des Gebietes.

Auf den vorherigen Seiten hast du gesehen, dass der Tropische Regenwald ein sehr komplexes und zugleich sensibles Ökosystem ist. Rodet der wirtschaftende Mensch größere zusammenhängende Flächen, hat das Auswirkungen auf den Boden, den Wasserhaushalt, das Klima, die Tier- und Pflanzenwelt und somit auch auf die Bewohner.

Ökologische Auswirkungen

Der Stockwerkbau schützt den Boden vor der Wucht des Regens und gibt ihm durch seine Wurzeln den nötigen Halt. Großflächige Rodungen nehmen dem Boden den Schutz und Halt und es kommt rasch zur **Erosion**. Besonders betroffen sind Flächen mit Reliefenergie. Hier werden Rinnsale schnell zu Bächen oder kleineren Flüssen, die den wertvollen Boden unwiderbringlich abtransportieren.

Die Abholzung der Wälder hat auch Auswirkungen auf das globale Klima. Der Tropische Regenwald wird von vielen Wissenschaftlern als der linke Lungenflügel der Erde bezeichnet. Seine Baumriesen sind „Dampfgeysire" aus Holz und befeuchten mit der üppigen Vegetation die Luftströme hoch über dem Regenwalddach und helfen damit bei der Regenbildung. Forscher haben berechnet, dass der brasilianische Regenwald mehr Wasser in die Atmosphäre „ausschwitzt" als der Amazonas täglich in den Atlantik transportiert. Die Brandrodung durchbricht nicht nur diesen Kreislauf, sondern verstärkt durch das freigesetzte Kohlendioxid (CO_2) die weltweite Erwärmung der Erde.

Die fehlenden Wälder verändern auch lokal das Klima. Tagsüber sind Temperaturen von 50°C am Tag auf den gerodeten Flächen keine Seltenheit mehr. Da vor dem Kahlschlag die Temperaturen in Bodennähe 26°C betrugen, stellt diese Veränderung eine extrem hohe Belastung für Tiere, Pflanzen und auch für den Menschen dar.

Mineralstoffe ⬆ Verdunstung ⬍ Sickerwasser ⬅ Oberflächenabfluss

3 Folgen der Regenwaldrodung

Wirtschaftliche und soziale Auswirkungen

Ökonomisch gesehen haben die Rodungen viele positive Auswirkungen: Es wird Siedlungs- und Ackerfläche gewonnen, man schafft Arbeitsplätze und die verkauften Rohstoffe bringen Gelder ins Land. Die Zerstörung des Regenwaldes verursacht jedoch besonders bei den Ureinwohnern der Tropenwälder enorme soziale Auswirkungen. Der Tropische Regenwald ist die Lebensgrundlage vieler indigener Völker in Südamerika, Afrika und Asien. Ein Beispiel dafür sind die Penan, eine 10 000 Mitglieder starke Volksgruppe, die auf der Insel Borneo lebt. Traditionelle Lebensgrundlage der Penan ist das Jagen, Fischen und das Sammeln von über 300 verschiedenen Wildfrüchten, Wurzeln und Pflanzen, die zur Ernährung und als Medizin verwendet werden. Die meisten Penan sind Analphabeten. Ihre Kenntnisse über die biologischen Zusammenhänge der von ihnen bewohnten Region sind dagegen sehr groß. Nach einer Studie kennen sie mehr als 100 verschiedene Fruchtpflanzen und über 50 verschiedene Heilpflanzen.

Die an den Tropischen Regenwald angepasste Nutzung der Penan wird aktuell durch das starke Eindringen von Holzfirmen in ihr Gebiet bedroht. Mit der Ausrottung des Regenwaldes verschwinden auch die Penan. Auf diesem Weg gehen dem Volk und der Menschheit insgesamt viele Kenntnisse und Erkenntnisse verloren.

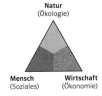

Natur (Ökologie)

Mensch (Soziales) Wirtschaft (Ökonomie)

---

1 Arbeite mit der Abbildung 3: ✐
   a) Erläutere die Auswirkungen der Regenwaldabholzung auf Boden und Vegetation.
   b) Beschreibe die regionalen und globalen klimatischen Veränderungen. ◖

2 Auswirkungen der Rodungen
   a) Stelle die ökonomischen, ökologischen und sozialen Folgen in einer Tabelle zusammen. ◖
   b) Beurteile danach die Wichtigkeit dieser Folgen. ●

3 Partnerarbeit: Nennt euch bekannte heimische Frucht- und Heilpflanzen. ○

4 Informiert euch im Internet über weitere indigene Völker, die im Regenwald leben. Berichtet eurer Klasse über Lebensraum, Traditionen und die aktuelle Lage. ◖

TERRA
METHODE

In einer thematischen Karte ist ein bestimmter Sachverhalt, das Thema, dargestellt. Wir brauchen diese Karten nicht nur im Geographieunterricht, sondern auch in anderen Fächern und im Alltag. Deswegen ist es wichtig, eine thematische Karte lesen zu können.

Eine thematische Karte auswerten

Thematische Karten sind anders aufgebaut als topografische Karten. Oftmals wird der betrachtete Raum nur mit Umrissen, z. B. Landesgrenzen, dargestellt. Die verschiedenen Farben und Signaturen sollen mehrere Eigenschaften eines Raumes darstellen. Ziel ist es, den Raum zu analysieren. Bei der Auswertung muss nie die ganze Karte entschlüsselt und wiedergegeben werden. Hier ist es wichtig, die Aufgabenstellung genau zu lesen.

1. Schritt: Aufgabenstellung lesen und verstehen

Um die Aufgabenstellung richtig zu bearbeiten, musst du den Operator beachten. Jeder Operator hat seine eigene Bedeutung (siehe Arbeitsanhang). Die Aufgabenstellung sagt dir, welche Aussagen der thematischen Karte du beachten musst und welche du weglassen kannst.

> *Beispiel*
> *Die Aufgabenstellung lautet: „Erläutere den Rodungsprozess in der Region Marabá/Carajás seit 1990." Du solltest deine Antwort so formulieren, dass der Leser deine Aussagen ohne die Karte verstehen kann.*

2. Schritt: Karteninhalte dekodieren

Deine Ausführungen erfordern eine Einleitung. In dieser beschreibst du die verwendeten Farben, Signaturen, Zeiträume und räumliche Einheiten der Kartendarstellung. Diese Informationen findest du in der Legende.

> *Beispiel*
> *Die Karte zeigt die Rodungen in der Region Marabá/Carajás. Es werden drei Gebiete ausgewiesen: Gebiete, die seit 1990 gerodet wurden und als Rinderweide genutzt werden, Gebiete, die aktuell von starker Rodung betroffen sind und der bestehende Tropische Regenwald.*

3. Schritt: Räumliche Verteilung darstellen

Beschreibe zunächst, welche Besonderheiten du wo im Raum findest. Prüfe anschließend, ob du Regelmäßigkeiten bei der Verteilung feststellen kannst.

> *Beispiel:*
> *Im Nordwesten von Marabá befinden sich die Gebiete, die stark von Rodung betroffen sind. Gebiete mit ursprünglicher Vegetation sind Naturschutzgebiete oder Indianerreservate. Fast 80% des Kartenausschnittes werden heute als Rinderweide genutzt und wurden seit 1990 gerodet.*

4. Schritt: Karteninhalte erklären

Finde Ursachen für die von dir erkannten Besonderheiten und deren Verteilung. Dazu musst du zusätzliche Informationen aus dem Unterricht oder andere Quellen hinzuziehen.

> *Beispiel:*
> *Der Tropische Regenwald wird aufgrund von wirtschaftlichen Interessen gerodet. In der Region Marabá wurde der Regenwald wegen der Rinderzucht, des Abbaus von Bodenschätzen und zur Energiegewinnung gerodet. Illegale Rodungen findet man ebenfalls in der Region.*

5. Schritt: Schlussfolgerungen ziehen und Karteninhalt beurteilen

Beende deine Ausführungen mit einer kurzen Zusammenfassung der wesentlichen Inhalte. Im Anschluss daran kannst du Kritik z. B. an der Kartendarstellung und der Aktualität der Karte üben.

> *Beispiel:*
> *Die Karte zeigt sehr eindrucksvoll das Ausmaß der Zerstörung des Regenwaldes. Eine Fläche von 200 000 km² wurde aufgrund von wirtschaftlichen Interessen zerstört. Einen kleinen Lichtblick stellen die Indianerreservate und das Naturschutzgebiet dar.*

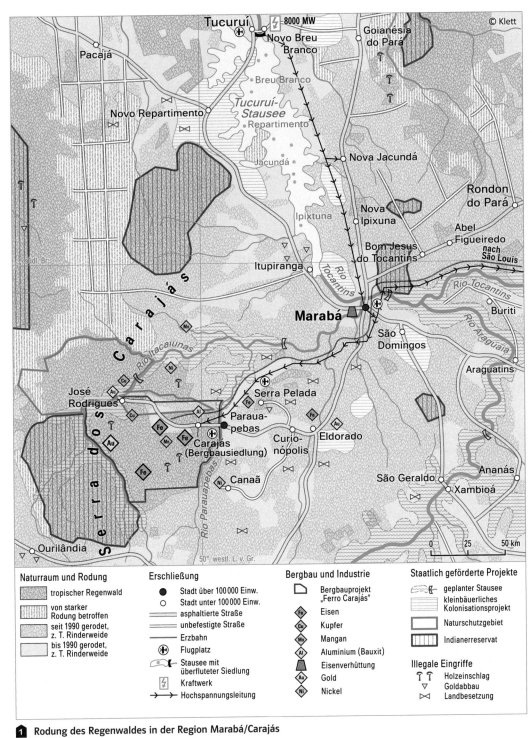

1 Rodung des Regenwaldes in der Region Marabá/Carajás

Legend content:

Naturraum und Rodung
- tropischer Regenwald
- von starker Rodung betroffen
- seit 1990 gerodet, z. T. Rinderweide
- bis 1990 gerodet, z. T. Rinderweide

Erschließung
- ● Stadt über 100 000 Einw.
- ○ Stadt unter 100 000 Einw.
- asphaltierte Straße
- unbefestigte Straße
- Erzbahn
- ⊕ Flugplatz
- Stausee mit überfluteter Siedlung
- ⚡ Kraftwerk
- →→→ Hochspannungsleitung

Bergbau und Industrie
- Bergbauprojekt „Ferro Carajás"
- Fe Eisen
- Cu Kupfer
- Mn Mangan
- Al Aluminium (Bauxit)
- Eisenverhüttung
- Au Gold
- Ni Nickel

Staatlich geförderte Projekte
- geplanter Stausee
- kleinbäuerliches Kolonisationsprojekt
- Naturschutzgebiet
- Indianerreservat

Illegale Eingriffe
- ⍑ ⍑ Holzeinschlag
- ▽ Goldabbau
- ⋈ Landbesetzung

1 Werte die Karte 1 mithilfe der angegebenen Schritte aus.

2 Erläutere die Bedeutung der Rohstoffe für den Rodungsprozess. ◗

3 Beurteile das Ausmaß und die Ursachen
a) illegaler Eingriffe,
b) der staatlich geförderten Prozesse. ●

4 Arbeitet zu zweit. Nutzt GoogleEarth und beschreibt die Raumwirksamkeit menschlichen Handelns im abgebildeten Gebiet in den letzten Jahren. ◗

AFB II: 1, 2, 4; AFB III: 3

1 Die Kletterpflanze Aristolochia trilobata wird zur Behandlung von Grippe und Fieber genutzt

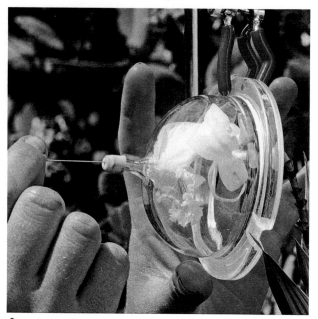

3 Auf „Duftjagd"

Mehr als nur Wald

Noch vor ein paar Tausend Jahren bedeckten die Tropischen Regenwälder mehr als 12 Prozent der Erdoberfläche. Heute sind es weniger als 4 Prozent. Dabei handelt es sich um den artenreichsten Lebensraum unserer Erde. Geht er für immer verloren? Was tut der Mensch dagegen?

2 Croton lechleri

Das Amazonas-Becken ist das größte zusammenhängende verbliebene Regenwaldgebiet der Erde. Es erstreckt sich über neun Staaten Südamerikas. Den größten Anteil hat Brasilien mit einer Landfläche größer als Westeuropa. Viele bezeichnen die Amazonas-Regenwälder mit ihrer überwältigenden **Artenvielfalt** als Schatzkammer der Weltnatur. So konnten hier bisher zum Beispiel über 40 000 Pflanzenarten, 427 Säugetierarten, 1294 Vogelarten sowie über 3 000 verschiedene Fischarten identifiziert werden.

Schon seit Langem haben sich die Menschen der Natur bedient, um Beschwerden zu lindern und Kranke zu heilen. Gerade der Regenwald ist eine riesige Naturapotheke mit noch sehr vielen unerforschten Heilpflanzen. Er beherbergt drei Viertel aller weltweit vorkommenden Arten, und jede davon enthält zahlreiche Inhaltsstoffe: Stoffe, die Wunden heilen, Schmerzen lindern, aber auch eine gefährliche Wirkung haben oder sogar töten können. So finden Forscher immer wieder bisher unentdeckte Substanzen, die sie in ihren Labors niemals entwickeln könnten und damit vielleicht auch ein Mittel gegen bisher unheilbare Krankheiten. Ein Beispiel ist Croton lechleri, ein schnell wachsender Baum der Tropischen Regenwälder in Kolumbien, Ecuador und Peru. Das Harz des Baumes wird „Drachenblut" genannt und ist in ganz Europa seit dem 16. Jahrhundert bekannt. Der Saft wird heute unter anderem als Flüssigpflaster mit entzündungshemmender Wirkung eingesetzt.

Auch die Kosmetik-Branche folgt dem Trend „Zurück zur Natur" und entdeckt die Tropen. Inhaltsstoffe aus Ingwer, Süßholz, Mangos, Papayas oder Ananas finden sich in Gesichts- und Körpercremes. Angeblich schützen sie vor Hautalterung. Öle aus der Kokosnuss sollen helfen, Feuchtigkeitsverluste der Haut zu vermeiden. Was liegt näher, als diesen Artenreichtum zu schützen? Aber wie?

1 Nutzen und bewahren
a) Beschreibe die Funktionsweise der Baumschwebebahn. ○

AFB I: 1a, 2a; AFB II: 1b; AFB III: 2b

Beispiel Baumschwebebahn

Malaysia ist der größte Exporteur von Tropenholz. Damit dies so bleiben kann, bemüht sich das Land um eine nachhaltige Nutzung seiner tropischen Wälder. Neben zahlreichen anderen Projekten hat man eine so genannte „Baumschwebebahn" entwickelt, welche die selektiv geschlagenen Baumstämme zu einem Sammelplatz schafft. Dadurch müssen keine breiten Schneisen für Transportfahrzeuge in den Wald geschlagen werden. Nach dem Prinzip eines Skilifts wird lediglich eine schmale Trasse durch den Wald gelegt, in der auf Stützpfeilern ein etwa 1 000 Meter langes Stahlband gespannt wird. An diesem Stahlband wird eine Seilwinde befestigt, mit der täglich rund 30 Baumstämme vom Boden gehoben und zu einem Sammelplatz abtransportiert werden können.

Durch die Baumschwebebahn werden die Waldschäden auf ein Minimum reduziert. Das Prinzip lässt sich überall anwenden und der Aufbau

dauert nur zehn Tage. Damit sich dies jedoch rechnet, bedarf es in den Importländern einer ausreichend großen Anzahl von Konsumenten, die bereit sind, einen etwas höheren Preis für das gewonnene Tropenholz zu zahlen.

4

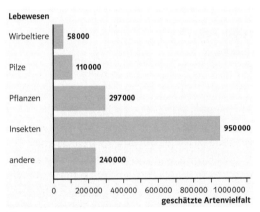

5 Artenvielfalt auf der Erde

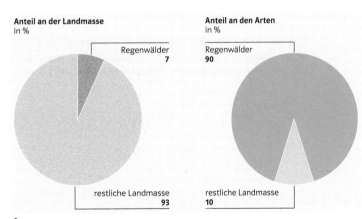

6 Artenvielfalt in tropischen Regenwäldern

Nachhaltige Waldnutzung

Das weltweit anerkannte Leitbild der Nachhaltigkeit strebt einen Konsens (Einigkeit) unterschiedlicher Interessen an. Ziel ist es, die tropischen Regenwälder unter Berücksichtigung ökonomischer, sozialer und ökologischer Aspekte so zu nutzen und zu bewirtschaften, dass nachfolgende Generationen hierdurch keinen Schaden erleiden.

Trotz zahlreicher Initiativen ist man insgesamt aber noch weit von einer **nachhaltigen Waldnutzung** und Bewirtschaftung der Regenwälder entfernt. Neben zahlreichen Interessenkonflikten vor Ort sind vor allem das starke Bevölkerungswachstum, der Kapitalmangel und das fehlende Know-how entwicklungshemmende Rahmenbedingungen.

b) Prüfe, inwiefern dieses Projekt ein Beispiel für nachhaltige Waldnutzung darstellt. ◗ ∞

2 Arbeite mit den Grafiken 5 und 6:
a) Beschreibe die Artenvielfalt im tropischen Regenwald. ◗

b) Beurteile in diesem Zusammenhang die Einrichtung von Nationalparks zur Rettung des Tropischen Regenwaldes. ●

1 Affenbrotbaum (Baobab)

2 Feuchtsavanne

Savanne ist nicht gleich Savanne

Eine Safari durch die Savannen Afrikas: Für immer mehr Reisende wird dieser Traum Wirklichkeit. Dabei beeindrucken nicht nur die wilden Tiere, sondern auch die Vielfalt der Pflanzenwelt. Aber warum ist das so?

Savanne ist die Sammelbezeichnung für die wechselfeuchten Landschaften in der Tropischen Zone zwischen Regenwald und Wüste. Unterschiedliche Savannenarten entstehen vor allem, weil sich die Dauer der Regenzeit und die Höhe der Niederschläge mit zunehmender Entfernung vom Äquator verändern. Die Anzahl arider Monate nimmt zu, die Anzahl humider Monate ab. Warum ist das so? Um das zu verstehen, musst du dir die Passatzirkulation in Erinnerung rufen. Mit der Verlagerung des Zenitstands der Sonne verschiebt sich auch die Innertropische Konvergenzzone (ITC), im Juni auf die Nordhalbkugel und im Dezember auf die Südhalbkugel. Dadurch verlagern sich ebenso die Niederschläge und die Bereiche mit trockener Luft. Bedingt durch die verschieden langen Regenzeiten unterscheiden sich Art und Wuchshöhe der Vegetation zwischen verschiedenen Savannen erheblich. Man untergliedert die Savannen in **Feuchtsavannen**, **Trockensavannen** und **Dornsavannen**.

← Passatkreislauf
Seiten 34/35

1 Nenne Gemeinsamkeiten und Unterschiede der Savannen. ○

2 Auf den Niederschlag kommt es an:
a) Erkläre die Entstehung von Regen- und Trockenzeiten. ◐ ∞
b) Begründe die unterschiedlichen Niederschlagsmengen in Save, Ouagadougou und Zinder. ◐
c) Erläutere die Auswirkungen der unterschiedlichen Niederschlagsmengen auf die Vegetation. ●

3 Für eine Fotosafari in die Savannen Afrikas brauchen Touristen unter anderem: feste Schuhe, leichte, lange Hosen, einen warmen Pullover, Kopfbedeckung und Sonnenschutz. Erkläre warum und ermittle die beste Reisezeit. ◐

4 Begründe, wieso Nationalparks wie die Serengeti durch Ranger überwacht werden. ◐

AFB I: 1; AFB II: 1, 2a, 2b, 4; AFB III: 2c, 3

⊕ℝ **Üben interaktiv**
Savannentypen
296iz8

3 Trockensavanne

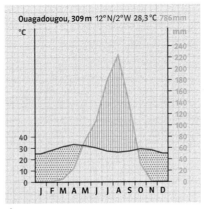

6 Dornsavanne

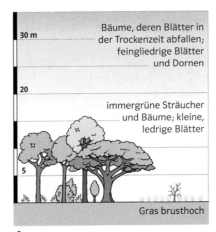

30 m	immergrüne Pflanzen, viele Baumarten, große Blätter
20	
10	
5	
	Gras übermannshoch

4 Feuchtsavanne

30 m	Bäume, deren Blätter in der Trockenzeit abfallen; feingliedrige Blätter und Dornen
20	
	immergrüne Sträucher und Bäume; kleine, ledrige Blätter
5	
	Gras brusthoch

7 Trockensavanne

30 m	Pflanzen, die das Wasser speichern, um die Trockenzeit zu überdauern; Speicherung in Stämmen, Sprossen und Blättern
20	
10	
	Gras kniehoch

9 Dornsavanne

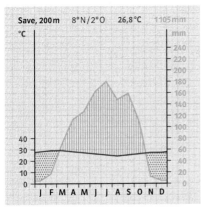

Save, 200 m   8°N/2°O   26,8°C   1105 mm

5 Feuchtsavanne
7–9½ Monate feucht
Niederschlag 1000–2000 mm

Ouagadougou, 309 m 12°N/2°W 28,3°C 786 mm

8 Trockensavanne
4½–7 Monate feucht
Niederschlag 500–1000 mm

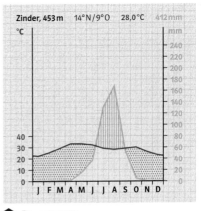

Zinder, 453 m   14°N/9°O   28,0°C   412 mm

10 Dornsavanne
2–4½ Monate feucht
Niederschlag 200–500 mm

4

TERRA TRAINING

Wichtige Begriffe

Artenvielfalt	Erosion	Mineralstoff-	Ökosystem
Bodenfruchtbarkeit	indigene Völker	kreislauf	Plantage
Cash Crops	Mischkultur	nachhaltige	Primärwald
	Monokultur	Waldnutzung	

1

Sich orientieren

1 Wer kennt sich aus?

a) Wähle diejenigen Staaten aus, die noch großflächige Regenwaldgebiete aufweisen: USA, Myanmar, Argentinien, Pakistan, Malaysia, Demokratische Republik Kongo, Venezuela, Kolumbien, Iran, Kongo, Gabun, Brasilien, Kamerun, Ukraine, Peru, Tansania, Namibia, Papua-Neuguinea, Chile, Indonesien. ◒

b) Ordne die Regenwaldstaaten nach Kontinenten und lege dazu eine Tabelle an. ○

c) Ermittle die drei Staaten mit der größten Regenwaldfläche? ◒

Kennen und verstehen

2 Eingriffe finden

Welche Arten von Eingriffen in den Tropischen Regenwald zeigt die Zeichnung 1. Erstelle dazu eine Tabelle? ○

3 Richtig oder falsch?

Verbessere die falschen Aussagen und schreibe sie richtig auf. ◒

a) Im Tropischen Regenwald regnet es jeden Tag mindestens einmal.

b) Die Böden der Tropischen Regenwälder sind sehr fruchtbar.

c) Der Sekundärwald unterscheidet sich so gut wie nicht vom Primärwald.

4 Finde die richtigen Begriffe ◒

Die in Klammern bezeichneten Buchstaben ergeben ein Lösungswort mit 19 Buchstaben:

a) Land mit dem größten zusammenhängenden Regenwaldgebiet (1)

b) Kennzeichen der tropischen Tier- und Pflanzenwelt (2)

c) Früchte für den Export (2)

d) Vegetationszone, die an den Tropischen Regenwald anschließt (6)

e) Wald, der sich nach der Brache ansiedelt (6)

f) Voraussetzung für Pflanzenwachstum (5)

g) großflächiger Anbau nur einer Kulturpflanze (4)

h) geschlossenes Dach des Regenwaldes (7)

i) Kennzeichen des Regenwaldaufbaus (12)

j) Nahrungspflanze mit dem schnellsten Wachstum (3)

k) andere Bezeichnung für das Klima des Tropischen Regenwaldes (3)

l) wasserreichster Fluss der Erde (8)

m) Pflanzen, die auf Pflanzen wachsen (13)

n) landwirtschaftlicher Großbetrieb in den Tropen (8)

o) Schlingpflanze (1)

p) Nachkommen der ursprünglichen, vorkolonialen Bewohner (3)

q) Name für die höchsten Regenwaldbäume (2)

r) zukunftsfähiges Wirtschaftsprinzip (6)

s) südostasiatische Menschenaffenart (6)

Fachmethoden anwenden

5 Eine thematische Karte auswerten

a) Werte die Karte 2 zum Thema „Erschließung Amazoniens" aus. ◒

b) Erläutere den Nutzungskonflikt im Tropischen Regenwald. ●

Material
Selbsteinschätzungsbogen
296iz8

Material
Kompetenzcheck
296iz8

Lernen im Netz
interaktive Übungen
296iz8

Regenwaldzer- störung Savanne	Sekundärwald Shifting Cultivation/ Wanderfeldbau	Stockwerkbau Tageszeitenklima Transport	Tropischer Regen- wald Wanderfeldbau

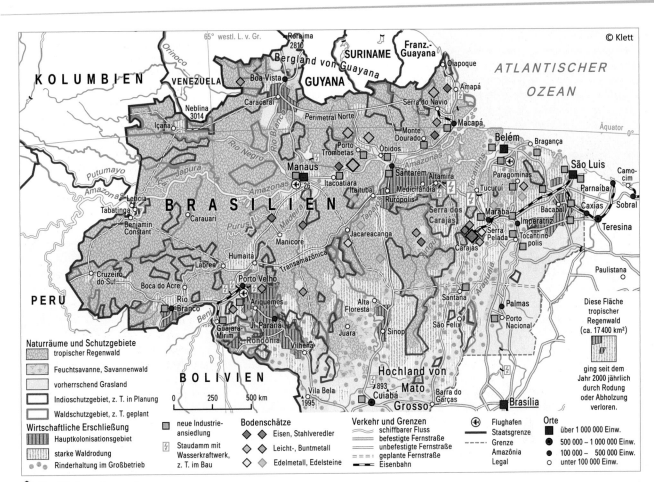

2 Erschließung Amazoniens

Beurteilen und bewerten

6 Indigene Völker, Regierung, landlose Bauern, Wissenschaftler, Holzfäller und andere Gruppen haben ein Interesse am Regenwald. Sammle Argumente für und gegen eine Nutzung des Regenwaldes. ◗

7 Erstellt eine Liste mit zehn Produkten, die ihr nutzt und die Palmöl enthalten. Recherchiert dann im Internet nach Ersatzprodukten, die kein Palmöl enthalten. ●

Am Ende kannst du ...

– die Verbreitung des Tropischen Regenwalds beschreiben,

– die an den Naturraum ange-passte Wirtschaftsweise des Wanderfeldbaus erklären,

– die Merkmale der Plantagen-wirtschaft in Abgrenzung zum traditionellen Wanderfeldbau erfassen,

– Ursachen für die Rodung des Tropischen Regenwaldes nennen und das Ausmaß der Zerstörung beschreiben,

– die ökologischen, sozialen und wirtschaftlichen Folgen der Zerstörung des Tropischen Regenwaldes nennen und erklären,

– die besondere Bedeutung des Regenwaldes für die Mensch-heit erläutern,

– Maßnahmen für eine nachhal-tige Nutzung des Tropischen Regenwaldes erläutern,

– eine thematische Karte aus-werten.

4

TERRA FÜR DICH

Wähle mindestens ein Thema aus, das dich besonders interessiert. Erste Ideen für eine Präsentation findest du im gegebenen Material. Recherchiere zusätzlich eigenständig im Internet.

Y Wähle aus!

A Coltan aus dem Regenwald ●

Erstelle eine Präsentation und nutze folgende Anregungen:

- Unter welchen Bedingungen wird Coltan abgebaut?
- Welche Staaten sind die größten Produzenten und welche die größten Konsumenten?
- Wie funktioniert das Recycling von IT-Geräten konkret?
- Stelle ein Projekt vor, das Handys sammelt. Vielleicht könnt ihr es unterstützen?

B Kakao aus dem Regenwald ●

Erstelle eine Präsentation und nutze folgende Anregungen:

- Wieso kann man Kakao nicht in Deutschland anbauen?
- Wo wird der meiste Kakao angebaut?
- Wie wird Kakao produziert?
- Welche Siegel garantieren einen nachhaltigen Kakaoanbau?
- Gibt es Regenwaldschutzprojekte, die nachhaltigen Kakaoanbau fördern und die du unterstützen kannst?

1 Columbit-Tantalit

2 Kakao

Was gibt der Regenwald mir?

Aus Coltan-Erz wird Tantal gewonnen, welches in Handys, Computern und Spielekonsolen verarbeitet wird. Die Abbauregionen des Erzes liegen in unzugänglichen Regenwaldgebieten Zentralafrikas, Ruanda, Brasilien und Australien. 2015 lagen etwa 100 Millionen ungebrauchter Handys in deutschen Schubladen. In jedem Handy steckt das wertvolle Metall, das man durch Recycling für neue Geräte wieder verwenden kann.

Das mache ich für den Regenwald!

Ich kann die Nachfrage nach Coltan beeinflussen, indem ich mein Handy, Laptop oder Fernseher länger benutze. Gebrauchte Geräte kann ich weiterverkaufen und defekte Handys kann ich an Regenwaldprojekte spenden.

Was gibt der Regenwald mir?

Der Kakaobaum ist im tropischen Regenwald beheimatet und benötigt ein warmes und feuchtes Klima. Er wächst daher in der unteren Baumschicht unter sogenannten Schattenpflanzen. Für die Schaffung von Kakaoanbauflächen wurde und wird viel Regenwald abgeholzt. 90 Prozent der weltweiten Produktion wird von Kleinbauern produziert, die von fünf Großunternehmen gekauft werden.

Das mache ich für den Regenwald!

Jeder Deutsche verzehrte 2015 fast zehn Kilogramm Schokoladenwaren. Durch verantwortungsvollen Konsum von Schokoladenprodukten kann ich den Regenwald schützen. Ich kann zum Beispiel zertifizierte Schokolade aus biologischem Anbau kaufen oder Projekte unterstützen, die nachhaltigen Kakaoanbau fördern.

C Papier aus dem Regenwald ◓

Erstelle eine Präsentation und nutze folgende Anregungen:

- Wofür wird das meiste Papier verarbeitet und genutzt?
- Wie entwickelte sich der Papierverbrauch in Deutschland ab dem Jahr 2000?
- Wie kannst du zuhause und in der Schule den Papierverbrauch reduzieren?
- Informiere dich über den Wettbewerb „Paper Angels – Schüler für Recyclingpapier".

D Samen aus dem Regenwald ◓

Erstelle eine Präsentation und nutze folgende Anregungen:

- Informiere dich über die aktuelle Artenvielfalt auf der Erde.
- Berichte über die „Svalbard Global Seed Vault" und die „Frozen Ark".
- Vergleiche die Ziele der Genbanken mit denen verschiedener Artenschutzprogramme.

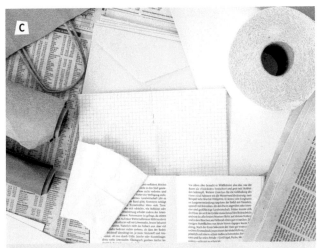

3 Papier

4 Genbunker

Was gibt der Regenwald mir?

Papier besteht aus Zellstoff, die aus Holzfasern gewonnen werden. Brasilien ist der größte Lieferant von Zellstoff für uns. Der Regenwald wird gerodet, um Zellstoff zu bekommen und um Eukalyptusplantagen anzulegen, da diese Pflanze besonders schnell viel Zellstoff liefert. Der Regenwald wird genutzt, um Papier zu produzieren.

Das mache ich für den Regenwald!

Recycling und den Verbrauch zu reduzieren können helfen, den Regenwald und die Wälder weltweit zu schützen. Zum Beispiel kann ich Schulhefte und Toilettenpapier aus Recyclingpapier nutzen. Papier gehört in den Papiermüll, damit es recycelt werden kann.

Artenvielfalt in Konserven?!

Von 1970 bis 2000 hat die Welt 40 Prozent der Artenvielfalt verloren. Deswegen sammeln Wissenschaftler auf der ganzen Welt heute systematisch Proben von lebenden Pflanzen und Tieren, um sie für eine ungewisse Zukunft in Genbanken zu konservieren. Von Pflanzen werden vor allem Samen, Zellen und Gewebe gesammelt. Der Samen wird nach 20 Jahren ausgesät, um frischen Samen für die Bank zu erzeugen.

Die sehr sensiblen Zellen eines Tieres können nicht so einfach eingefroren werden. Sie müssen später intakt zeitlich unbegrenzt haltbar sein. Man kann sie nach dem Auftauen nicht ohne Weiteres vermehren. Deswegen dienen Genbanken dem Erhalt von Informationen. Können diese Genbanken die restlichen 60 Prozent der Artenvielfalt schützen?

5

In den Trockenräumen

1 In der Sahara

Wüsten bedecken große Flächen auf unserer Erde und sind auf fast allen Kontinenten verbreitet. Wärme und Kälte in Kombination mit Trockenheit gelten als wichtigste Bedingungen für die Vegetationslosigkeit oder Vegetationsarmut. Auf den ersten Blick erscheinen die Trockenräume als lebensfeindliche Gebiete. Doch die Wüsten stecken voller Leben, da sich die Natur auf vielfältige Weise auf die Trockenheit eingestellt hat. Wie leben die Menschen in diesen Extremräumen? Wie haben sie sich der Hitze und der Wasserarmut angepasst?

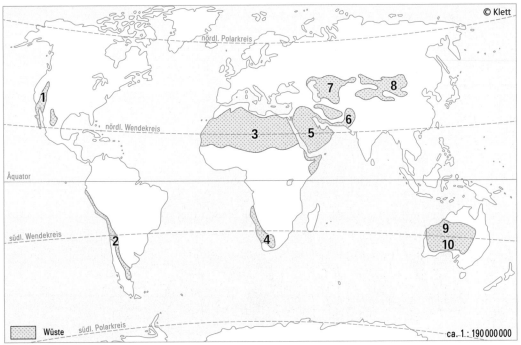

2 Oasenstadt Ghardaia, Algerien

© Klett

nördl. Polarkreis

nördl. Wendekreis

Äquator

südl. Wendekreis

südl. Polarkreis

ca. 1 : 190 000 000

Wüste

3 Trockenwüsten der Erde

65

1

3 Fels- und Steinwüste mit Trockental

4 Kieswüste

Wüsten – ein Meer aus Sand?

Endlos reiht sich eine Sanddüne an die andere. Die Luft flimmert über dem Boden.
So stellen sich viele die Wüste vor. Doch wie sieht es dort wirklich aus?

→
Frostsprengung
Seite 85

Merkmale von Wüsten

Wüsten sind lebensfeindliche Räume. Allen Wüstenarten gemeinsam ist die Vegetationsarmut. Diese wird durch Hitze und Trockenheit (Trockenwüste) oder durch niedrige Temperaturen (Kältewüste) verursacht. In den Trockenwüsten gibt es oft jahrelang gar keinen Niederschlag. Im Inneren von großen Wüsten misst man weniger als 150 Millimeter Niederschlag und häufig regnet es jahrelang nicht. Wer denkt bei dem Begriff „Wüste" nicht an endlose Dünenfelder? Dabei sind Wüsten abwechslungsreiche Landschaften.

Gesichter der Wüste

Die fehlende Wolkendecke führt zu großen Temperaturunterschieden zwischen Tag und Nacht. Tagsüber dehnt sich das Gestein aus, nachts zieht es sich wieder zusammen. Der Wechsel zwischen Hitze und Kälte zermürbt selbst die härtesten Felsen. Insbesondere die Frostverwitterung (und Salzsprengung) setzt den Kalk- und Sandsteinen zu, weil sie von Natur aus poröser sind. Das bei der Verwitterung entstehende Feinmaterial bläst der Wind aus und scharfkantige Felstrümmer bleiben zurück. Es entsteht die **Felswüste** oder „Hamada".

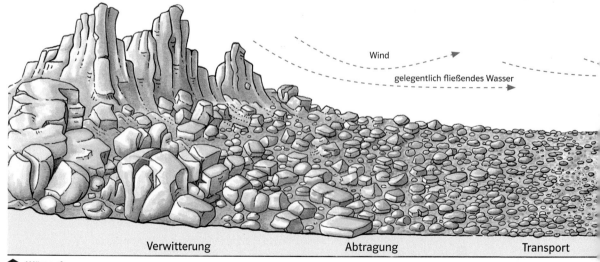

Wind

gelegentlich fließendes Wasser

Verwitterung

Abtragung

Transport

2 Wüstenformen

5 Sandwüste

6 Gesteinssprengung

Allerdings ist diese arabische Bezeichnung recht vieldeutig. Es steht für schwer passierbares, nicht für Menschen nutzbares Gebiet, für unfruchtbares, totes bzw. abgestorbenes Gelände.

Im weiten Umkreis der Gebirge befinden sich ausgedehnte Ebenen, die eben wie ein Tisch und mit einer unendlichen Anzahl von kleinen Steinen bedeckt sind. Die Kiesel und Gerölle sind zugerundet und dies deutet auf einen Transport durch Wasser hin. Ein großer Teil dieser Kiese wurde in einer Zeit abgelagert, als das Klima noch regenreicher war. Diese Wüstenart wird als **Kies- oder Geröllwüste** oder auch als Serir bezeichnet.

Kräftige Stürme blasen den Sand aus den Stein- und Kieswüsten heraus und lagern ihn in den Dünenfeldern der **Sandwüsten** ab. Die Höhe der Dünenzüge kann bis zu 200 Meter reichen. „Bar bela ma" – Meer ohne Wasser – nennen die arabisch sprechenden Bewohner der Sahara die großen, zusammenhängenden Sandgebiete mit Dünenfeldern. Tatsächlich ähneln viele Sandwüsten mit ihren weiten, von Sandrippeln überzogenen Sandebenen einer gekräuselten Wasserfläche. Die Bezeichnung „Edeien" ist auf die Dünengebiete der libyschen Wüste begrenzt, mit der arabischen Bezeichnung „Erg" werden die Sandwüsten in der übrigen Sahara benannt.

In der Wüste muss man Jahre warten, bis es einmal regnet. Aber dann sind es plötzliche, wolkenbruchartige Regenfälle, die **Trockentäler** (Wadis) füllen. Der ausgetrocknete Boden kann die Wassermassen dann nicht aufnehmen. Die Wasserfluten schießen bergab und reißen Sand, Geröll und Felsbrocken mit sich fort. Für Reisende, die in Wadis unterwegs sind, können die plötzlich herantosenden Ströme zu einer Gefahr werden.

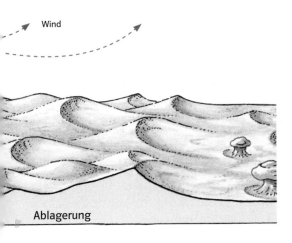

Wind

Ablagerung

1 Wüstenformen
a) Beschreibe die Fotos 3, 4 und 5. ○
b) Ordne die Fotos 3, 4 und 5 dem Profil 2 zu. ○
c) Erkläre jeweils die Entstehung der Wüstenformen Hamada (Foto 3), Serir (Foto 4) und Erg (Foto 5). ◗

2 Erkläre, wie es zu einem Gesteinssprung wie in Foto 6 kommt. ◗

3 Sonne, Wasser und Wind sind die prägenden Kräfte der Wüste. Erläutere diese Aussage anhand der Grafik 2. ◗ ∞

AFB I: 1a, 1b   AFB II: 1b, 1c, 2, 3

1 Oase in Tinerhir in Marokko

Oasen – Inseln in der Wüste

Inmitten von Hitze und Trockenheit wirken sie wie grüne Farbtupfer. Sie erscheinen inmitten von Gestein, Geröll und Sand für jeden Reisenden wie Paradiese, deren sprudelnde Wasservorkommen die entscheidende Lebensader ist.

Überall dort, wo Wasser an die Erdoberfläche tritt oder durch Pumpen aus dem Untergrund gefördert werden kann, finden wir **Oasen**, Siedlungen mit Gärten, Obstbäumen und Palmen. Das Wasser in alten Oasen, die meist in tiefer gelegenen Senken und Tälern liegen, stammt überwiegend aus Quellen und Grundwasservorräten, die in geringer Tiefe lagern. In neuen Oasen nutzt man in der Sahara heute Grundwasser aus Tiefen von 1000 Metern und mehr, das aus einer Zeit stammt, als in Teilen der Sahara noch ein feuchtes Klima herrschte. Dieses fossile Wasser wird nicht erneuert, da es nicht in den Wasserkreislauf einbezogen ist.

Oasengärten

Das Wasser wird zur Bewässerung über ein Labyrinth kleiner Kanäle auf die Felder und Dattelpalmenhaine geleitet. Die Gärten in der traditionellen Oase sind häufig stockwerkartig angelegt. Dattelpalmen spenden Schatten für die kleineren Bäume und Sträucher, die Granatäpfel, Feigen, Zitronen oder Orangen tragen. Darunter werden Gemüse und Futterpflanzen angebaut. Die Anbauflächen sind klein und werden intensiv bearbeitet, meist mit der Hacke. Die Oasenbauern umgeben die Gärten oft mit Zäunen aus Palmwedeln zum Schutz vor Wind und wanderndem Sand, aber auch zum Schutz vor hungrigen Schafen und Ziegen. Auf den Feldern werden meist Hirse und Weizen angebaut, die Hitze vertragen und wenig Wasser zum Wachstum benötigen.

Der dreistöckige Anbau ist kein Merkmal von intensiver Nutzung. Vielmehr hat der Stockwerksbau etwas mit den Bodenbesitzverhältnissen zu tun. Der Besitzer reserviert nämlich den Großteil der Dattelernte im begünstigten oberen Stockwerk für sich, während die Unterkulturen von den Teilpächtern oder Tagelöhnern bebaut werden. Oftmals wird ein Teil der alten Palmengärten nicht mehr gepflegt, da ihre Bewirtschaftung kaum noch lohnt.

2 Blick in einen Oasengarten

3 Hotelanlage in einer Oase

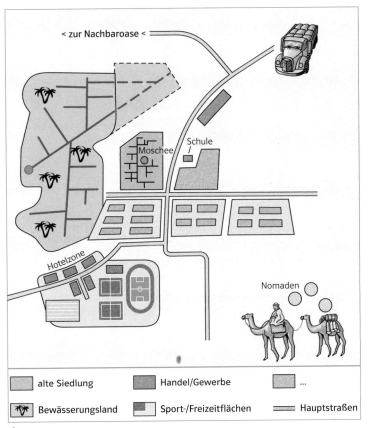

4 Schema einer Oase im Wandel

Oasen im Wandel

Auch in den Oasen der Sahara steht die Zeit nicht still, sondern sie unterliegen einem ständigen Wandel. Früher stellte der Nomadismus die Verbindung zwischen den oft weit voneinander entfernten Oasen her. Die **Nomaden** zogen mit ihren Karawanen von Wasserstelle zu Wasserstelle. Zudem transportierten sie auf ihren Lasttieren wichtige Handelsgüter zwischen den Oasen oder zwischen den Nord- und Südrändern der Sahara. Die Lebensweise der Nomaden wandelt sich. Immer mehr von ihnen werden sesshaft, häufig werden sie von den Staaten dazu gezwungen. Zudem können sie nicht mehr mit der modernen Technik konkurrieren, denn durch die Sahara führen heute asphaltierte Straßen. Lkw lösen die Kamelkarawanen ab und bringen Lebensmittel und andere Güter in die Oasenstädte. Diese Öffnung der Oasen nach außen bewirkte einen grundlegenden Strukturwandel. Die Bewohner sind nicht mehr auf Selbstversorgung und Tauschhandel angewiesen. So werden Oasen aufgegeben, andere wachsen unaufhörlich mit neuen Wohnsiedlungen außerhalb der traditionellen Siedlungsbereiche.

Die Landwirtschaft verliert an Bedeutung. Vermehrt entstehen größere Gewerbebetriebe und schaffen neue Arbeitsplätze. Andererseits verlassen viele Oasenbewohner ihre Heimat und suchen in den Küstenstädten oder sogar im Ausland Arbeit. Mit ihrem Verdienst können sie ihre Familien in den Oasen unterstützen. In den Oasen selbst entwickelt sich vermehrt ein weiterer wichtiger Erwerbszweig. Über die besseren Straßen können jetzt auch Touristen in größerer Zahl die Oasen erreichen. Für sie entstehen immer mehr Hotelanlagen mit Swimmingpools und Gartenanlagen sowie touristische Einrichtungen wie Restaurants. Immer mehr Menschen in den Oasen leben heute direkt oder indirekt vom Tourismus.

1 Arbeite mit dem Atlas
a) Nenne einige Oasen in der Sahara. ○
b) Beschreibe die Lage dieser Oasen innerhalb des jeweiligen Staatsgebiets. ○

2 Erläutere die Bedeutung einer Oase für die Menschen in der Wüste. ◗

3 Beschreibe mithilfe von Text und Foto 2 den Aufbau von Oasengärten. ◗

4 Erkläre den Wandel von Oasen auch im Hinblick auf Veränderungen von außen. Nutze dazu Grafik 4. ◗

5 Bewerte den aktuellen Strukturwandel der Oasen jeweils aus der Sicht eines Oasenbewohners, eines Nomaden und eines Touristen. ●

AFB I: 1, 3   AFB II: 2, 4   AFB III: 5

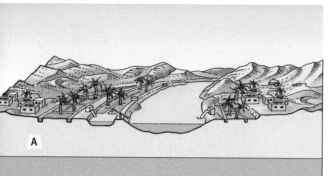

1 Verschiedene Oasentypen

Bewässerung macht's möglich

In den Trockenräumen der Erde ist Bewässerung meist die einzige Methode, um ertragreiche Ernten zu erzielen. Doch auf welche Art erfolgt die Bewässerung und welche Risiken sind damit verbunden?

Lebensgrundlage Wasser

In Trockenräumen ist eine landwirtschaftliche Nutzung nur mit Bewässerung möglich. Das notwendige Süßwasser für den **Bewässerungsfeldbau** ist in einigen **Oasen** als Grundwasser in nicht allzu großer Tiefe vorhanden oder tritt als Quellenwasser zu Tage. Meist werden Brunnen angelegt, um die wasserführende Grundwasserschicht zu erreichen. Eine Besonderheit ist der artesische Brunnen. Zwischen zwei wasserundurchlässigen Schichten steht das Wasser unter Druck. Bohrt man die wasserführende Schicht an, so steigt das Wasser von selbst nach oben. Moderne Technik ermöglicht auch Bohrungen bis 1000 Meter Tiefe, wo man fossiles Wasser erreicht. Dieses Wasser entstand in früheren Zeiten der Erdgeschichte und lagert seitdem in wasserführenden Schichten. Bei

2 Graben- und Furchenbewässerung

Flussoasen, wie z. B. der Niloase, wird das Wasser aus einem regenreichen Gebiet über lange Strecken in Wüstengebiete geleitet.

Bewässerungstechniken

Bei der traditionellen **Graben- und Furchenbewässerung** wird das Wasser in offenen Gräben in die Bewässerungsgebiete geleitet und von diesen Hauptgräben auf die einzelnen Anbauparzellen verteilt. Das Wasser versickert in vielen flachen Furchen oder Beeten und gelangt somit an die Pflanzenwurzeln. Diese Bewässerungsart ist arbeitsintensiv und kostengünstig. Allerdings liegen die durch Verdunstung und unkontrollierte Versickerung verursachten Wasserverluste bei 80 Prozent.

Grüne Scheiben mitten in der Wüste sind das Ergebnis der **Karussellberegnung**. Der Beregner kreist um einen festen Mittelpunkt und versprüht das Wasser kreisförmig. Bei Großanlagen sitzt in der Mitte des Beregnungssystems ein Tiefbrunnen. Dem Wasser können Dünger und Pflanzenschutzmittel zugesetzt werden. Die größten dieser Kreisflächen sind über 200 ha groß. Diese Systeme sind windempfindlich, weisen große Verdunstungsverluste auf und die benötigten Förderpumpen sind sehr teuer.

Die **Tröpfchenbewässerung** ist die modernste, aber auch kostenaufwendigste Bewässerungsmethode. Hierbei wird Wasser über ein Netz an Schläuchen direkt und gezielt zu den Pflanzen geleitet und über kleine Düsen tröpfchenweise an den Wurzel-

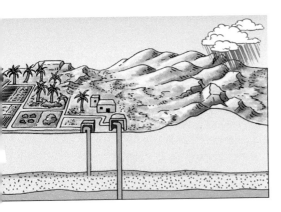

bereich der Pflanzen abgegeben. Nur der unmittelbare Wurzelbereich wird feucht gehalten. Mit dieser Technik wird der höchste Wirkungs- und Ausnutzungsgrad des Bewässerungswassers (90 bis 95 Prozent) erreicht.

Problem der Bodenversalzung

Durch die Zunahme der Bevölkerung und der Touristenzahlen sowie die Ausweitung der landwirtschaftlichen Anbauflächen steigt in den Oasen der Bedarf an Wasser. Ein Wassermangel in den Oasen ist vorhersehbar. Auch die Versalzung von Böden ist ein großes Problem. Bewässerungswasser löst nämlich Salze, die sich im Boden befinden. Bei falscher Bewässerungstechnik können sich bei der hohen Verdunstung in ariden Gebieten Salzkrusten bilden. Eine hohe Salzkonzentration im Boden hat einen Totalverlust der Anbauflächen zur Folge. Deshalb müssen geeignete Gegenmaßnahmen getroffen werden. Um übermäßiges Verdunsten und Salzablagerung zu verhindern, sollte das Bewässerungswasser bei der Graben- und Furchenbewässerung über extra Kanäle ablaufen können. Allerdings sind hierzu hohe Bewässerungsmengen notwendig, da der Boden zugleich bewässert und entwässert wird. Die schonendste Bewässerungstechnik ist die Tröpfchenbewässerung, da hierbei der größte Teil des eingesetzten Wassers den Pflanzen zugutekommt und keine Versalzungsgefahr besteht. Auch die gezielte Züchtung von Nutzpflanzen, die gegenüber einer erhöhten Salzkonzentration toleranter sind, mag in Einzelfällen hilfreich sein.

3 Karussellbewässerung

4 Tröpfchenbewässerung

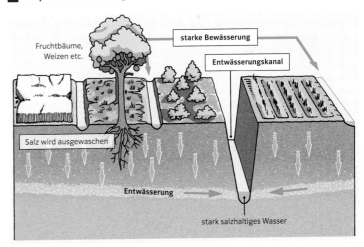

Fruchtbäume, Weizen etc.

starke Bewässerung

Entwässerungskanal

Salz wird ausgewaschen

Entwässerung

stark salzhaltiges Wasser

5 Maßnahme gegen Versalzung

1 Bezeichne die Oasentypen (Grafik 1, A bis C) mithilfe des Textes. ○

2 Erläutere die unterschiedlichen Möglichkeiten der Wassergewinnung in Oasen. ◑

3 Liste Vor- und Nachteile der Bewässerungstechniken auf. ◑

4 Erläutere den Vorgang der Bodenversalzung. ◑

5 Erläutere Maßnahmen gegen die Ver-salzung mithilfe von Grafik 5. ◑

6 Bewerte die Aussage: „Die landwirtschaftliche Anbauflächen in den Oasen sind beliebig erweiterbar." ● ∞

1 Viehherde auf der Weide in der Savanne

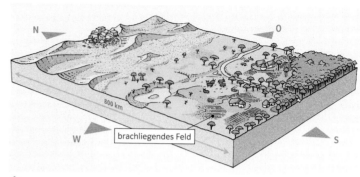

brachliegendes Feld

4 Situation vor der Desertifikation

Wenn die Wüste wächst

Sahel – das bedeutete für die Karawanen das rettende „Ufer". Wer die lebensfeindliche Sahara hinter sich gelassen hatte, fand in den Savannen am südlichen Rand der Wüste Weiden und Wasser. Dürrejahre konnten die Menschen hier überleben, solange ihre Wirtschaftsweise nachhaltig gestaltet war. Doch wie sieht das heute aus?

Sahelzone

Äquator

Atlantischer Ozean

Afrika

Ind. Ozean

1000 km

2

Die **Sahelzone**, auch Sahel genannt, ist ein bis zu 800 Kilometer breiter Saum südlich der Sahara. Weil die Trockenzeit dort bis zu zehn Monate dauert, herrschen die Dornsavannen vor. Lange Trockenzeiten wechseln sich mit kurzen Regenperioden ab. Dadurch wird der Regenfeldbau erschwert. Im Sahel kommt es zur Ausbreitung von Wüsten, wo aufgrund der klimatischen Verhältnisse keine Wüsten sein dürften. Dieser Prozess der Wüstenausbreitung wird als **Desertifikation** (lat.: desertus = wüst, facere = machen) bezeichnet. In den letzten Jahrzehnten ist die Wüste etwa 200 Kilometer weit im Sahel vorgedrungen. Wertvolles Weide- und Ackerland gingen verloren. Hunger in der Bevölkerung war die Folge. Mehrere verheerende Dürren in den 1970er- und 80er-Jahren kosteten insgesamt mehr als 100 000 Menschen das Leben.

Musas Geschichte

Musa und seine Leute sind Halbnomaden. Ihre Heimat ist die Dornsavanne im Westsudan, wo einige von ihnen in kleinen Dörfern leben. Seit jeher waren sie der Bedrohung durch die Dürre ausgesetzt, aber meist war es noch möglich, Kolbenhirse und manchmal sogar Melonen anzubauen. Von seinem Vater hatte Musa eine große Schafherde, einige Ziegen und Kamele geerbt. In der Trockenzeit zog er mit seinen Tieren in den Süden, wo die Regenzeit länger andauerte. Seine Frau Halima bewirtschaftete inzwischen die Felder im Dorf.

Als wir vor wenigen Jahren einmal wieder in Musas Dorf kamen, bot sich uns ein erschreckendes Bild. Wo die Frauen versucht hatten, etwas zu pflanzen, ragten verdorrte Hirsestrünke aus dem Boden, die nicht größer waren als die Finger eines Kindes. Wenn der Wind heftig wehte, trug er den lockeren Boden vom Acker fort und begrub die Strohdachhütten der Familien halb unter sich. Von den Herden seines Vaters waren Musa nur noch zwei Esel, drei Ziegen und zwei Schafe geblieben. Alle anderen Tiere waren verhungert, verdurstet oder notgeschlachtet worden.

5

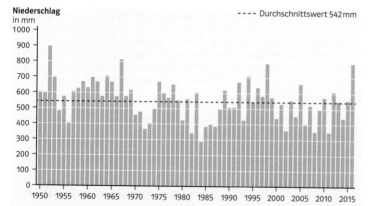

Niederschlag in mm

---- Durchschnittswert 542 mm

3 Entwicklung der Jahresniederschläge der Station Niamey (Niger)

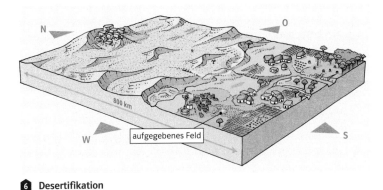

6 Desertifikation

8 Viehherde auf der „Weide" in der Savanne

Wüste menschengemacht

Die Menschen konnten am Rand der Trockenge-biete überleben, solange ihre Wirtschaftsweise der Natur angepasst war und sie diese nachhal-tig nutzten. In den letzten Jahrzehnten gab es im Sahel immer wieder Hungerkatastrophen. Was sind die Ursachen? Die Bevölkerungszahl im Sahel nahm rasant zu und steigt weiterhin. Mehr Men-schen brauchen auch mehr Nahrung, weshalb die Ackerbauern ihre landwirtschaftlichen Flächen ausweiteten. Zudem vergrößerten Nomaden nach regenreicheren Jahren ihre Herden, die die spär-liche Vegetation der Dornsavanne abfraßen. Der stark steigende Tierbestand führte zudem zu einer **Überweidung**, die Tiere fanden kaum noch Futter. Schließlich haben einige Staaten die Nomaden gezwungen, sesshaft zu werden und Ackerbau zu betreiben. Die sowieso kargen Baumbestände wurden abgeholzt, um Ackerflächen zu erweitern, Brenn- oder Bauholz zu gewinnen oder durch den Brennholzverkauf Geld zu verdienen. Dazu variie-ren die Niederschläge stark von Jahr zu Jahr.

Der steigende Wasserbedarf sollte durch mehr und tiefere Brunnen gedeckt werden. Um die Brunnen herum zertrampelte und verdichtete das Vieh die oberste Bodenschicht. Somit wird der Boden bei Regenfällen der Abtragung preisgegeben, da der Regen nicht einsickern kann. Durch die Überstrapa-zierung des natürlichen Gleichgewichts breitet sich allmählich die Wüste in die Savannen hinein aus. Es kommt zur vom Menschen gemachten Wüste.

Herausforderung Desertifikation

Desertifikation ist ein weltweiter Prozess. Wertvol-les Ackerland geht verloren, was die Ernährungs-sicherheit der Menschen gefährdet. Internationale Konferenzen beschäftigen sich mit dem Thema „Desertifikation" und entwickeln Aktionspläne ge-gen die zunehmende Wüstenausbreitung. Bei allen Maßnahmen soll die Bevölkerung beteiligt und das Bewusstsein der Menschen für ihre eigene Verant-wortung geschärft werden. Inzwischen befinden sich Teile des Sahel auf dem Weg der Besserung wie Satellitenbilder zeigen. Der wieder ergrünende Sahel scheint vor allem die Folge einer besser an-gepassten Wirtschaft zu sein. Zudem haben die Niederschläge überraschenderweise wieder zuge-nommen.

Bevölkerungsentwicklung und Tierbestand

Jahr Staat	Bevölkerung in 1000		Schafe/Ziegen in 1000	
	1970	2012	1970	2012
Mauretanien	826	3 796	7 500	14 600
Burkina Faso	5 449	16 460	4 120	21 839
Mali	5 484	14 850	10 750	31 297
Niger	4 154	17 160	8 700	24 130

7

---

1 Die Sahelzone:
a) Beschreibe die Lage der Sahelzone.
b) Nenne mithilfe der Karte im Anhang sechs Staaten, die Anteil an der Sahel-zone haben. ○

2 Beschreibe die Besonderheiten des Klimas in der Sahelzone (Diagramm 3). ○

3 Nenne Ursachen für die Ausbreitung der Wüste im Sahel. ○

4 Vor und nach der Desertifikation:
a) Vergleiche die Blockbilder 4 und 6. ◗
b) Erläutere die Landschaftsveränder-ungen. ◗

5 Arbeitet im Team. Begründet, warum man im Sahel von einer vom Menschen verursachten Wüste sprechen kann. ●

6 „Die Menschen im Sahel sind selbst schuld an ihrem Elend." Nimm Stellung. ● ⚭

AFB I: 1, 2, 3   AFB II: 4   AFB III: 5, 6

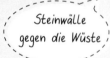

Wähle aus!

Wähle mindestens ein Thema aus, das dich besonders interessiert.

Biogas statt Feuerholz

Steinwälle gegen die Wüste

1 Erstelle eine Präsentation zum Thema „Mit Steinwällen gegen die Wüste" (Text 1).
a) Erkläre, wie die Steinwälle helfen, dass Nutzpflanzen auch dort angebaut werden können, wo die Wüste vorgedrungen ist. ●
b) Erstelle dazu eine einfache Skizze. ●

3 Erstelle eine Präsentation zum Thema „Biogas statt Feuerholz" (Text 3).
a) Zeichne den Teufelskreis der Umweltzerstörung durch Feuerholz und Holzkohle. ●
b) Erkläre die Vorteile von Biogasanlagen für Natur und Mensch. ●

2 Erstelle eine Präsentation zum Thema „Mit Zai gegen die Wüste" (Text 2).
a) Erkläre, wie die Zai-Methode hilft, dass Nutzpflanzen auch dort angebaut werden können, wo die Wüste vorgedrungen ist. ●
b) Erstelle dazu eine einfache Skizze. ●

4 Erstelle eine Präsentation zum Thema „Aufforstung gegen die Wüste" (Text 4).
a) Erkläre, wie das dargestellte Aufforstungsprojekt funktionieren soll. ●
b) Stelle dar, inwiefern das Projekt als nachhaltig bezeichnet werden kann. ●

Pflanzen gegen die Wüste

Aufforstung gegen die Wüste

Mit einfachen Mitteln gegen die Wüste

Auf dem afrikanischen Kontinent sind 65 Prozent der Ackerböden so sehr zerstört, dass der Anbau von Nutzpflanzen schwer oder gar nicht mehr möglich ist. Doch mit klugen Ideen und einfachen Mitteln kann dem entgegengewirkt werden.

Mit Steinwällen gegen die Wüste

Dem Bau von Steinwällen hat es Emile Bineye zu verdanken, dass er auf seinen Feldern wieder Hirse ernten kann. Da der Transport der Steine und die Errichtung der Wälle nur in Gemeinschaftsarbeit zu realisieren sind, haben sich Dorfgemeinschaften zusammengeschlossen. Internationale Hilfsorganisationen haben Emiles Dorf im Sahel gezeigt, dass in bereits vorhandenen Erosionsrinnen mit Kieselsteinen gefüllte Drahtkörbe – quer zu den Wasserläufen – aufgestellt werden können. Auf dem aufgestauten Feinmaterial können die Bauern jetzt Futterpflanzen anbauen. Da Emile und seine Nachbarn den Draht häufig nicht bezahlen können, helfen sie sich mit kleinen Steinbarrieren in den Wasserrinnen. Durch die Steinwälle konnte Emiles Dorf das Wasserproblem lösen. Da der Grundwasserspiegel gestiegen ist, gibt es nun das ganze Jahr über Wasser in den Brunnen, das von allen möglichst sparsam genutzt wird. Alternativ können kleine

Hecken oder Grünstreifen quer zum Hang oder zum Wind angelegt werden. Die Bauern müssen darauf achten, dass sie Pflanzen wählen, die vom Vieh nicht gefressen werden.

Burkina Faso: mit Zai gegen die Wüste

Ein Erfolg versprechender Ansatz für bereits völlig vegetationslose und verkrustete Böden ist die Zai-Methode. Sie wurde von Bauern in Burkina Faso entwickelt und gelangte von dort in die Nachbarländer. Das Zai ist ein Loch im Boden mit einem Durchmesser von etwa 30 Zentimeter und einer Tiefe von 20 Zentimeter. Die Zai werden versetzt in Reihen gegraben. An Hängen wird der Aushub auf der talwärts gerichteten Seite aufgehäuft. Auf den Boden der Vertiefung legen die Bauern etwas Mist oder Kompost und füllen sie mit dem Aushub auf. Sobald es regnet, werden die Zai mit Hirse bepflanzt. Obwohl Anlage von Zai im harten Boden sehr anstrengend und arbeitsintensiv ist, ist sie sehr erfolgreich, weil Kompost und kostbares Wasser gezielt an die Pflanzen gebracht werden.

2

Tansania: Biogas statt Feuerholz

„Neunzig Prozent des Energiebedarfs in Tansania werden durch Feuerholz und Holzkohle gedeckt. […] Die meisten Familien kochen an offenen Feuerstellen. [Auch …] hat die massive Abholzung extrem negative Auswirkungen auf die Bodenqualität: Mehr als die Hälfte des ohnehin spärlichen Regenwassers fließt ungenutzt ab, weil die Böden es nicht aufnehmen können. Da infolgedessen die Erträge aus dem Anbau von Sorghum, Hirse und Maniok sinken, stellen viele Kleinbauern zusätzlich Holzkohle her, die sich auf dem Markt gut verkaufen lässt – und treiben damit die Umweltzerstörung weiter voran. […] Die Organisation MIGESADO versucht, diesen Teufelskreis zu durchbrechen, indem sie die Verbreitung von Biogasanlagen fördert. Einheimische Maurer […] stellen pro Jahr rund 100 solcher mit Kuhdung betriebener Anlagen her. […] Neben dem Bau von Biogasanlagen fördert MIGESADO auch die Herstellung von energiesparenden Lehmöfen. […]“

Renate Of, Tansania: Biogas statt Feuerholz. In: Global Lernen, Ausgabe 2/2007, S.10

3

Aufforstungsprojekt im Sahel

Die zu rekultivierenden Flächen sind Weideflächen mit einer dornigen Strauchschicht. Die Gras- und Baumschicht, bestanden mit einheimischen Akazien, sind verschwunden. Zunächst werden die Böden mit Pflügen aufgebrochen und kleine Erdwälle in Form von Halbmonden als Schutz vor Winderosion angelegt. Zu jeder Form gehört ein 30 cm tiefer Graben, um das Regenwasser zurückzuhalten. Damit kann die Grasschicht sich wieder entwickeln. In der Mitte jeder Form werden die Bäume gepflanzt.

Die lokale Bevölkerung spielt bei der Aufforstung eine besonders wichtige Rolle. Sie entscheidet, welche Flächen wieder hergestellt werden und welche heimischen Baumarten gepflanzt werden. Die neu entstandene Baumschicht fördert dann das Einsickern von Regenwasser und dient zugleich als Windschutz für Getreidefelder. An Hängen verhindert die Baumschicht die Erosion.

4

TERRA
METHODE

In Schulbuchtexten oder in Zeitungsartikeln werden wir mit Themen konfrontiert, die komplex und zunächst schwer zu verstehen sind. Um ein Thema oder ein Problem zu erfassen, ist es oft sinnvoll Zusammenhänge zu visualisieren. Man kann so nicht nur leichter über das Thema sprechen, man kann sich die Zusammenhänge auch besser merken.

1 Arbeit an einer Concept Map

Eine Concept Map erstellen

Eine Concept Map (concept = Begriff, map = Karte) ist eine Methode, um ein Thema oder ein Problem als Ganzes zu erfassen und Zusammenhänge zu visualisieren. Diese Wissenslandkarten bestehen aus Begriffen (Knotenpunkten), Pfeilen (Verbindungen) und Pfeilbeschriftungen. Eine Concept Map ist somit ein Netz aus Begriffen, zwischen denen Zusammenhänge in Form von beschrifteten Pfeilen dargestellt werden.

Der Vorteil besteht darin, dass eine Concept Map dir schnell einen Überblick über das gesamte Thema verschafft und die Verbindungen zwischen den einzelnen Schlagworten und Ideen dir Erklärungen liefert. Versuch es doch einmal!

1. Schritt: Text lesen und Thema erfassen

Lese den Text „Wenn die Wüste wächst", betrachte die Abbildungen und schreibe in einem kurzen Satz auf, um was es in dem Text geht.

Zu unserem Text könntest du aufschreiben:

> *Die unangepasste Nutzung der Sahelzone zerstört den Lebensraum der Bewohner.*

2. Schritt: Text lesen und wichtigste Begriffe markieren

Lies den Text aufmerksam durch und markiere wichtige Schlagworte und Aussagen.
Schwierige Texte musst du ein zweites Mal lesen.

3. Schritt: Wichtige Oberbegriffe festlegen

Betrachte nochmals genau, was du im Text unterstrichen hast. Überlege, welche Oberbegriffe für das Thema (vgl. Schritt 1) am wichtigsten sind. Du darfst auch Begriffe auswählen, die nicht direkt im Text erwähnt werden, aber daraus hervorgehen.

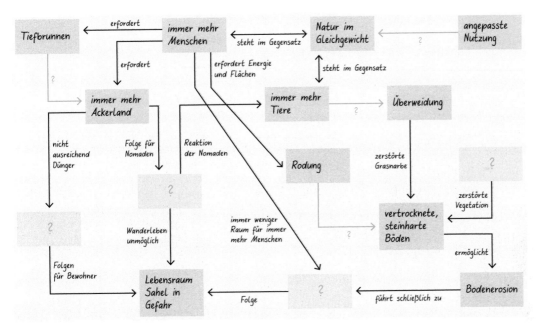

Concept Map diagram labels:

Tiefbrunnen — erfordert — immer mehr Menschen — steht im Gegensatz — Natur im Gleichgewicht — ? — angepasste Nutzung

erfordert / ? / erfordert Energie und Flächen / steht im Gegensatz

immer mehr Ackerland — immer mehr Tiere — ? — Überweidung

nicht ausreichend Dünger / Folge für Nomaden / Reaktion der Nomaden / zerstörte Grasnarbe / ?

Rodung / zerstörte Vegetation

? / Wanderleben unmöglich / immer weniger Raum für immer mehr Menschen / ? / vertrocknete, steinharte Böden

ermöglicht

Folgen für Bewohner / Lebensraum Sahel in Gefahr — Folge — ? — führt schließlich zu — Bodenerosion

2 Concept Map

4. Schritt: Oberbegriffe aufschreiben

Schreibe die wichtigsten Oberbegriffe zu deinem Thema auf kleine Kärtchen. Beachte bitte folgende Regelung:
- Verwende pro Kasten möglichst nur einen Begriff oder Gedanken.
- In Ausnahmefällen darfst du eine Kombination aus Substantiv und Adjektiven in einem Kasten verwenden.

Es könnten die Begriffe sein:

> Rodung, Dürren, Überweidung, immer mehr Ackerland, immer mehr Menschen, immer mehr Tiere, Natur im Gleichgewicht, angepasste Nutzung, Tiefbrunnen, Zugang zu Wasser, Trockenheit, vertrocknete steinharte Böden, Lebensraum Sahel in Gefahr, Desertifikation, Bodenerosion.

5. Schritt: Gruppiere die Kärtchen

Lege alle Kärtchen auf ein DIN-A3-Blatt und gruppiere zusammenhängende Begriffe. Es ist wichtig, dass du zwischen den einzelnen Kärtchen genug Platz lässt, falls du später noch Begriffe ergänzen möchtest.

6. Schritt: Kärtchen festkleben

Wenn du mit der Anordnung der Begriffe zufrieden bist, klebe die Kärtchen in der Position fest.

7. Schritt: Zusammenhängende Begriffe verbinden

Verbinde die Begriffe, die etwas miteinander zu tun haben, mit einer Linie.

→ Wirkungsgefüge Seite 176

8. Schritt: Verbindungen erklären

Jetzt kommt der wichtigste Schritt: Um die Verbindung zwischen den Begriffen zu erklären, musst du auf jede Verbindungslinie eindeutig und konkret beschriften. Vermeide vollständige Sätze auf den Pfeilen. Verdeutliche deine Erklärung, indem du die Linie mit einer Pfeilspitze versiehst.

In dem Beispiel haben die Oberbegriffe Überweidung und vertrocknete, steinharte Böden miteinander zu tun. Du verbindest die beiden Begriffe und überlegst, was du auf die Verbindungslinie schreiben könntest, z. B. „zerstörte Grasnarbe". Ergänze nun noch die Pfeilspitze in der richtigen Richtung.

9. Schritt: Begriffe ergänzen

Betrachte deine Concept Map noch einmal und überlege, ob du noch Kärtchen ergänzen musst.

---

1 Die fast fertige Concept Map zeigt, wie die unangepasste Nutzung der Sahelzone den Lebensraum gefährdet.
Arbeitet in der Gruppe:

a) Übertragt die Concept Map in eure Hefte. ○
b) Ergänzt die fehlenden Oberbegriffe aus Schritt 4. ◐
c) Beschriftet die leeren Verbindungslinien mit sinnvollen Erklärungen. ◐
d) Verdeutlicht eure Erklärungen, indem ihr die Pfeilspitzen hinzufügt. ◐

5

TERRA TRAINING

Wichtige Begriffe
Ablagerung
Abtragung

Bewässerungs-
feldbau
Bodenversalzung

Desertifikation
Felswüste
Kieswüste

Oase
Sandwüste
Transport

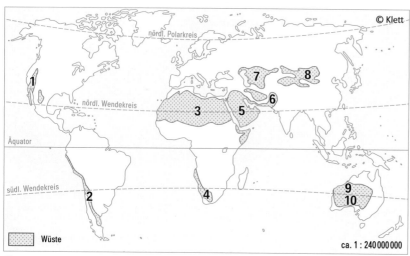

© Klett

nördl. Polarkreis

nördl. Wendekreis

Äquator

südl. Wendekreis

Wüste

ca. 1 : 240 000 000

1 Verbreitung der großen Trockenwüsten auf der Erde

Sich orientieren

1 Wer kennt sich aus? ○
a) Benenne die Trockenwüsten (1 bis 10) in der Karte 1.
b) Nenne fünf Staaten auf fünf verschiedenen Kontinenten, die Anteil an einer Trockenwüste haben.
c) Nenne drei Staaten, die Anteil an der Sahara haben.

2 Länder gesucht ◐
a) Trage waagerecht Länder der Sahelzone so ein, dass sich senkrecht der Name eines afrikanischen Landes ergibt.

b) Nenne Sahelstaaten, die nicht berücksichtigt sind.

Kennen und verstehen

3 Finde die Begriffe ○
a) Zerfall von Gesteinen durch Temperaturschwankungen
b) die Ausblasung von Wind in der Kieswüste

c) grüne Insel in der Wüste
d) wenn man fehlende Niederschläge durch Grundwasser ersetzt
e) Oasentyp, bei dem das Wasser auf natürliche Weise zu Tage tritt
f) zu viele Tiere auf einer zu kleinen Weidefläche
g) Ausbreitung der Wüste

4 Außenseiter gesucht ◐
Ein Begriff gehört jeweils nicht in die Begriffsreihe. Nenne den Begriff und begründe deine Entscheidung.
a) Regenzeit, Felsen, Wüste, Frost
b) Mali, Niger, Gabun, Tschad
c) Bewässerungslandwirtschaft, Bodenversalzung, humid, Dürre.
d) Hamada, Serir, Targi, Erg.

5 Finde die Wüstenformen
a) Man unterscheidet drei Wüstenformen. Nenne jeweils den deutschen und den arabischen Namen. ○
b) Benenne die Wüstenformen, die in Foto 4 und 7 dargestellt sind und begründe deine Entscheidung. ○
c) Erkläre, welche Naturkräfte für die Entstehung der Wüstenformen hauptsächlich verantwortlich sind. ◐

6 Ergänze die Aussagen
Ergänze die Aussagen und schreibe sie richtig auf. Folgende Wortteile stehen zur Verfügung: tro – van – grund – ne – was – pflan – ser – cken – brunnen – ab – sa – lagerung – zen.
a) Aus … kann Wasser nur durch den Einsatz von Motorpumpen gewonnen werden.
b) Die Sahelzone ist der Übergangsbereich zwischen Wüste und … .
c) Bodenversalzung verhindert das Wachstum vieler … .
d) Dünenbildung in der Wüste ist ein Prozess der … .

7 Oasengärten
a) Nenne Möglichkeiten der Versorgung mit Wasser in Oasen. ○
b) Erkläre den Begriff Stockwerkanbau (siehe Foto 2) und nenne stellvertretend je zwei Anbaupflanzen. ◐
c) Erkläre die Möglichkeit der Bewässerung in Foto 3. ◐

2

3

8 Wandel
Früher wurden Datteln zur Selbstversorgung angebaut, heute werden sie überwiegend exportiert. Erkläre. ◐

Material
Selbsteinschätzung
34c7af

Material
Kompetenzcheck
34c7af

Lernen im Netz
Interaktives Üben
34c7af

Verwitterung
Wüste

4

7

9 Karussellbewässerung in der Sahara

5 Bodenversalzung

9 Erkläre das Problem der Bodenversalzung in Foto 5 und nenne Gegenmaßnahmen. ◓

Fachmethoden anwenden

10 **Klimadiagramme auswerten** ◓
a) Werte das Klimadiagramm 6 aus.
b) Nenne die Klimazone, aus der das
Klimadiagramm 6 stammt.

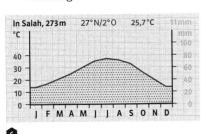

In Salah, 273 m   27°N/2°O   25,7°C   11 mm
6

11 **Concept Map**
Die Abbildung 8 zeigt einige wirksame
Faktoren der Desertifikation im Sahel-
gebiet.
a) Ordne die farbigen Faktoren
folgenden Bereichen zu: ◓
politisch – sozial – wirtschaftlich;
Auswirkungen auf den Naturraum;
Bevölkerungsentwicklung; Folgen.
b) Ergänze die folgenden Faktoren:
Erhöhung der Viehzahlen, Brunnen,
Überweidung, Desertifikation. ◓

Beurteilen und bewerten

12 **Wasser im Überfluss?**
„Es ist ein Glück, dass neue Techno-
logien heute die Nutzung des fossilen
Grundwassers durch Tiefbrunnen (vgl.
Foto 9) oder die Wasserversorgung aus
künstlichen Stauseen ermöglichen."
Nimm Stellung zu dieser Aussage. ◓

13 **Desertifikation**
Bewerte die Aussage: „men made
deserts". ●

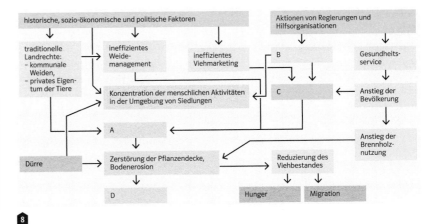
8

**Am Ende
kannst du ...**

– die Verbreitung der
Trockenwüsten auf der Erde
beschreiben,

– die verschiedenen Wüstenformen benennen, beschreiben und ihre Entstehung
erklären,

– den Wandel der Oasen-
wirtschaft und des Lebens
der Nomaden erläutern,

– verschiedene Bewässerungstechniken beschreiben und
bezogen auf Aufwand, Nutzen
und Auswirkungen bewerten,

– eine Concept Map zur
Bearbeitung eines Themas
anfertigen.

TERRA
FÜR DICH

Meister der Anpassung
Die Wüsten gelten als lebensfeindlich. Trotzdem haben sich viele Tiere und Pflanzen den extremen Bedingungen angepasst. So können sie starke Sonneneinstrahlung, große Temperaturunterschiede und lange Trockenheit überstehen.

Wähle aus!

 Erläutere, was die Überlebenskünstler in der Wüste gemeinsam haben. ◒

 Wähle ein Tier und eine Pflanze aus und beschreibe, wie sie sich an das Wüstenklima angepasst haben. ◒

Informiere dich über eine weitere Pflanze oder ein weiteres Tier und erläutere die Anpassung an die Trockenheit. ◒

Das einhöckrige Kamel, das **Dromedar**, gehört zu den besten Überlebenskünstlern unter den Säugetieren. An den Füßen hat es dicke Hornschwielen. Sie schützen die Sohlen gegen den heißen Boden und scharfkantige Steine. Die Füße sind außerdem tellerförmig gespreizt, wodurch das Kamel nicht im weichen Sand einsinkt. Durch die langen schlanken Beine ist der Körper weit vom heißen Boden entfernt. Innerhalb von 15 Minuten kann das Kamel 200 l Wasser trinken. Dieses Wasser wird in einem der zwei Vormägen gelagert. Sogar Salzwasser und salzhaltige Pflanzen sind für das Kamel kein Problem.
Der Höcker ist kein Wassertank, sondern ein Fettspeicher für Zeiten in Not. Wenn es extrem heiß ist, lässt das Kamel seine Körpertemperatur auf 42 °C ansteigen. Dieses kontrollierte Fieber verhindert Schwitzen und somit Wasserverlust. Durch die langen Wimpern und den starken Tränenfluss können Staub und Sand nicht in die Augen gelangen. Bei einem Sandsturm kann das Kamel seine schlitzförmigen Nüstern schließen. In der Nase befindet sich eine Art Klimaanlage. Sie kühlt das Blut, die Augen und das Gehirn.

1

Die **Wüstenspringmaus** hüpft mit ihren zwei Hinterbeinen mit rasender Geschwindigkeit durch die Wüste. Haarbüschel an den Füßen verhindern, dass sie in den Sand einsinkt. Das lebensnotwendige Wasser zieht die Wüstenspringmaus aus der Nahrung oder sie wandelt Körperfett um. Dank ihrer großen Augen und Ohren kann sie auch nachts gut Futter aufspüren, z.B. Wurzeln und Samen von Pflanzen.

2

Kakteen haben keine Blätter sondern Stacheln. Dies verringert ihre Oberfläche, sodass bei starker Sonneneinstrahlung kaum Wasser verdunstet. Die Oberfläche der Kakteen ist mit einer dicken Wachsschicht überzogen, die den Wasserverlust gering hält. Der Stamm enthält ein Gewebe zur Wasserspeicherung. Wasser wird nicht nur über die flachen Wurzeln aufgenommen, die sich um die Pflanze herum in alle Richtungen ausbreiten. Wenn sich morgens aus der Luftfeuchtigkeit Tautropfen bilden, so können diese direkt von den Pflanzen aufgenommen werden.

3

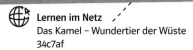

Fennek, der Wüstenfuchs, gehört zur Familie der Wildhunde. Mit seinen großen Ohren gibt er überschüssige Körperwärme an die Umgebung ab. Außerdem hört er hervorragend. So entgeht ihm bei seinen nächtlichen Beutegängen nicht das kleinste Geräusch von Insekten oder Mäusen.

4

Die **Welwitschia** aus der Namib hat nur zwei korkenzieherartig gedrehte Blätter an einem kurzen, knolligen Stamm und eine gewaltige, am oberen Ende bis zu einem Meter dicke Pfahlwurzel. Die zwei Blätter, die sich in Streifen auffasern, können Tau aufsaugen.

6

Das **Flughuhn** ist mit seinem Gefieder perfekt getarnt. Weit entfernt von Oasen und Brunnen legt es seine Eier ab, denn dort gibt es kaum Feinde. Um die Jungvögel mit Wasser zu versorgen, fliegt der Hahn zur weit entfernten Wasserstelle und speichert Wasser im Brustgefieder. Von den aufgetankten 80 g Wasser kommen immerhin noch 30 g bei den Jungvögeln an.

8

Cistanchen sind Schmarotzerpflanzen, die mit ihren Wurzeln das Wasser und die Nährstoffe in den Wurzeln anderer Pflanzen anzapfen. Ihre pilzähnliche, gelbe oder violette Blüte wird bis 50 cm hoch, sie hat jedoch keine grünen Blätter.

5

Der **Skink,** auch Sandfisch genannt, hat Schuppen und kann deshalb elegant durch Sand gleiten, ist aber kein Fisch, sondern eine flinke Echse. Tagsüber ist er im Sand vergraben, um der Tageshitze zu entgehen, nachts geht er auf Futtersuche.

7

Tamarisken sind Sträucher mit sehr kleinen Blättern. Sie besitzen Salzdrüsen, mit denen sie überschüssiges Salz ausscheiden können. Durch diese Eigenart können Tamarisken auf Böden mit höherem Salzgehalt wachsen.

9

6

In den Polarräumen

1 Ilulissat, Grönland

Die Polarräume sind lebensfeindliche Gebiete. Hier herrschen extreme Witterungsbedingungen mit Temperaturen bis zu – 70 °C und Schneestürmen von mehr als 140 km/h vor. Außerdem wird es bis zu einem halben Jahr nicht hell und das andere halbe Jahr nicht richtig dunkel.

Trotzdem dringen immer mehr Menschen in diese Räume vor, um hier zu forschen, zu arbeiten oder zu wohnen. Dadurch verändert sich der empfindliche Lebensraum. Wer sind die Menschen, wie und wovon leben sie?

2 Pipeline in Alaska

© Klett

nördl. Polarkreis

nördl. Wendekreis

Äquator

südl. Wendekreis

südl. Polarkreis

ca. 1 : 190 000 000

- Eisregion
- Tundra
- Taiga (borealer Nadelwald)

3 Polarräume

1 Erdgasförderstätte in Nowy Urengoi (Gemeinschaftsprojekt „Achimgaz" von Russland und Deutschland)

Leben mit der Kälte

Der traditionelle Lebensraum der Inuit wird durch die Entdeckung und den Abbau wertvoller Rohstoffe wie Erdöl, Erdgas oder Erze verändert. Dabei entstehen viele neue Siedlungen. Welche Herausforderungen müssen die Menschen hier bewältigen?

Die Polarregionen werden von den Polarkreisen begrenzt. Obwohl sie infolge der extrem niedrigen Temperaturen auf den ersten Blick ein recht ähnliches Erscheinungsbild aufweisen, gibt es auch große Unterschiede zwischen beiden Regionen. Bei der **Arktis** handelt es sich um ein von Landmassen eingeschlossenes Meer, das Nordpolarmeer. Durch das kalte Klima hat sich eine riesige Eisfläche aus gefrorenem Meerwasser gebildet. Bewohnt wird die Arktis von etwa 4 Mio. Menschen. Etwa 10 % werden zur indigenen Bevölkerung gezählt. Dazu gehören u.a. die Inuit in Nordamerika und Grönland, Samen in Skandinavien und Russland sowie die Yupik, Ewenken und Nenzen in Sibirien.

Die **Antarktis** besteht aus einem eisbedeckten Kontinent: Antarktika. Er ist etwa doppelt so groß wie Australien. Von allen Kontinenten ist Antarktika der kälteste, trockenste und windigste. Nur 2 Prozent des Kontinents sind eisfrei, der übrige Teil wird von einem bis zu 4 Kilometer mächtigen Eispanzer bedeckt. Die einzigen Bewohner sind die Wissenschaftler auf den über 80 Forschungsstationen.

2 Kinder in Ilulissat

3 Frostsprengung

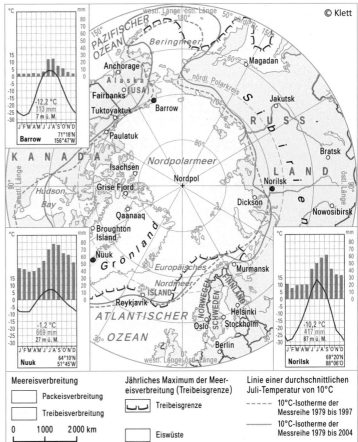

4 Polare Zone: Ausbreitung und Klima

Meeresverbreitung
☐ Packeisverbreitung
☐ Treibeisverbreitung

Jährliches Maximum der Meereisverbreitung (Treibeisgrenze)
ᒪᒧ Treibeisgrenze
☐ Eiswüste

Linie einer durchschnittlichen Juli-Temperatur von 10°C
- - - - 10°C-Isotherme der Messreihe 1979 bis 1997
——— 10°C-Isotherme der Messreihe 1979 bis 2004

0   1000   2000 km

Gefrieren und Auftauen in der Arktis

In den Polarräumen können sich freiliegende Gesteinsflächen in den Sommermonaten tagsüber auf über 30 °C aufheizen. Nachts liegen die Temperaturen dann wieder um den Gefrierpunkt. Dieser regelmäßige Temperaturwechsel zwischen Nacht und Tag führt zu Spannungen im Gestein. Dabei spielt die **Frostsprengung** eine wichtige Rolle. Wenn das tagsüber aufgetaute Wasser in Spalten oder Rissen des Gestein gefriert, dehnen sich die Eiskristalle aus. Das Gestein platzt dadurch auseinander und wird danach zerkleinert.

Als Erbe der letzten Kaltzeit ist der Boden und das darunter liegende Gestein in Nordrussland über 1000 m und in Skandinavien bis zu 20 m tief gefroren. Nur im Sommer taut die Oberfläche bis in eine Tiefe von etwa 50 cm auf. Dann staut sich das Wasser auf dem gefrorenen Untergrund. Ausgedehnte Sümpfe und Moore mit zahllosen Mücken entstehen. Die dünne Auftauschicht wird zu einem breiigen Schlamm. Je nach Neigung des Geländes kommt es zu Rutschungen des Bodens. Das ständige Gefrorensein von Boden und Gestein nennt man **Permafrost**.

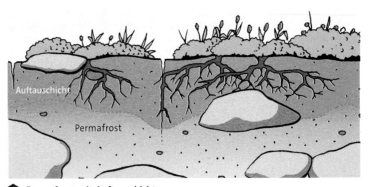

5 Permafrost mit Auftauschicht

In den Regionen, wo sich aufgrund der Kälte gar keine Pflanzen entwickeln können, fehlt auch die Bodenschicht. Hier besteht die Oberfläche aus zerkleinertem Gesteinsmaterial, das durch Frostsprengung entstanden ist.

---

1 Beschreibe die klimatischen Bedingungen in der Arktis (Karte 4). ○

2 Erkläre die Begriffe Frostsprengung und Permafrost. Nutze dazu auch Grafik 5. ◗

3 Erläutere Probleme, die sich aus dem Permafrost für das Leben der Menschen ergeben. ◗

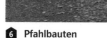

6 Pfahlbauten

8 Motorschlitten

Pfahlbauten – die Lösung?

Das Auftauen der Böden stellt den Bau von Häusern vor besonders große Probleme. Werden Gebäude im Winter auf dem gefrorenen Boden errichtet, so können sie durch das Auftauen wieder einstürzen oder abrutschen. Deshalb wird oft auf Pfählen gebaut, die bis in den ständig gefrorenen Untergrund reichen und somit fest stehen.

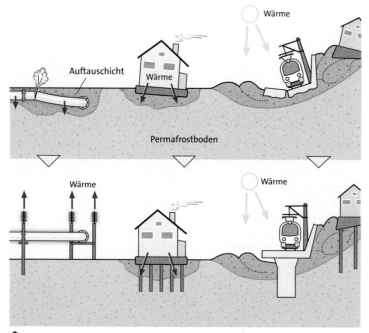

7 Probleme im Permafrost und Maßnahmen zur Lösung

Anforderungen an Arbeitskräfte und Technik

In vielen Regionen der Arktis werden die normalen Vorstellungen vom Kopf auf die Füße gestellt – hier wird biegsames Metall spröde, elastisches Gummi zerbricht wie Glas, Rohrleitungen reißen wie Fäden auseinander, Kraftfahrzeuge brauchen Spezialkraftstoffe, die bis –70 °C flüssig bleiben.

Beim Laufen auf Schnee knirscht es wie beim Gang über zersplittertes Glas. Die Atemwolken sind sehr groß. Der Dampf in ihnen gefriert knisternd.

Die extreme Kälte ist eine Gefahr für die Menschen. Bloße Hände können nur wenige Minuten der Kälte ausgesetzt werden – sonst drohen Erfrierungen. Auch Füße und Ohrläppchen sind gefährdet. Bloße Haut klebt sofort an Metall fest. Die Kälte setzt auch dem Zahnschmelz zu – er nimmt über Jahre hinweg schneller ab als bei Temperaturen, wie sie bei uns herrschen.

Im Norden Sibiriens wird die Milch in gefrorenen Blöcken verkauft und die Schüler bekommen ab –54 °C kältefrei.

Zugefrorene Flüsse werden als Verkehrsstraßen genutzt und mit entsprechender Beschilderung versehen, denn sie frieren mit bis zu vier Meter dickem Eis zu.

Im Winter sind viele Arbeiten unmöglich, deshalb wird im Sommer an den meisten Orten viel länger gearbeitet – manchmal bis zu 18 Stunden pro Tag. Im Sommer versinken allerdings viele Gebiete in Schlamm und Tauwasser und Mückenschwärme können zur Plage werden.

Material
Arbeitsblatt Leben mit der Kälte
46b8e8

Lernen im Netz
Polartag und Polarnacht
46b8e8

9 Tromsø im Juli, 12 Uhr

11 Tromsø im Dezember, 12 Uhr

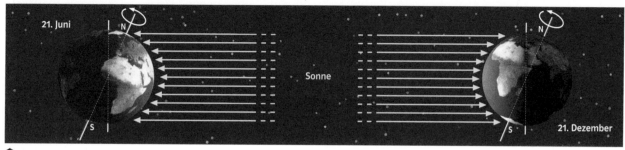

21. Juni

N

Sonne

S

21. Dezember

10 Beleuchtung der Erde

Polartag und Polarnacht

Bei Dunkelheit zur Schule gehen, das ist nichts Außergewöhnliches. Aber dass es bei Schulschluss um 13 Uhr immer noch nicht Tag ist, das gibt es nur nördlich des Polarkreises in der **Polarnacht**.

Viele Menschen in Europa freuen sich, wenn es im Sommer abends länger hell ist. Doch nur wenige Menschen in Europa erleben, dass es nachts überhaupt nicht dunkel wird. Dann herrscht **Polartag**.

Polartag und Polarnacht entstehen, weil die Erdachse während der Bewegung der Erde um die Sonne um 23,5 Grad geneigt ist. Dadurch wird im Jahresverlauf einmal die Nordhalbkugel und einmal die Südhalbkugel stärker beleuchtet. Doch nur

von den Polarkreisen (66,5°) bis zu den Polen kann man Polartag und Polarnacht erleben.

In Tromsø in Norwegen zum Beispiel geht die Sonne vom 21. Mai bis zum 23. Juli nicht unter. Es ist Polartag, die Zeit der Mitternachtssonne. Für die Menschen in Tromsø ist dies die schönste Zeit im Jahr. Am 21. Juni feiern sie, wie überall in Nordeuropa, das Mittsommernachtsfest. Ein Mittwinterfest gibt es dagegen nicht. Den Menschen ist nicht nach Feiern zu Mute, wenn vom 27. November bis zum 15. Januar in Tromsø Polarnacht ist. In Häusern und Straßen leuchten dann zwar 24 Stunden am Tag die Lampen, ein Ersatz für das fehlende Sonnenlicht ist dies aber nicht.

Dauer des Polartages in Tagen	
Nordpol	186
Spitzbergen	130
Tromsø	64
Polarkreis	1

12

4 Bauen im Permafrost
a) Beschreibe mithilfe von Foto 6 und Grafik 7 Probleme beim Bauen auf Permafrost. ○
b) Beurteile die gefundenen Lösungen. ●

5 In den Polarregionen wird das Leben ganz besonders vom Sonnenstand bestimmt. Nenne Auswirkungen im Mittwinter und Mittsommer. Nutze dazu auch Fotos 9 und 11. ○

6 Erkläre mithilfe der Grafik 10 die Entstehung von Polartag und Polarnacht. ◕

7 Begründe die unterschiedliche Dauer von Polartag und Polarnacht zwischen den Polen und Polarkreisen (Tabelle 12). ●

8 „Die extremen natürlichen Bedingungen in den Polargebieten setzen dem Menschen viele Grenzen, doch manche können überwunden werden." Erkläre diese Aussage. ◕

AFB I: 4a, 5   AFB II: 6, 8   AFB III: 4b, 7

2 Norilsk

Norilsk – nördlichste Großstadt der Welt

**Über 210 000 Einwohner leben in der reichsten Stadt Russlands, die zugleich einer
der schmutzigsten Orte der Erde ist. Ohne die Nickelvorkommen gäbe es die Stadt
nicht – doch zu welchem Preis und wie sieht die Zukunft aus?**

Es gibt keine Straße oder Eisenbahnlinie, mit der man direkt nach Norilsk gelangen kann. Nur mit dem Flugzeug ist die Stadt den größten Teil des Jahres erreichbar. Einige Monate im Jahr kann man allerdings auf dem Schiffsweg bis zum Hafen Dudinka am Unterlauf des Jenissei fahren, dann sind es per Bahn nur noch 120 Kilometer bis nach Norilsk. Natürlich nur, wenn man überhaupt anreisen darf. Denn Ausländer dürfen den Ort nur mit Genehmigung der Stadtverwaltung und des Nickelkombinats betreten, ohne diese gibt es nicht einmal ein Flugticket.

Das Nickelkombinat ist der Dreh- und Angelpunkt der ganzen Stadt. 80 Prozent aller Beschäftigten arbeiten hier. Anfang des 20. Jahrhunderts entdeckte man in den Bergen nickelhaltige Erze, Kupfer, Platin und andere Metalle. Daraufhin ließ die Regierung von Häftlingen Bergwerke, Fabriken und erste Wohnhäuser errichten. Wie viele von ihnen dabei damals ums Leben gekommen sind, weiß niemand

genau. Später lockte die Regierung vor allem junge Arbeiter mit höheren Löhnen oder einer komfortablen Wohnung in den hohen Norden. Offizielles Stadtrecht erhielt Norilsk erst 1953, sodass die Stadt heute zu den jüngsten Russlands zählt.

Nickel – ein begehrtes Metall

Nickel ist ein chemisches Element, das zur Gruppe der Metalle gehört. Das silbrig glänzende Schwermetall lässt sich wie Eisen relativ gut schmieden, zu Blech walzen oder zu Draht ausziehen. Hauptsächlich verwendet man Nickel zur Stahlveredlung. Geringe Nickelzusätze erhöhen im Stahl die Härte und die Zähigkeit und vor allem den Schutz vor Korrosion. Nickellegierungen werden auch zur Münzherstellung eingesetzt. So besteht der Innenteil der 1-Euro- und 2-Euromünzen aus einer Kupfer-Nickellegierung. Nickel ist sehr begehrt und teuer. Ende 2016 kostete eine Tonne Nickelerz 9400 €, eine Tonne Eisenerz dagegen 76 €.

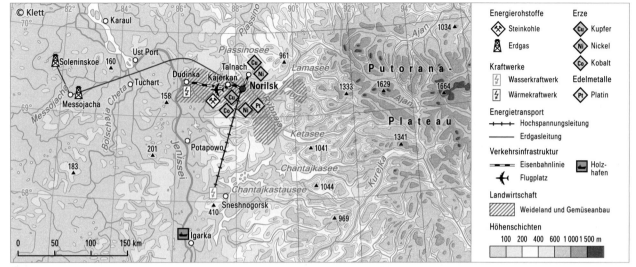

3 Die Stadt Norilsk und Umgebung

4 Nickelwerk in Norilsk

6 Nickel

Norilsk – der Eiswüste abgerungen

„Norilsk/Moskau – Ohne die Einssieben geht Lilja Luganskaja nicht aus dem Haus. [Die] Einssieben, das ist nicht nur die Telefonnummer der Temperaturauskunft, sondern auch eine Art Lebensversicherung in Norilsk. [...] ‚Die Temperatur beträgt minus siebenunddreißig Grad', quengelt eine Stimme vom Band. Lilja atmet auf. ‚Das ist ja richtig warm heute, letzte Woche waren es noch minus 52', so die 37-Jährige. Lilja packt ihren vierjährigen Sohn Igor in dicke Winterkleider, die ihn aussehen lassen wie ein vermummtes Heinzelmännchen, und bringt ihn in den Kindergarten. Beide spüren den Übergang von der überheizten Wohnung mit ihren Dreifachfenstern, in der 25 Grad plus herrschen, in die Kälte wie einen Schlag ins Gesicht. [...] Autos am Straßenrand lassen den Motor laufen; in der Kälte würde er, einmal abgestellt, nicht mehr anspringen. [...] Norilsk, wo neun Monate im Jahr Winter herrscht und die Polarnacht die Stadt 45 Tage im Jahr in Dunkel taucht, ist das wohl teuerste Pflaster in Russland. Brot kostet [...] doppelt so viel wie in der Hauptstadt Moskau, Obst und Gemüse sind jenseits des Polarkreises für viele unerschwinglich. [...] Anders als im Rest des Landes werden in Norilsk die Löhne und Gehälter pünktlich [...] bezahlt. [...] Arbeitslosigkeit und Elend in ganz Russland schrecken viele davon ab, in den Süden zu ziehen, auch wenn der große Traum ein Häuschen in einer sonnendurchfluteten Gegend ist. [...] Die Stadt hat ihre Existenzberechtigung durch gigantische Rohstoffvorkommen."

Jens Hartmann: Norilsk – eine Stadt, unter schwerem Leid der Eiswüste abgetrotzt.

5

7 Norilsk im Juli

9 Norilsk Ende September

Norilsk – eine besondere Stadt

Fast 300 Tage im Jahr liegt hier Schnee, die Winter sind bitterkalt. In den drei Sommermonaten steigen die Temperaturen auf bis zu 30 °C. Vom 19. Mai bis zum 23. Juli geht die Sonne nicht unter. Der Boden und das darunter liegende Gestein taut dann an der Oberfläche auf, bleibt aber darunter ganzjährig tief gefroren (Permafrost).

Die nächste Großstadt ist 1000 Kilometer entfernt. Im Winter dienen zugefrorene Flussläufe als Fahrbahnen. Nur zum Binnenhafen Dudinka gibt es eine Bahnverbindung. Fährt man dann 1600 Kilometer den Jenissei flussaufwärts bis nach Krasnojarsk, ist der Anschluss an die transibirische Eisenbahn erreicht. Der umgekehrte Weg wird dazu genutzt, Nahrungsmittel heranzuschaffen. Denn Ackerbau ist in der Region nicht möglich. In einigen Gewächshäusern wird Frischgemüse produziert. Die Versorgung der Stadt ist unter diesen Bedingungen eine Meisterleistung.

Trotz dieser Umstände gibt es in Norilsk großstadttypische Einrichtungen wie ein Theater, eine wirtschaftliche Hochschule und eine Klinik. Die einzig lohnenden Sehenswürdigkeiten sind ein Museum mit örtlichen Tieren, eine Kirche und die weiter entfernten polaren Naturschutzgebiete außerhalb des von Abgasen bedeckten Stadtgebietes. Alles in allem also keine außergewöhnlich schöne oder sehenswerte, aber in jedem Fall eine außergewöhnliche Stadt.

„Wir bleiben in Norilsk!"

Wenn es so lange so kalt und dunkel ist, fragt Dunja sich schon, warum sie mit ihrer Familie in Norilsk wohnt. Arbeitslosigkeit und Elend in ganz Russland erinnern Dunja immer wieder daran, weshalb sie hier in der Kälte bleiben. Sie und ihr Mann haben Arbeit, ihre Kinder besuchen eine gute Schule. Die Wohnung gehört zum Werk. Doch viele Einwohner von Norilsk erhalten längst nicht mehr die Vergünstigungen, die es in der Sowjetunion einmal gab. Wer an den Hochöfen oder im Bergbau arbeitet, dem geht besser. Die Firma bezahlt sogar die Fahrten ans Meer, wo man sich in schönen Sanatorien erholen kann. Solange Nickel ins Ausland verkauft werden kann, bleibt Norilsk eine reiche Stadt.

8

10 Die meisten Pflanzen in Norilsk findet man in Wohnungen, wo sie unter künstlichem Licht gehegt und gepflegt werden.

11 Wohnungsbau in Norilsk auf Permafrost

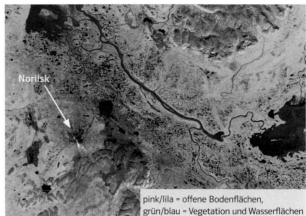

pink/lila = offene Bodenflächen,
grün/blau = Vegetation und Wasserflächen

12 Norilk und Umgebung im Falschfarbenbild

Umweltverschmutzung und Umweltschäden

Das in Norilsk geförderte Erz ist reich an Schwefelverbindungen. Bei der Verarbeitung des Erzes werden große Mengen an Schwefeldioxid frei. Das ist der Rauch, der auf dem Bild (Seite 89) aus den Schornsteinen der Fabrikanlagen kommt.

Die Stadt Norilsk allein ist für 1 Prozent des weltweiten Schwefeldioxid-Ausstoßes verantwortlich. Dieses stechend riechende und giftige Gas verursacht den sogenannten „sauren Regen". Dieser Niederschlag schädigt vor allem die Vegetation.

Der hohe Schwefeldioxid-Ausstoß ist der Grund dafür, dass ein großer Teil der Bevölkerung an Lungen- oder Atemwegserkrankungen leidet und an Lungenkrebs stirbt. In Norilsk ist die Luftverschmutzung so groß, dass der Schnee im Winter oft schwarz aussieht. Etwa 2 Mio. ha Wald und Tundravegetation sind in der Umgebung der Stadt bereits stark geschädigt bzw. sogar abgestorben. Die Nickelindustrie stößt aber auch noch andere Stoffe aus, die für den Menschen gesundheitsgefährdend sind. Dazu gehören vor allem **Schwermetalle** wie Arsen, Cadmium und Nickel, die sich in den Organen und Drüsen anlagern. Das führt zu schweren Erkrankungen. Besonders schlimm ist, dass der Mensch nicht merkt, wenn er diese Stoffe durch Nahrung, Wasser oder Luft aufnimmt. Im Umkreis von 100 Kilometern sorgen die Giftstoffe aus den Schonsteinen dafür, dass Blumen und Bäume keine Chance haben.

Auf dem Weg zu Nachhaltigkeit?

Das Unternehmen Norilsk-Nickel versucht seit einigen Jahren die Produktion zu modernisieren, um die Umweltverschmutzung zu reduzieren. So sind in den letzten Jahren bereits einige Milliarden Rubel in den Umweltschutz gesteckt worden – was nach jahrzehntelangem Raubbau an der Natur auch dringend nötig war.

In jüngster Zeit setzt sich das Unternehmen dafür ein, die Stadt Norilsk aufzuwerten und so zu einem besseren beruflichen und privaten Standort zu machen. Deshalb wurden Maßnahmen zur Verbesserung von Arbeitssicherheit, Gesundheitsschutz und zur Reduzierung der Umweltbelastung als Unternehmensziele festgeschrieben.

Zur Verringerung des Schwefeldioxid-Ausstoßes fiel 2016 der Startschuss für den Bau einer Abgas-Entschwefelungsanlage, die voraussichtlich im Jahr 2019 in Betrieb genommen wird. Dann werden 95 Prozent oder mehr des Schwefeldioxid-Ausstoßes genutzt, um dabei 600 000 Tonnen Schwefel pro Jahr zu produzieren. Damit löst die Anlage ein Umweltproblem der Industrieregion um Norilsk und trägt sehr entscheidend zum Umweltschutz des gesamten nördlichen Polarkreises bei. Eine österreichische Ingenieurgesellschaft leitet die Planung und den Bau dieser Anlage.

Mining and Metallurgical Company (MMC)

Das Unternehmen MMC Norilsk Nickel ist nicht nur der weltgrößte Produzent von Nickel, sondern auch für die Metalle Platin und Palladium. Der Konzern kontrolliert 20 % des Weltmarktes für Nickel.

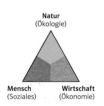

Natur (Ökologie)

Mensch (Soziales) Wirtschaft (Ökonomie)

---

1 Beschreibe die Lage von Norilsk und nenne Gründe, die zur Entstehung der Stadt geführt haben (Karte 3 und Atlas). ○

2 Beschreibe den Einfluss der natürlichen Bedingungen auf das Leben der Menschen (Text 5) und die Nutzung des Raumes. ○

3 Der großen wirtschaftlichen Bedeutung stehen zahlreiche Probleme gegenüber. Erläutere diese. ●

4 Auf dem Weg zur Nachhaltigkeit ∞
a) Nenne Maßnahmen für eine nachhaltige Nutzung in der Region Norilsk. ○
b) Erläutere Vorteile, die sich daraus für die Wirtschaft und das Leben der Menschen ergeben. ●

AFB I: 1, 2, 4a   AFB II: 3, 4b

KANADA

Alaska
(USA)

British
Columbia
(KANADA)

Prince
Rupert

Bella
Bella

Great Bear
Rainforest

Schutzgebiet

100 km

1

3 Logging Trucks: 35 Tonnen leer plus 100 Tonnen Ladung

Das grüne Gold sichern

Im südlichen Teil der Polarräume beginnen die borealen Nadelwälder, die etwa ein
Drittel des weltweiten Waldbestandes ausmachen. Aufgrund der dünnen Besied-
lung galten sie lange als kaum gefährdet. Doch inzwischen drohen Kahlschläge
und zunehmende Waldbrände große Teile zu vernichten. Muss das so sein?

Bedeutung der borealen Wälder

Über die **borealen Nadelwälder** herrscht mehr als
das halbe Jahr Väterchen Frost. Sie spielen für das
globale Klima eine große Rolle, weil sie enorme Mengen an CO_2 aus der Atmosphäre aufnehmen können.
Nach Schätzungen speichern sie mindestens 32 Prozent des weltweit vorhandenen Kohlenstoffes, und
zwar nicht nur in den Nadelbäumen, sondern auch
im gefrorenen Untergrund (Permafrost). Außerdem
tragen sie zu etwa einem Drittel der weltweiten Holz-
exporte bei. Doch wegen der niedrigen Temperaturen
und kurzen Wachstumszeit benötigen Nadelwälder
über 200 Jahre, bis eine Wuchshöhe von etwa 25 Metern erreicht wird. Außerdem beherbergen sie eine
Fülle von Pflanzen-, Tier und Pilzarten und tragen
etwa ein Drittel zu den weltweiten Holzexporten bei.

2

Abholzung und Zerstörung

Um Zellstoff zur Papierherstellung zu gewinnen, schla-
gen die Holzkonzerne ganze Waldflächen kahl. Dieser
Raubbau führt zur Bodenerosion und Verschlammung
der Flüsse. Einst massenhaft die Stromschnellen hinauf
wandernde Coho- und Chinooklachse sind an der Pazi-
fikküste wegen der Zerstörung ihrer Laichflüsse durch
die Holzindustrie vom Aussterben bedroht.
Auf den kahl geschlagenen Flächen entwickelt sich nur
langsam eine neue Vegetation, die aber artenärmer als
der ehemalige Wald ist. Durch den Bau neuer Straßen
und Forstwege werden intakte Waldflächen zerschnitten
und Lebensräume von Tieren zerstört. Die Nutzung der
großen Vorkommen an Erdöl und Erdgas und der Bau
von Wasserkraftwerken mit ihren großen Stauseen tragen ebenfalls zur Zerstörung bzw. Beeinträchtigung des
Naturhaushaltes der Nadelwälder bei.

4

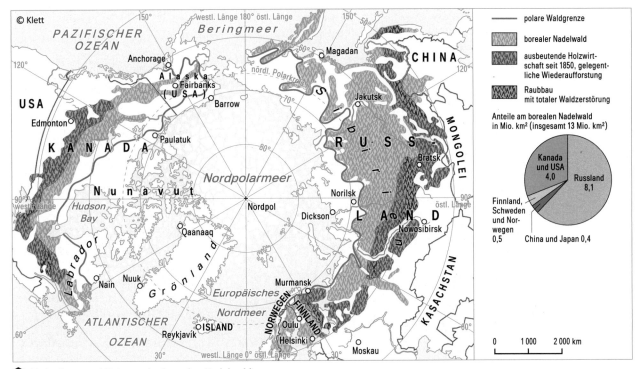

5 Verbreitung und Nutzung des borealen Nadelwaldes

Legend:
- polare Waldgrenze
- borealer Nadelwald
- ausbeutende Holzwirtschaft seit 1850, gelegentliche Wiederaufforstung
- Raubbau mit totaler Waldzerstörung

Anteile am borealen Nadelwald in Mio. km² (insgesamt 13 Mio. km²)
- Kanada und USA 4,0
- Russland 8,1
- Finnland, Schweden und Norwegen 0,5
- China und Japan 0,4

Erfolge im Kampf um den Schutz

Nach jahrzehntelangem Kampf um den Schutz der kanadischen Wälder konnte ein Schutzabkommen unterzeichnet werden. Seit Februar 2016 sind 85 Prozent des Great-Bear-Regenwaldes an der kanadischen Westküste vor der Abholzung sicher. Auf einer Waldfläche von mehr als drei Millionen Hektar – das entspricht etwa der Größe Belgiens – darf künftig kein industrieller Holzeinschlag mehr betrieben werden. Die übrigen 15 Prozent des etwa 3,6 Millionen Hektar großen Waldes unterliegen strengen gesetzlichen Auflagen für den Einschlag und die Vermarktung des Holzes.

6

Das Umdenken hat begonnen

Regierung, Wirtschaft, Umweltverbände, Öffentlichkeit und die Stammesräte der Indianer versuchen, die Probleme gemeinsam zu lösen. So sollen Kahlschläge bestimmte Flächengrößen nicht überschreiten dürfen: 40 ha im Küstenbereich und 60 ha im Landesinneren. Darüber hinaus müssen die abgeholzten Flächen in einem bestimmten Zeitraum wieder aufgeforstet sein. Umweltorganisationen, wie Greenpeace, wird bei der Planung von Holzeinschlägen ein Mitspracherecht eingeräumt.
Nicht zuletzt sollen diese Maßnahmen auch das Image des Landes im In- und Ausland wieder verbessern. So ist es jetzt auch möglich, dass sich die Firmen mit einem Zertifikat, welches die nachhaltige Bewirtschaftung und die Wiederaufforstung des Waldes bestätigt, gegenüber ihren Kunden ausweisen können.
Mit dem Umbruch in der kanadischen Forstwirtschaft stehen nicht mehr die wirtschaftlichen Interessen allein an erster Stelle, wie in den früheren Jahren. Von mindestens gleicher Bedeutung ist nun die Erhaltung der Wälder, auch unter Beachtung von Aspekten der Tourismusentwicklung.

7

 Bearbeitet das Thema mit der Kugellagermethode.

a) Gruppe Innenkreis: Foto 3, Karte 5, Text 2. Beschreibt im Kugellager die Ausdehnung der borealen Nadelwälder und erklärt die Bedeutung dieser Wälder. ◓

b) Gruppe Außenkreis: Texte 4, 6 und 7. Erklärt im Kugellager die Maßnahmen zum Schutz der borealen Wälder. Nennt Auflagen für die Forstwirtschaft. ◓

c) Bildet ein neues Kugellager mit Mitgliedern aus beiden Gruppen und erklärt euch gegenseitig die Antworten aus der ersten Runde.

AFB II: 1a, 1b, 1c

6

TERRA TRAINING

Wichtige Begriffe   borealer Nadelwald   nachhaltige   Permafrost
Arktis   Frostsprengung   Nutzung   Polartag
Antarktis

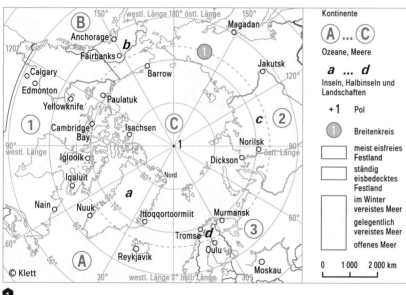

1

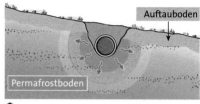

2 Im Permafrost verlegte Pipeline

Sich orientieren

1 Orientierung ist gefragt!
Arbeite mit Karte 1 und einer Karte im Anhang oder dem Atlas. ○
a) Benenne den Breitenkreis 1 und die Kontinente 1–3,
b) die Ozeane und Meere A–C,
c) die Inseln, Halbinseln und Landschaften a–c.

2 Mit dem Atlas kein Problem
An welchen der aufgelisteten Orte kann man Polartag und Polarnacht nicht erleben? Begründe deine Antwort. ◓
Archangelsk, Lulea, Narvik, Workuta, Vardø

Kennen und verstehen

3 Finde die Begriffe ○
a) Name des Breitenkreises 66,5°S
b) anderes Wort für Nordpolargebiet
c) Zeit, in der die Sonne nicht untergeht
d) Kontinent am Südpol
e) taut nur im kurzen Sommer auf

4 Richtig oder falsch?
Verbessere die falschen Aussagen und schreibe sich richtig auf. ◓
a) Den Polartag kann man auch am Äquator erleben.
b) Am Nordpol dauert die Polarnacht ein halbes Jahr.
c) Nach dem Auftauen des Permafrostes im Sommer kann das Wasser besonders gut versickern.

5 Bilderrätsel ◓
a) Löse die Bilderrätsel.
b) Erkläre anschließend die Begriffe.

a)

b)
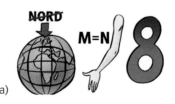

6 Bauen auf Permafrost
Ähnliche Probleme wie beim Hausbau auf Permafrostböden treten auch beim Bau von Erdölpipelines in Permafrostböden auf.
a) Beschreibe die auftretenden Gefahren. ○
b) Fertige eine Skizze an, wie man die Pipeline in diesen Gebieten dennoch verlegen könnte. ◓

7 Leben in Norilsk
Erläutere Probleme, die mit dem Leben in Norilsk verbunden sind. ◓

Fachmethoden anwenden

8 Diagramm auswerten ◓
a) Begründe, zu welchem Polargebiet das Temperaturdiagramm 3 gehört.
b) Zeichne ein Diagramm, das zum anderen Polargebiet gehört.

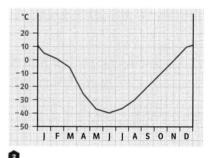

3

9 Grafiken lesen
Im Diagramm 5 sind die Orte Nordkap, Nordpol, Südpol und Mitteleuropa nicht eingetragen.
Ordne sie jeweils richtig zu. ●

 **Material**
Selbsteinschätzung
46b8e8

 **Material**
Kompetenzcheck
46b8e8

 **Lernen im Netz**
Interaktive Übungen
46b8e8

Polarnacht
Polarkreis

4 Wald in British Columbia

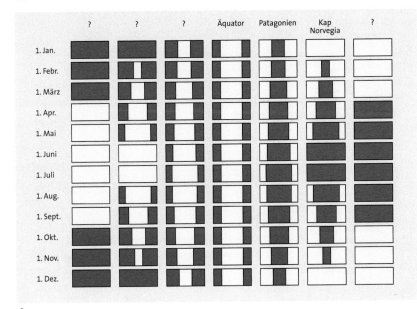

5

Beurteilen und bewerten

10 Kahlschlag und was dann?

a) Beschreibe das Foto 4. ○

b) Beurteile die Folgen dieser Art der Forstwirtschaft für die dort vorkommenden Tiere. ◗

c) Beschreibe eine naturschonende Nutzung des Waldes. ◗

11 Nachhaltiges Wirtschaften

Der boreale Nadelwald wird als „grünes Gold" bezeichnet. Seine Erschließung bringt viel Geld, zerstört aber auch den Lebensraum für Menschen, Tiere und Pflanzen.

Suche dir eine Möglichkeit zum Schutz dieses Ökosystems heraus und erläutere, was eine nachhaltige Entwicklung beachten muss. ●

Am Ende kannst du ...
– ausgewählte Räume analysieren,
– Wechselwirkungen zwischen dem Handeln der Menschen und dem Naturraum darstellen,
– an einem Beispiel Vorteile einer nachhaltigen Nutzung erläutern.

6

TERRA FÜR DICH

Wettrennen um die letzten Rohstoffe
Unter dem Eis der Polargebiete der Erde lagern (vermutlich) riesige Rohstoffvor-

kommen. Die globale Erwärmung lässt das Eis schmelzen und die bislang lediglich für Forscher interessanten Regionen rücken

---

⅄ **Wähle aus!**

Arktis

1 Erläutere die vorrangige Bedeutung einer internationalen Regelung für die Erschließung der Arktis. ○

2 Der Zeichner der Karikatur 3 hat offensichtlich von Erdkunde keine Ahnung. Erläutere, warum die Gerätschaften auf dem Schlitten keinen Sinn ergeben. ●

Die Arktis – Meer von Kontinenten umgeben

Die acht Anrainerstaaten der Arktis haben sich 1996 zu einem „Arktischen Rat" zusammengeschlossen, um unter anderem die Erschließung der ökologisch sensiblen Polarregion so umweltfreundlich wie möglich zu organisieren.

Ein Großteil der Ressourcen der Arktis lagert in Küstennähe in der „ausschließlichen Wirtschaftszone" von 200 Seemeilen. Sie können von den Anrainerstaaten ausgebeutet werden, soweit es die Technik schon zulässt. Diese Zone kann auf 350 Seemeilen ausgedehnt werden, wenn der Festlandsockel eines Staates weiter reicht. Die geologische Situation im Nordpolarmeer ist aber noch nicht ausreichend erforscht worden.

Daher versuchen jetzt einige Staaten, ihre Ansprüche anzumelden. Russland setzte 2007 als erster Staat ein Zeichen, indem unter dem Nordpol in 4261 Meter Tiefe eine russische Flagge aus Titan „gehisst" wurde. Norwegen, Kanada und Dänemark haben inzwischen auch mit Gutachten untermauerte Gebietsansprüche angemeldet.

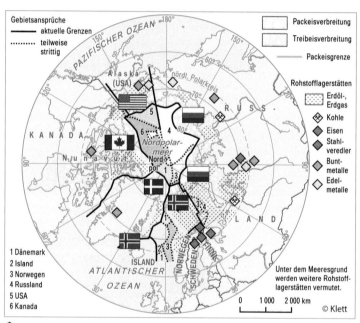

2 Gebietsansprüche in der Arktis

Steckbrief Arktis/Nordpolargebiet

Lage: Land- und Meergebiet rund um den Nordpol
Ausdehnung: etwa 26 Mio. km²
Nordpol: mitten im Nordpolarmeer
Eisbedeckung: Meereis, im Winter max. 3 m
Anrainer: Russland, Norwegen, Grönland (Dänemark), Kanada, USA, Finnland, Island, Schweden

Rohstoffe: Erdöl, Erdgas, Zink, Kupfer, Eisen, Rohdiamanten, Gold usw.
Internationale Abkommen:
Das Seerechtsübereinkommen (SRÜ) von 1982/1994 wurde mit der zunehmenden Möglichkeit der Befahrbarkeit der Nordwest- und Nordostpassage notwendig. Der Arktische Rat regelt die Erschließung und Nutzung der Nordpolarregion.

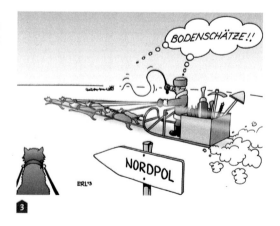

3

1

in den Fokus wirtschaftlicher und nationaler Begehrlichkeiten. Doch die Bedingungen rund um Nordpol und Südpol sind höchst unterschiedlich.

Antarktis

1 Erarbeitet einen Vorschlag für eine möglichst gerechte und nachhaltige Nutzung der Rohstoffe in der Antarktis. ●

2 Nimm Stellung zu der Äußerung des Exekutivdirektors des UNEP, Achim Steiner. ●

Die Antarktis – Kontinent von Meeren umgeben

Die Bodenschätze der Antarktis werden auch langfristig nicht erschlossen werden können, da die riesigen Eismassen nur sehr langsam abtauen. Dennoch haben seit Beginn des 20. Jahrhunderts sieben Staaten Ansprüche auf 80 Prozent der Fläche von Antarktika angemeldet, die sich teilweise sogar überlappen.

Im Antarktisvertrag, der 1961 in Kraft trat, werden diese historischen Ansprüche nicht anerkannt und für die Vertragsdauer „auf Eis gelegt", weitere Gebietsansprüche sind sogar ausgeschlossen. Der Vertrag regelt insbesondere die friedliche wissenschaftliche Forschung in der Antarktis. Ein Abbau mineralischer Rohstoffe ist durch ein 1998 in Kraft getretenes Umweltschutzprotokoll vollständig untersagt. Der Schutz der natürlichen Gegebenheiten steht im Mittelpunkt der aktuellen Diskussionen, die Umweltschutzorganisation Greenpeace will einen „Weltpark Antarktis" errichten. Der Müll der vielen Forschungsstationen und die touristische (Über-)Nutzung des sensiblen Ökosystems durch Kreuzfahrtschiffe verursachen derzeit die größten Probleme.

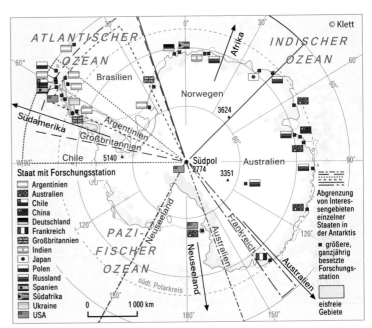

2 Gebietsansprüche in der Antarktis

Steckbrief Antarktis/Südpolargebiet

Lage: Kontinent Antarktika
Ausdehnung: Antarktika 13,2 Mio. km², plus Schelfeis: 14 Mio. km², plus Packeis im Winter: 30 Mio. km²
Südpol: mitten auf dem Kontinent
Eisbedeckung: Inlandvereisung, durchschnittlich 2200 m stark, im Maximum bis 5000 m
Anrainer: direkt keine, aber mind. sieben Staaten erheben historische

Gebietsansprüche: Großbritannien, Neuseeland, Frankreich, Australien, Norwegen, Chile, Argentinien
Rohstoffe: Erdöl, Eisen, Titan, Chrom, Kupfer, Kohle, Uran, Platin, Gold usw.
Internationale Abkommen: Der Antarktisvertrag von 1961 verbietet jede kommerzielle oder militärische Nutzung der Antarktis bis zu seinem Auslaufen im Jahr 2041.

„Das Schmelzen des Eises verursacht einen Ansturm auf genau die fossilen Brennstoffe, die das Schmelzen überhaupt erst angetrieben haben."

Achim Steiner, Exekutivdirektor des UN-Umweltprogramms (UNEP), 2013

1

TERRA ORIENTIERUNG

Die Landschaftszonen der Erde eignen sich in unterschiedlicher Weise als Lebensräume für die Menschen. Den bewohnten, nutzbaren Teil der Erde nennt man Ökumene, der unbewohnbare Teil ist die Anökumene. Im Grenzbereich zwischen beiden Teilen gelingt es dem Menschen immer wieder, zumindest zeit- oder teilweise, die natürlichen Voraussetzungen für seine Zwecke zu nutzen.

1

3

Grenzen menschlicher Lebensräume

Viele Menschen leben und arbeiten heute auch in Regionen, die für eine landwirtschaftliche Nutzung von Natur aus nur begrenzt oder gar nicht geeignet sind, z. B. Wüsten, Regenwälder und extrem kalte Gebiete.

Im Laufe der Zeit ist es dem Menschen immer wieder gelungen, mithilfe besonderer Techniken, langjähriger Erfahrungen oder hoher Investitionen solche ungünstigen Gebiete zu erschließen und als Lebensraum zu nutzen.

Beispiele hierfür sind:
– in den kalten Gebieten die Inuit oder die Rentiernomaden (Samen) in Lappland;
– in den Trockengebieten die Nomaden und die Oasenbauern;
– in den Regenwäldern die indigenen Völker und Kleinbauern.

Diese Nutzungen sind teilweise den natürlichen Bedingungen angepasst und erzeugen keinen nachhaltigen Schaden. Häufig treten jedoch auch wenig angepasste Nutzungen auf, wodurch vielfältige Probleme (z. B. Desertifikation, Versalzung) entstehen können.

heute landwirtschaftlich genutzt	nur mit großem technischen Aufwand nutzbar	Boden ungünstig	zu nass	zu trocken	zu gebirgig

2 Einschränkungen der landwirtschaftlichen Nutzung

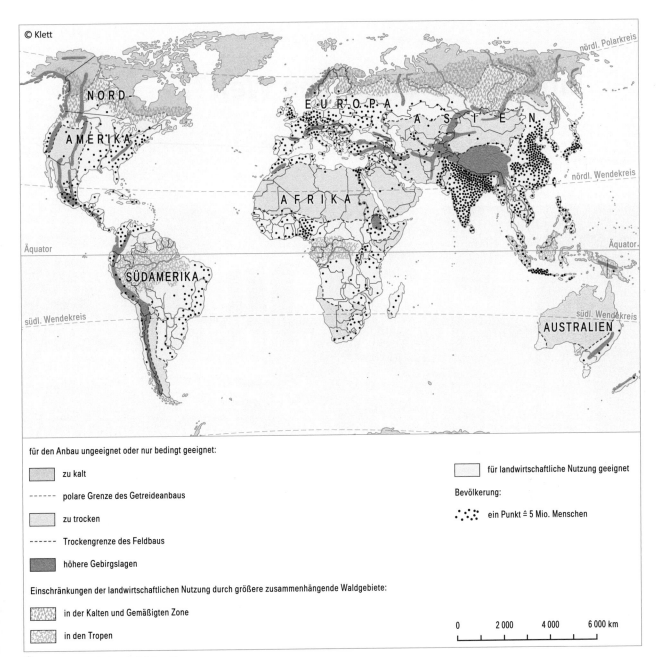

© Klett

für den Anbau ungeeignet oder nur bedingt geeignet:

zu kalt

----- polare Grenze des Getreideanbaus

zu trocken

----- Trockengrenze des Feldbaus

höhere Gebirgslagen

Einschränkungen der landwirtschaftlichen Nutzung durch größere zusammenhängende Waldgebiete:

in der Kalten und Gemäßigten Zone

in den Tropen

für landwirtschaftliche Nutzung geeignet

Bevölkerung:

ein Punkt ≙ 5 Mio. Menschen

0   2 000   4 000   6 000 km

4 Grenzen landwirtschaftlicher Nutzung

---

1 Ordne den Bildern jeweils die Grenzen der Lebensräume zu. ○

2 Erstelle mithilfe der Karte 4 eine Tabelle, in der du abschätzt, welchen Anteil die für den Anbau ◖
a) „zu kalten" Gebiete,
b) „zu trockenen" Gebiete und
c) die tropischen Regenwaldgebiete an den einzelnen Kontinenten der Erde aufweisen.

3 Einzelne Staaten haben an den kalten Gebieten oder an den trockenen Gebieten einen unterschiedlichen Anteil. Legt die Weltkarte aus dem Atlas (Staaten der Erde) oder den Kartenteil S. 248/249 neben die Karte 4 und sucht Staaten,
a) in denen die „zu kalten" oder „zu trockenen" Gebiete einen großen Anteil haben, ○
b) die ganz in den „zu kalten" oder „zu trockenen" Gebieten liegen. ○

4 Nenne aus den vorangegangenen Seiten Beispiele, die zeigen, wie der Mensch „zu trockene" oder „zu kalte" Gebiete der Erde traditionell oder mit moderner Technik für seine Zwecke nutzt. ○

5 In der Karte 4 sind die landwirtschaftlichen Nutzungsmöglichkeiten vereinfacht dargestellt worden. Erläutere, welche weiteren Aussagen die Grafik 2 ermöglicht. ◖

7

Eine Welt – ungleiche Welt?!

1 Arm und reich in der armen Welt, Delhi

Armut und Reichtum finden sich in allen Ländern der Welt – allerdings sehr unterschiedlich verteilt. Dies gilt für verschiedene Bevölkerungsgruppen ebenso wie für verschiedene Regionen eines Landes. Arme und Reiche sind also gleichsam voneinander getrennt.

Daher sprechen wir – abgeleitet vom Lateinischen – von „Disparitäten" und meinen damit die großen Unterschiede der Lebenswirklichkeit von Menschen weltweit.
Aber welche Ursachen führen zu diesen Unterschieden und woran sind diese zu erkennen?

2 Arm und reich in der reichen Welt, New York Fashion Week

1 Mall in New Delhi, Indien

2 Einkaufszentrum in Deutschland

HDI – das Maß der menschlichen Entwicklung

„In Afrika, Mexiko und Indien leben nur arme Menschen, die hungern, nicht zur Schule oder zum Arzt gehen können " – Vorstellungen wie diese sind zwar weit verbreitet, beschreiben aber nur einen Teil der Wirklichkeit. Denn unter den reichsten Menschen der Welt sind Angehörige aus genau diesen Regionen. Doch wie kann man den Entwicklungsstand eines Landes genauer beschreiben?

Indien gilt für viele als eines der ärmsten Länder der Welt. In der Tat lebt ein Drittel der 1,3 Milliarden Inder – das sind fast so viele Menschen wie in der gesamten Europäischen Union leben – unterhalb der Armutsgrenze. Zugleich zählt jeder Fünfte zu der rasch zunehmenden Mittelschicht. Sie verfügen über ein Einkommen, das eine gute Wohnung, die Ausbildung der Kinder, Teilhabe am kulturellen und sozialen Leben und vielerlei Annehmlichkeiten ermöglicht. Ähnliches lässt sich über den Lebensstandard der Mittelschicht in Deutschland sagen. Wie aber kann man messen, welches Land welchen Entwicklungsstand erreicht hat?

Diese Frage beschäftigt Experten in vielen internationalen Organisationen wie den Vereinten Nationen. Um sie zu beantworten, haben sie sich zunächst die Frage gestellt, was genau unterscheidet denn hochentwickelte Länder von Ländern mit einem niedrigen Entwicklungsstand?

Folgende Aspekte sind dabei bedeutsam: Wie ist die Versorgung der Bevölkerung mit Nahrungsmitteln? Müssen Menschen Hunger leiden? Ist die medizinische Versorgung gewährleistet – auch für arme Menschen? Können alle Kinder zur Schule gehen? Gibt es ausreichend Arbeit und damit Einkommen für die Bevölkerung? Gibt es ein funktionierendes kulturelles Angebot? Ist die persönliche Freiheit gewährleistet?

Auf dieser Grundlage entschieden die Vereinten Nationen (UNO), dass sie drei Aspekte in den Blick nehmen:

- Wie hoch ist die durchschnittliche Lebenserwartung in einem Land?
- Wie lange ist die durchschnittliche Schulzeit der Kinder und Jugendlichen?
- Wie hoch ist die Wirtschaftsleistung eines Landes pro Kopf der Bevölkerung?

Aus den Daten zu diesen drei Aspekten errechnen die Forscher einen Wert für jedes Land, den „Index der menschlichen Entwicklung" = (Human Development Index (HDI)). Dieser Wert liegt zwischen 0 und 1. Je höher der HDI ist, desto höher ist der Entwicklungsstand eines Landes.

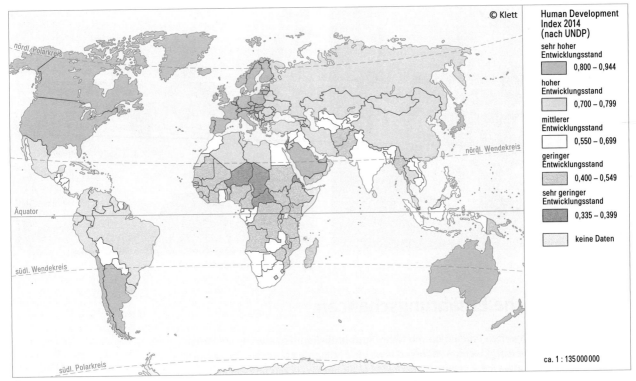

© Klett

Human Development Index 2014 (nach UNDP)

sehr hoher Entwicklungsstand
0,800 – 0,944

hoher Entwicklungsstand
0,700 – 0,799

mittlerer Entwicklungsstand
0,550 – 0,699

geringer Entwicklungsstand
0,400 – 0,549

sehr geringer Entwicklungsstand
0,335 – 0,399

keine Daten

ca. 1 : 135 000 000

3 HDI 2014 (Report 2015)

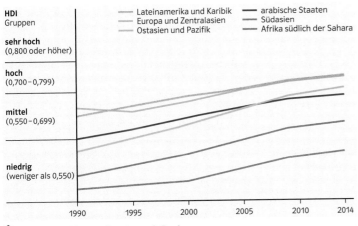

HDI Gruppen

sehr hoch (0,800 oder höher)

hoch (0,700 – 0,799)

mittel (0,550 – 0,699)

niedrig (weniger als 0,550)

Lateinamerika und Karibik — arabische Staaten
Europa und Zentralasien — Südasien
Ostasien und Pazifik — Afrika südlich der Sahara

4 HDI-Entwicklung seit 1990 nach Regionen

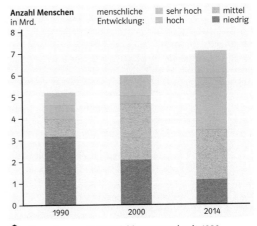

Anzahl Menschen in Mrd.

menschliche Entwicklung: sehr hoch / hoch / mittel / niedrig

5 Menschen nach Entwicklungsstand seit 1990

1 Beschreibe die beiden Fotos 1 und 2. ○

2 Nimm ausgehend von den beiden Fotos Stellung zum Entwicklungsstand in Indien im Vergleich zu Deutschland. Nutze dazu auch Karte 3. ◐

3 Erkläre die Ermittlung des Index der menschlichen Entwicklung (HDI) für ein Land. ◐ ✂

4 Karte 3: Benenne je fünf Staaten mit einem sehr niedrigen, einem mittleren und einem sehr hohen Entwicklungsstand. ○

5 Analysiere die Entwicklung der menschlichen Entwicklung zwischen 1990 und heute mithilfe der Diagramme 4 und 5. ◐

6 Beurteile diese Entwicklung. ●

7 Führt mithilfe der nachfolgenden Seiten ein Gruppenpuzzle zu folgendem Arbeitsauftrag durch: ●
- Erstellt eine Weltkarte, in der ihr vier bis sechs Länder mit besonders ausgeprägten Disparitäten einzeichnet. Erläutert mögliche Zusammenhänge zwischen einzelnen Disparitäten.
- Legt für eure Gruppe den Experten für die Themen Ernährung, Gesundheit, Einkommen und Bildung fest.
- Präsentiert euer Ergebnis der Klasse.

AFB I: 1, 4   AFB II: 2, 3, 5, 7   AFB III: 6

1 Familie im Tschad

2 Familie in den USA

Ungleiche Ernährungschancen

Mit der weltweiten Produktion von Nahrungsmitteln könnten etwa 12 Milliarden Menschen versorgt werden. Während etwa eine Milliarde Menschen übergewichtig sind, leidet etwa jeder zehnte Mensch (795 Millionen) weltweit an Hunger. Wo sind diese Probleme am größten und warum ist das so?

Die FAO, die Ernährungs- und Landwirtschaftsorganisation der UNO, spricht von **„Hunger"**, wenn ein erwachsener Mensch dauerhaft weniger als 2100 Kilokalorien (kcal) zur Verfügung hat. Das entspricht etwa 2 Butterbrezeln (je 320 kcal), 2 Currywürsten (je 566 kcal) und 3 Cola (je 105 kcal).

Unterernährung
ist aber auch dann gegeben, wenn bestimmte Nährstoffe, Minerale oder Vitamine nicht ausreichend zur Verfügung stehen. Akute Hungerkrisen werden meist durch Naturkatastrophen oder Krieg ausgelöst.

Es hat nicht lange gedauert, bis Farud und seine Familie der Bitte des Fotografen Peter Menzel entsprachen und ihre Wochenration an Lebensmitteln auf einer Decke vor ihrem Zelt ausgebreitet hatten. Wegen der Dürren der letzten Jahre und der gewaltsamen Auseinandersetzungen sahen sie sich gezwungen, ihre Heimatregion im Tschad zu verlassen. Seither leben sie nahe der Hauptstadt N'Djamena. Die Familie hofft, bald wieder in ihr Dorf zurückkehren und sich durch die eigene Landwirtschaft wieder besser versorgen zu können.

Familie Revis brauchte ungleich länger, um all das auf dem Tisch aufzuhäufen, was sie in der gleichen Zeit für ihre Ernährung zur Verfügung haben. Sie leben in North Carolina im Osten der USA. Die Söhne besuchen die Highschool, die Eltern arbeiten beide und erzielen ein für die USA durchschnittliches Einkommen. Alles, was sie für ihre Ernährung brauchen, kaufen sie im Supermarkt am Rande der Stadt.

Die Ernährungsproblematik lässt sich nicht allein auf die Extreme „zu wenig" oder „zu viel" reduzieren. Vielmehr muss auch die Ausgewogenheit der Nahrung und deren Qualität gewährleistet sein, um Fehlernährung zu vermeiden.

Ursachen der Ernährungsunterschiede

Die Ursache von Unterernährung und Hunger ist in erster Linie durch Armut begründet. Das haben die Studien des britischen Wissenschaftlers Armatya Sen ergeben, der Hungersnöte der letzten 200 Jahre in Westafrika und Indien untersuchte und Folgendes herausfand: Wenn es durch Dürren oder Unwetter zu Missernten kommt, sind weniger Lebensmittel verfügbar und deren Preis steigt. Insbesondere die Armen leiden dann ungleich stärker Hunger als die Wohlhabenden, die sich teurere Nahrungsmittel weiterhin leisten können. Dies gilt für die Vergangenheit genauso wie für unsere Zeit. Neben der Armut sind Ernteeinbußen und Ernteausfälle infolge von (Bürger-)Kriegen, Dürren, Überschwemmungen – noch verstärkt durch den Klimawandel – zentrale Ursachen für Unterernährung und Hunger. Hinzu kommen Transport- und Lagerungsprobleme, aufgrund derer Nahrungsmittel verderben oder nicht in die bedürftigen Regionen gelangen. Und auch die nach wie vor zunehmende Fleischproduktion verursacht Hunger, denn um eine Kalorie fleischlicher Nahrung zu produzieren, müssen etwa zehn Kalorien pflanzlicher Nahrung eingesetzt werden.

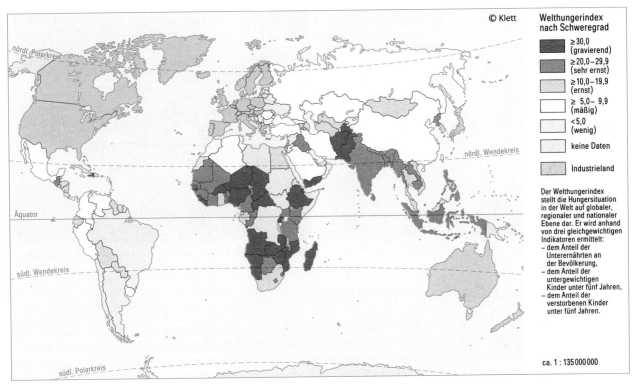

3 Welthungerkarte 2014, FAO

Welthungerindex nach Schweregrad

- ≥ 30,0 (gravierend)
- ≥ 20,0–29,9 (sehr ernst)
- ≥ 10,0–19,9 (ernst)
- ≥ 5,0– 9,9 (mäßig)
- < 5,0 (wenig)
- keine Daten
- Industrieland

Der Welthungerindex stellt die Hungersituation in der Welt auf globaler, regionaler und nationaler Ebene dar. Er wird anhand von drei gleichgewichtigen Indikatoren ermittelt:
– dem Anteil der Unterernährten an der Bevölkerung,
– dem Anteil der untergewichtigen Kinder unter fünf Jahren,
– dem Anteil der verstorbenen Kinder unter fünf Jahren.

ca. 1 : 135 000 000

© Klett

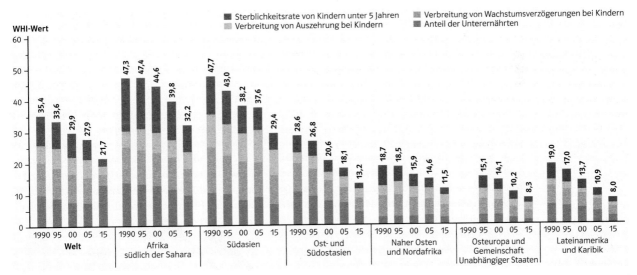

4 Die Aspekte des Welthungerindex: 1990 – 2015 nach Regionen

1 Beschreibe die beiden Szenen im Tschad und in den USA. ○

2 Beschreibe die Veränderungen der einzelnen Aspekte des Welthungerindex seit 1990. ◗

3 Arbeite Disparitäten zur weltweiten Ernährungssituation aus den Materialien heraus. ◗ ∞

4 Analysiere die Ursachen dieser ungleichen Entwicklung. ●

5 Beurteile das Ausmaß der weltweiten Ernährungsdisparität. ●

AFB I: 1, 2,   AFB II: 3, 4,   AFB III: 5

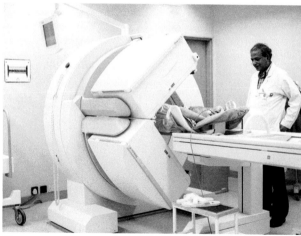

1 Krankenhaus in Indien

2 Tansania, Ärztin einer mobilen Krankenstation im Projektgebiet Magoma, Nähe Korogwe, Tansania

Ungleiche Gesundheitschancen

Die Gesundheit ist nicht nur für jeden Einzelnen von uns von sehr großer Bedeutung, sondern auch für die Gesellschaft und deren Entwicklungsmöglichkeiten. Wie gut es gelingt, Krankheiten einzudämmen und die Lebenserwartung der Menschen zu verlängern, hängt von vielen Faktoren ab. Die Unterschiede sind gewaltig. Wo genau sind diese Probleme am größten und wo liegen die Ursachen?

Um eine Vorstellung zu bekommen wie es um die **Gesundheit** in einer Gesellschaft steht, greifen Wissenschaftler und Politiker auf verschiedene Berechnungen zurück.

Wie hoch ist die durchschnittliche **Lebenserwartung**? Wie viele Ärzte stehen rechnerisch für jeweils 100 000 Menschen zur Verfügung? Wie hoch sind die Ausgaben für das Gesundheitswesen?

→
Aids
Seite 146/147

Ram blieb nichts anderes übrig, als seinen plötzlich ernsthaft erkrankten Vater in einem Tragkorb die 20 Kilometer über zwei Pässe hinweg bis zum nächsten „Health Post", wie die kleinen Krankenhäuser in Nepal genannt werden, zu tragen. Denn das Netz dieser Krankenstationen ist nach wie vor sehr weitmaschig und weite Teile des Himalajastaates sind ohne Straßenverbindung. Nicht nur den Bewohnern der Bergdörfer im Himalaja, sondern auch den Menschen, die in den ländlichen Regionen Asiens und Afrikas leben, fehlt es an einer ausreichenden medizinischen Versorgung. Oft fehlen Ärzte oder Medikamente, manchmal fehlt schlicht Elektrizität, um etwa Operationen durchzuführen. Aufgrund dieser Gegebenheiten sterben nach wie vor Millionen Menschen an Krankheiten, die im Grunde problemlos behandelt werden könnten, z. B. Durchfall- oder Grippeerkrankungen. Die Lebenserwartung in vielen dieser Länder ist daher gering.

Zugleich ist zu beobachten, dass sich in den letzten Jahren weltweit zunehmend ein regelrechter „Medizintourismus" herausgebildet hat. Zum einen kommen sehr reiche Menschen nach Europa, um sich einer Operation zu unterziehen und gleichzeitig lassen sich immer häufiger Europäer in sehr guten Kliniken in Süd- oder Südostasien operieren, da dort die Kosten ungleich niedriger sind.

Ursachen der Gesundheitsunterschiede

Armut zählt zu den Hauptursachen unzureichender Gesundheit. Die Armut des Einzelnen verhindert nicht nur eine gute und gesunde Ernährung, sondern im Krankheitsfall den kostenpflichtigen und teuren Besuch beim Arzt und den Kauf von Medikamenten. Selbst wenn es in vielen Ländern mittlerweile Krankenversicherungen gibt, können viele sich diese Versicherung schlicht nicht leisten. Um eine Operation finanzieren zu können, muss dann die gesamte Familie zusammenlegen und verschuldet sich oft über viele Jahre hinweg. Neben der Armut des Einzelnen verhindert die unzureichende Finanzierung des Staates den Aufbau einer funktionierenden Gesundheitsversorgung. Krankenhäuser können oft nicht gebaut, Ärzte nicht bezahlt werden. Auch die unzureichende Verkehrssituation trägt in vielen Fällen zur Gesundheitsproblematik bei. Hinzu kommen klimatische Extrembedingungen, die vielfach gefährliche Krankheiten wie Malaria, Ebola oder Dengue-Fieber begünstigen. Ein geringes Bildungsniveau in weiten Teilen einer Gesellschaft trägt ebenfalls dazu bei, dass sich Krankheiten ausbreiten. Insbesondere die Ausbreitung des Aids verursachenden HI-Virus geht ganz wesentlich auf Unkenntnis sowie das Festhalten an Traditionen und dadurch bedingte falsche Verhaltensweisen zurück.

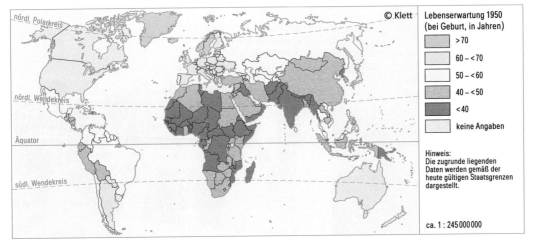

3 Lebenserwartung 1950

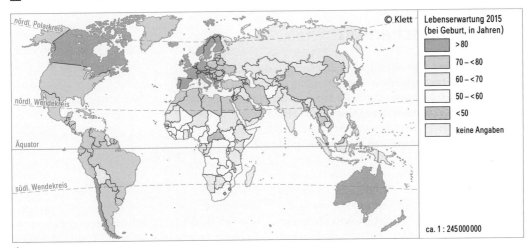

4 Lebenserwartung 2015

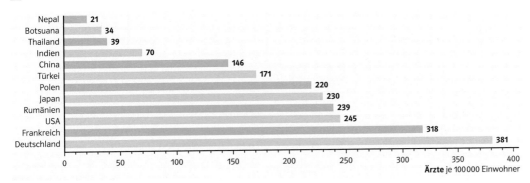

5 Ärzte je 100 000 Einwohner in ausgewählten Staaten (Stand 2015)

1 Beschreibe die beiden Szenen in Indien und Tansania (Fotos 1 und 2). ○

2 Beschreibe mithilfe der Karten 3 und 4 die Entwicklung der weltweiten Lebenserwartung von 1950 bis 2015. ○

3 Arbeite Disparitäten zur weltweiten Lebenserwartung aus den Materialien heraus. ● ⌒

4 Analysiere die Ursachen dieser ungleichen Entwicklung. ●

5 Beurteile das Ausmaß der weltweiten Gesundheitsdisparität. ●

AFB I: 1, 2,   AFB II: 3, 4,   AFB III: 5

1 Yemen, Sanaa, Secondary Year 2, English

2 USA, St Louis, Grade 10, Science

Ungleiche Bildungschancen

Über 120 Millionen Kinder und Jugendliche weltweit können nicht zur Schule gehen, lernen weder lesen noch schreiben. Und deren Zahl steigt sogar weiter an, allein seit 2010 um über zwei Millionen. Daher forderte der Generalsekretär der Vereinten Nationen bereits vor Jahren „Education for all", also „Bildung für alle". Doch das Problem hat vielfältige Ursachen und ist sehr ungleich verteilt. Wo genau sind diese Probleme am größten und warum ist das so?

Die **Bildung** eines Menschen geht einher mit dem Ausmaß seiner geistigen Fähigkeiten. Je gebildeter ein Mensch ist, desto mehr kann er also leisten. Der Bildungsstand einer ganzen Gesellschaft hat folglich großen Einfluss auf deren Entwicklungsmöglichkeiten und damit auch auf deren Wohlstand.

Weltweit sind hinsichtlich der Dauer der Schulzeit, der Schulpflicht, der Bedeutung von Religionen oder Politik sehr unterschiedliche Bildungssysteme zu beobachten.

Vier Jahre ging Hussein in Shibam, im Süden des Jemen zur Schule. Mehr als lesen und schreiben hat er im Grunde in dieser Zeit nicht gelernt. Heute ist er ein sehr erfolgreicher Arzt in Hamburg. Sein Bruder Sinan hatte diese Möglichkeiten nicht, da die Eltern sich das Schulgeld nur für einen Sohn, nicht aber für die anderen Geschwister leisten konnten. Er musste schon als Junge auf dem Bau arbeiten und hat nie eine Schule besuchen können.

So wie Sinan geht es Millionen Kindern weltweit, denn der Besuch der Schule ist bei Weitem nicht überall kostenlos, so wie wir das in Europa kennen. Auch wenn sein Bruder nur wenige Jahre im Jemen in die Grundschule gehen konnte, so eröffnete ihm die Fähigkeit, lesen und schreiben zu können, doch ganz andere Möglichkeiten für seine weitere berufliche Entwicklung. In seinem Fall ergab sich sogar durch ein Stipendium die Möglichkeit, eine weiterführende Schule zu besuchen und zu studieren. Offensichtlich haben Bildungschancen große Bedeutung für die Entwicklung und damit den Wohlstand einer Gesellschaft.

Ursachen der Bildungsunterschiede

Die weltweit sehr unterschiedliche Bildungssituation hat vielfältige Gründe. Insbesondere in wirtschaftlich schwachen Ländern ist zu beobachten, dass Schulgeld erhoben wird. Die weit verbreitete Armut in diesen Ländern ermöglicht es vielen Eltern nicht, ihre Kinder zur Schule zu schicken. Dies führt wiederum zu geringer Qualifikation und in der Folge zu wenig wirtschaftlicher und gesellschaftlicher Entwicklung. Dadurch fallen auch die Steuereinnahmen der Staaten gering aus, was den Aufbau eines guten und kostenlosen Schulsystems erschwert, wenn nicht gar verhindert. Insbesondere in abgelegenen ländlichen Regionen und den zudem bestehenden Transportproblemen ist diese Problematik sehr stark ausgeprägt, während die Situation in den Städten im Vergleich dazu besser ausfällt. Und schließlich ist in etlichen Ländern zu beobachten, dass Mädchen kaum oder gar keine Schulbildung erhalten, sei es aus religiösen oder kulturellen Gründen.

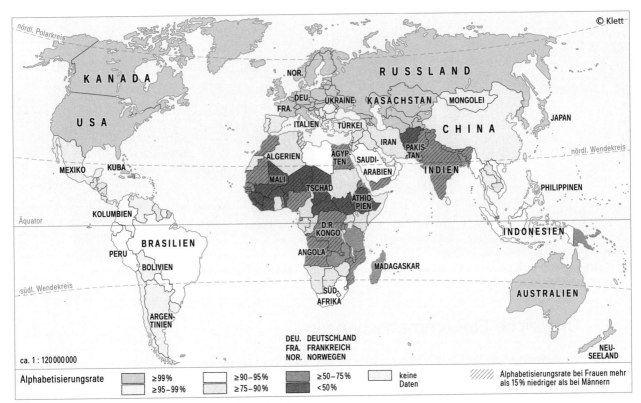

Alphabetisierungsrate

≥99%	≥90–95%	≥50–75%	keine Daten
≥95–99%	≥75–90%	<50%	

DEU. DEUTSCHLAND
FRA. FRANKREICH
NOR. NORWEGEN

ca. 1 : 120 000 000

///// Alphabetisierungsrate bei Frauen mehr als 15% niedriger als bei Männern

3 Lese- und Schreibfähigkeit bei Erwachsenen (ab 15 Jahren)

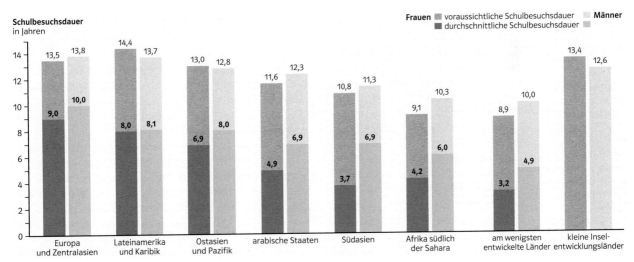

Schulbesuchsdauer
in Jahren

Frauen ■ voraussichtliche Schulbesuchsdauer **Männer**
■ durchschnittliche Schulbesuchsdauer ■

Region	Frauen voraussichtl.	Frauen durchschnittl.	Männer durchschnittl.	Männer voraussichtl.
Europa und Zentralasien	13,5	9,0	10,0	13,8
Lateinamerika und Karibik	14,4	8,0	8,1	13,7
Ostasien und Pazifik	13,0	6,9	8,0	12,8
arabische Staaten	11,6	4,9	6,9	12,3
Südasien	10,8	3,7	6,9	11,3
Afrika südlich der Sahara	9,1	4,2	6,0	10,3
am wenigsten entwickelte Länder	8,9	3,2	4,9	10,0
kleine Inselentwicklungsländer	13,4			12,6

4 Bildung von Frauen und Männern

1 Beschreibe die beiden Schulszenen im Jemen und in den USA (Fotos 1 und 2). ○

2 Beschreibe die Bildungssituation 2014 (Diagramme 4). ◓

3 Arbeite die Disparitäten zur weltweiten Bildungssituation aus den Materialien heraus. ◓ ∞

4 Analysiere die Ursachen dieser ungleichen Entwicklung. ●

5 Beurteile das Ausmaß der weltweiten Bildungsdisparität. ●

1 Mädchen und Junge, 13 Jahre, in der Handtuch-Produktion, Karur, Tamil Nadu, Südindien

2 Mädchen, 13 Jahre, beim Shoppen, Deutschland

Ungleiche Einkommenschancen

Die Einkommen der Welt sind extrem ungleich verteilt. Die reichen Länder des Nordens stehen den mehrheitlich armen Gesellschaften des globalen Südens gegenüber. Aber dieser Gegensatz verläuft nicht allein zwischen Staaten, sondern auch innerhalb der Gesellschaften lassen sich diese Gegensätze erkennen. Wo sind diese Probleme am größten und warum ist das so?

Armut ist nicht gleich Armut. Man unterscheidet zwischen der **„absoluten Armut"**, die das Überleben eines Menschen infrage stellt. Diese ist nach derzeitigem Verständnis dann gegeben, wenn eine Person weniger als 1,25 US-$ pro Tag zur Verfügung hat. Das sind lediglich 450 € im Jahr. Demgegenüber spricht man in den reichen Ländern von **„relativer Armut"**. Diese ist dann gegeben, wenn eine Person weniger als die Hälfte des Durchschnittseinkommens zur Verfügung hat.

Herr Takahiro verdient sehr gut und kann sich im Grunde alles leisten. Mehrmals im Monat geht er mit seiner Familie in ein schickes Restaurant im Zentrum Tokios essen und „shoppen" zählt zu den Lieblingsbeschäftigungen seiner Kinder. Zudem machen sie mindestens einmal im Jahr eine Reise ins Ausland, oft nach Hawaii. Den Grund seines Wohlstandes sieht er vor allem in seiner Ausbildung und seinem Fleiß.

Auf Fleiß beruft sich auch Dorji, der im Osten Bhutans lebt und in seinem Leben kaum Geld verdient hat. Dennoch musste er noch nie hungern, denn er bewirtschaftet zusammen mit seiner Frau und seinen Kindern einen kleinen Hof im Süden des Landes. Sie haben zwei Kühe, einige Ziegen und Hühner, bauen Buchweizen und Reis an. Die vielen Obstbäume um ihr Haus werden sorgsam gepflegt. Dorji ist zwar einkommensarm, aber nicht wirklich arm. Auf keinen Fall will er, dass seine Kinder in einer der in jüngster Zeit entstehenden Textilfabriken als Arbeiter anheuern. Das, so ist er überzeugt, würde sie wirklich arm machen.

Ursachen der Einkommensunterschiede

Die Einkommensunterschiede zwischen den Staaten der Welt sowie innerhalb der Gesellschaften reichen bis zum Hundertfachen und in Extremfällen weit darüber hinaus. Vielfältige Gründe führen zu dieser sehr ungleichen Verteilung von Einkommen. Ganz sicher kommt der Bildung und beruflichen Qualifikation sowie der persönlichen Zielsetzung und Zielstrebigkeit jedes Einzelnen in diesem Zusammenhang große Bedeutung zu. Zugleich wird aber auch deutlich, dass in vielen Ländern die Bildungsmöglichkeiten nur sehr begrenzt sind, sei es aufgrund der unzureichenden finanziellen Möglichkeiten von Familien oder aufgrund der Tatsache, dass gute Bildungseinrichtungen überhaupt fehlen. Hinzu kommt, dass auch die Chancengerechtigkeit in den Ländern der Welt sehr ungleich sind. Zum Teil aus kulturellen, zum Teil aus religiösen Gründen haben nicht alle Menschen unabhängig von ihrer sozialen Herkunft, ihrer Hautfarbe oder ihrem Geschlecht die gleichen Chancen, um wirtschaftlich erfolgreich zu sein und damit ein hohes Einkommen zu erzielen. Auch ungerechte Handelsbeziehungen zwischen Ländern verschärfen die Problematik und führen zu ungleichen Einkommenschancen.

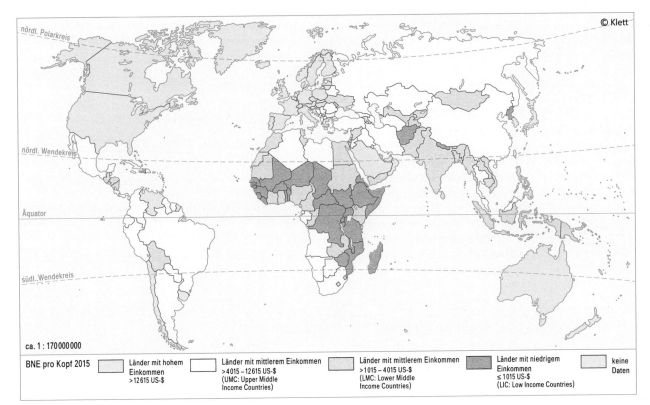

3 Bruttonationaleinkommen (BNE) pro Kopf 2015

Legende zur Karte:

BNE pro Kopf 2015

- Länder mit hohem Einkommen >12615 US-$
- Länder mit mittlerem Einkommen >4015 – 12615 US-$ (UMC: Upper Middle Income Countries)
- Länder mit mittlerem Einkommen >1015 – 4015 US-$ (LMC: Lower Middle Income Countries)
- Länder mit niedrigem Einkommen ≤ 1015 US-$ (LIC: Low Income Countries)
- keine Daten

ca. 1 : 170 000 000

© Klett

nördl. Polarkreis
nördl. Wendekreis
Äquator
südl. Wendekreis

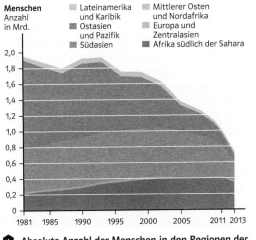

Menschen Anzahl in Mrd.

- Lateinamerika und Karibik
- Ostasien und Pazifik
- Südasien
- Mittlerer Osten und Nordafrika
- Europa und Zentralasien
- Afrika südlich der Sahara

4 Absolute Anzahl der Menschen in den Regionen der Erde, die in absoluter Armut leben (1981 – 2013)

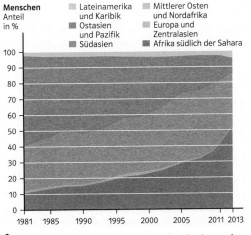

Menschen Anteil in %

- Lateinamerika und Karibik
- Ostasien und Pazifik
- Südasien
- Mittlerer Osten und Nordafrika
- Europa und Zentralasien
- Afrika südlich der Sahara

5 Relative Anzahl der Menschen in den Regionen der Erde, die in absoluter Armut leben (1981 – 2013)

Bruttonationaleinkommen (BNE)

Summe des innerhalb eines Jahres von allen Bewohnern eines Staates erwirtschaftete Einkommen aus dem In- und Ausland

1 Beschreibe die beiden Fotos in Südindien und Deutschland (Fotos 1 und 2) ○.

2 Beschreibe die Entwicklung der Armut seit 1981 (Diagramme 4 und 5). ◗

3 Arbeite Disparitäten zur weltweiten Einkommenssituation aus den Materialien heraus. ◗ ⌐

4 Analysiere die regionalen Schwerpunkte der Armutsverbreitung (Karte 3 und Diagramme 4 und 5). ●

5 Beurteile das Ausmaß der weltweiten Einkommensdisparität. ●

TERRA METHODE

Um einen weltweiten Überblick über den unterschiedlichen Entwicklungsstand zu erhalten, kann man mithilfe eines Web-GIS sowohl die einzelnen Indikatoren des HDI auch den HDI für die einzelnen Länder analysieren und darstellen.

Weltweite Unterschiede mit einem Web-GIS analysieren

Was ist ein Web-GIS?

Geographische Informationssysteme (GIS) ermöglichen das Erfassen, Verarbeiten und Präsentieren von räumlichen Informationen (Geoinformationen). Ein GIS-Programm steckt zum Beispiel im Navigationssystem des Autos, im Fahrkartenautomaten bei der Bahn, aber auch in einem online verfügbaren Stadtplan. Immer dann, wenn Informationen einen räumlichen Bezug haben, kommen solche Computerprogramme zum Einsatz.
Web-GIS-Programme sind GIS-Programme im Internet (WorldWideWeb). Es gibt viele verschiedene Web-GIS mit unterschiedlichen Themen.

Web-GIS mit den Indikatoren der Entwicklung

Das hier verwendete Schul-WebGIS hat Daten zu verschiedenen Entwicklungsindikatoren aus den Bereichen Gesellschaft, Politik, Bevölkerung, Wirtschaft und Umwelt gespeichert. Eine gezielte Suche wäre per Hand sehr aufwendig. Hier hilft in einem GIS das Suchwerkzeug, auch Abfragemanager genannt. Mit ihm ist es möglich, eine Suche bzw. Filterung der Daten vorzunehmen und sich die Ergebnisse anzuschauen.
Mit dem Web-GIS ist es nun möglich, den HDI für einzelne Länder abzufragen. Außerdem kann die weltweite Verteilung der Länder mit einem selbstgewählten (hohen oder niedrigen) Grenzwert für den HDI analysiert und dargestellt werden. Es lassen sich aber auch einzelne Bestandteile des HDI darstellen. So kann z. B. die weltweite Verteilung der Länder mit hoher Lebenserwartung, langer Schuldauer und hohem Lebensstandard (BNE/Kopf) genauer betrachtet werden.
Notwendig für alle Abfragen ist, dass man genaue Bedingungen formuliert, die dann in den Abfragemanager (in diesem Web-GIS „Daten filtern" genannt) eingegeben werden. Alle Länder, welche der Bedingung entsprechen, werden dann auf der Karte angezeigt und in einer „Treffertabelle" ausgegeben.

Indikator

Merkmal, das auf einen Zustand hinweist.
Zum Beispiel weist die Dauer des Schulbesuches auf die Situation im Bereich der Bildung in einem Land hin.

BNE/Kopf
Seite 111

←
HDI
Seite 102

Folgende Aufgabe bietet ein praktisches Beispiel:

Welche Länder haben 2013 den höchsten HDI-Wert?

1. Schritt: Zielsetzung klären
Lies die Aufgabe genau durch und erfasse die Problemstellung. Welche fünf Länder der Erde weisen 2013 den höchsten HDI-Wert auf (> 0.9)? Gibt es Besonderheiten in der Verteilung der Länder?

2. Schritt: Ein Web-GIS öffnen
Öffne das Web-Gis https://webgis.sachsen.schule/

3. Schritt: Sich mit dem Web-GIS vertraut machen
Nutze und probiere dazu auf der nächsten Seite die Anleitung für folgende Werkzeuge aus: Themen sichtbar machen, Karte vergrößern/verkleinern, Länder suchen, Informationen von Ländern abfragen.

4. Schritt: Länder mit festgelegten Werten für den HDI filtern
a) Aktiviere das Thema <HDI 2013> unter Themen <HDI/IHDI> durch Setzen des Häkchens.
b) Klicke auf das Symbol <Daten filtern>. - - - - ▶ 🔽
c) Wähle den Indikator <HDI 2013> aus und formuliere die Abfragebedingung, indem du die passende Relation wählst und den Grenzwert eingibst. (HDI 2013 > 0.9).
d) Klicke auf <Anwenden>.

5. Schritt: Ergebnisse betrachten
a) Klicke mit dem Mauszeiger auf die blau umrandeten Länder in der Karte und betrachte die Länderdaten.
b) Betrachte die ausgewählten Länder in der Treffertabelle.
c) Klicke auf „Nur Auswahl anzeigen".

6. Schritt: Fragestellung beantworten
Notiere die Länder und ihre HDI-Werte mit sehr hohem HDI-Wert im Jahre 2013 in einer Tabelle und beschreibe ihre räumliche Verteilung auf der Erde.

⊕ **Surftipp**
WebGIS Tipps
y557r7

⊕ **Material**
Arbeitsblatt zu Aufgabe 1
y557r7

Karte vergrößern/verkleinern

Die **Länderinformationen** liegen als Tabellen im Hintergrund und können aufgerufen werden.

Aufheben der Auswahl von Ländern

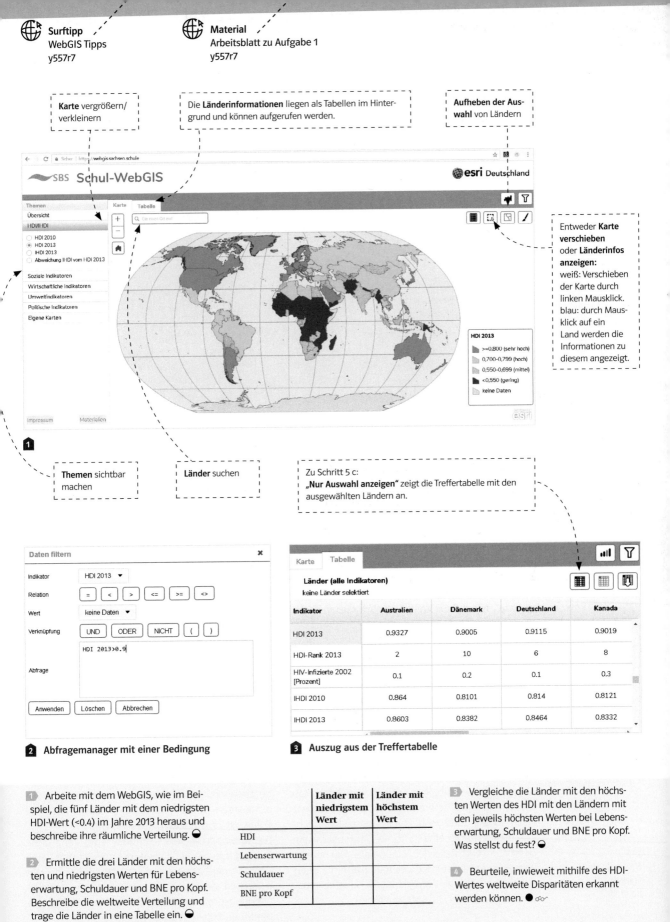

Entweder **Karte verschieben** oder **Länderinfos anzeigen:**
weiß: Verschieben der Karte durch linken Mausklick.
blau: durch Mausklick auf ein Land werden die Informationen zu diesem angezeigt.

Themen sichtbar machen

Länder suchen

Zu Schritt 5 c:
„Nur Auswahl anzeigen" zeigt die Treffertabelle mit den ausgewählten Ländern an.

1

2 Abfragemanager mit einer Bedingung

3 Auszug aus der Treffertabelle

Treffertabelle:

Indikator	Australien	Dänemark	Deutschland	Kanada
HDI 2013	0.9327	0.9005	0.9115	0.9019
HDI-Rank 2013	2	10	6	8
HIV-Infizierte 2002 [Prozent]	0.1	0.2	0.1	0.3
IHDI 2010	0.864	0.8101	0.814	0.8121
IHDI 2013	0.8603	0.8382	0.8464	0.8332

1 Arbeite mit dem WebGIS, wie im Beispiel, die fünf Länder mit dem niedrigsten HDI-Wert (<0.4) im Jahre 2013 heraus und beschreibe ihre räumliche Verteilung. ●

2 Ermittle die drei Länder mit den höchsten und niedrigsten Werten für Lebenserwartung, Schuldauer und BNE pro Kopf. Beschreibe die weltweite Verteilung und trage die Länder in eine Tabelle ein. ●

	Länder mit niedrigstem Wert	Länder mit höchstem Wert
HDI		
Lebenserwartung		
Schuldauer		
BNE pro Kopf		

3 Vergleiche die Länder mit den höchsten Werten des HDI mit den Ländern mit den jeweils höchsten Werten bei Lebenserwartung, Schuldauer und BNE pro Kopf. Was stellst du fest? ●

4 Beurteile, inwieweit mithilfe des HDI-Wertes weltweite Disparitäten erkannt werden können. ● ⚭

AFB II: 1, 2, 3   AFB III: 4

1

Eine Welt – geteilte Welt – auch 2030?

Ende September 2015 war das Hauptgebäude der Vereinten Nationen Projektionsfläche für eine ganz besondere Darbietung. Nachdem sich alle Mitgliedstaaten der Vereinten Nationen geeinigt hatten, wie die Entwicklung der Welt bis 2030 sein soll, erstrahlte das UN-Hauptgebäude in New York in den bunten Logos (Grafik 2) der gerade beschlossenen „nachhaltigen Entwicklungsziele". Wie soll die Welt 2030 nach diesen Vorstellungen aussehen?

Wie du in den vorangegangenen Seiten dieses Kapitels gesehen hast, ist unsere Welt trotz aller bereits erreichten Verbesserungen noch immer von großer Ungleichheit geprägt. Zu den zentralen Zielen der Vereinten Nationen zählt, diese Ungleichheit zu überwinden. Zumindest aber soll allen Menschen im Sinne der nachhaltigen Entwicklung ein gutes, friedliches, weder von Hunger oder Angst noch von vermeidbaren Krankheiten oder Krieg geprägtes Leben ermöglicht werden. Der Schutz der Umwelt ist dafür ebenso wichtig wie wirtschaftlicher Erfolg, das respektvolle gesellschaftliche Miteinander und eine gute Regierungsführung. Denn nur wenn diese vier Aspekte des „Nachhaltigkeitsvierecks" zusammen gelingen, kann die angestrebte nachhaltige Entwicklung in Gang kommen und eine friedliche Zukunft entstehen.

Bereits zur Jahrtausendwende hatten sich die Vereinten Nationen daher auf ein Entwicklungsprogramm bis zum Jahr 2015 geeinigt: den Milleniumsentwicklungszielen. Viele der damals vereinbarten Ziele konnten erreicht werden, vieles – wie die Halbierung der Armut – nicht. Aus dieser Erfahrung lernten die Vereinten Nationen und einigten sich nun auf die insgesamt 17 **nachhaltigen Entwicklungsziele** der „Agenda 2030". In dieser wird beschrieben, wie die Welt dann aussehen soll. Dabei werden Umwelt, Wirtschaft, Gesellschaft und Politik gleichermaßen berücksichtigt.

Die Vereinbarung legt fest, dass jedes Land diese Zielvorgaben verwirklichen muss. Es ist also keine Vorgabe der reicheren Länder gegenüber den ärmeren Ländern, sondern ein wirkliches Weltentwicklungsprogramm, an dem jeder Einzelne teilnimmt und dazu beiträgt, dass es gelingt.

← Nachhaltigkeitsviereck
Seite 11

2 Die 17 Global Goals der Agenda 2030

Die 17 nachhaltigen Entwicklungsziele (= Sustainable Development Goals (SDG), auch „Global Goals" genannt

Ziel 1: Armut in jeder Form und überall beenden.

Ziel 2: Den Hunger beenden, Ernährungssicherheit und eine bessere Ernährung erreichen und eine nachhaltige Landwirtschaft fördern.

Ziel 3: Ein gesundes Leben für alle Menschen jeden Alters gewährleisten und ihr Wohlergehen fördern.

Ziel 4: Inklusive, gerechte und hochwertige Bildung gewährleisten und Möglichkeiten des lebenslangen Lernens für alle fördern.

Ziel 5: Geschlechtergerechtigkeit und Selbstbestimmung für alle Frauen und Mädchen erreichen.

Ziel 6: Verfügbarkeit und nachhaltige Bewirtschaftung von Wasser und Sanitärversorgung für alle gewährleisten.

Ziel 7: Zugang zu bezahlbarer, verlässlicher, nachhaltiger und zeitgemäßer Energie für alle sichern.

Ziel 8: Dauerhaftes, inklusives und nachhaltiges Wirtschaftswachstum, produktive Vollbeschäftigung und menschenwürdige Arbeit für alle fördern.

Ziel 9: Eine belastbare Infrastruktur aufbauen, inklusive und nachhaltige Industrialisierung fördern und Innovationen unterstützen.

Ziel 10: Ungleichheit innerhalb von und zwischen Staaten verringern.

Ziel 11: Städte und Siedlungen inklusiv, sicher, widerstandsfähig und nachhaltig machen.

Ziel 12: Für nachhaltige Konsum- und Produktionsmuster sorgen.

Ziel 13: Umgehend Maßnahmen zur Bekämpfung des Klimawandels und seiner Auswirkungen ergreifen.

Ziel 14: Ozeane, Meere und Meeresressourcen im Sinne einer nachhaltigen Entwicklung erhalten und nachhaltig nutzen.

Ziel 15: Landökosysteme schützen, wiederherstellen und ihre nachhaltige Nutzung fördern, Wälder nachhaltig bewirtschaften, Wüstenbildung bekämpfen, Bodenverschlechterung stoppen und umkehren und den Biodiversitätsverlust stoppen.

Ziel 16: Friedliche und inklusive Gesellschaften im Sinne einer nachhaltigen Entwicklung fördern, allen Menschen Zugang zur Justiz ermöglichen und effektive, rechenschaftspflichtige und inklusive Institutionen auf allen Ebenen aufbauen.

Ziel 17: Umsetzungsmittel stärken und die globale Partnerschaft für nachhaltige Entwicklung wiederbeleben.

3

---

1 Beschreibe die Zeichnung 1. ○

2 Erkläre die Zielsetzung der „Agenda 2030". ◐

3 Erkläre das Nachhaltigkeitsviereck auf Seite 11. ◐ ∞

4 Ordne mindestens acht nachhaltige Entwicklungsziele (3) den einzelnen Szenen der Zeichnung 1 zu. ◐

AFB I: 1   AFB II: 2, 3, 4

1   Das Hellenstein-Gymnasium in Heidenheim a. d. Brenz

3   Im Hellenstein-Gymnasium in Heidenheim a. d. Brenz

Schulprojekte – auf Augenhöhe voneinander lernen

„Global Players" nennt sich eine deutsch-indische Schülerprojektgruppe am Hellenstein-Gymnasium in Heidenheim, das bereits mehrfach bedeutende Preise gewonnen hat. Damit nicht genug. Die Schule ist die erste „Fairtrade-Schule" in Baden-Württemberg und eröffnet Schülerinnen und Schülern vielfältige Möglichkeiten, sich zugunsten einer nachhaltigen Entwicklung zu engagieren. Wie geht das?

Heidenheim
DEUTSCHLAND
Mumbai
INDIEN

2

→

**Staatliches Entwick-
lungsprojekt**
Seite 120/121

→

Fairtrade
Seite 184/185

Von außen wirkt das Hellenstein-Gymnasium im Osten Baden-Württembergs wie eine ganz normale Schule. Doch seit einigen Jahren hat sich die Schule auf den Weg gemacht, einen eigenen Beitrag zur nachhaltigen Entwicklung zu leisten. Damit sich alle am Schulleben Beteiligten in den Bereichen Wirtschaft, Umwelt und Gesellschaft engagieren und gerecht und verantwortlich handeln können, mussten einige Entscheidungen getroffen werden. So wurde ermöglicht, dass im normalen Unterricht sowie in eigens dafür eingerichteten AGs und Projektgruppen die dafür erforderliche Zeit zur Verfügung steht, selbst aktiv zu werden.

Wie an vielen Schulen, so gab es auch in Heidenheim seit einigen Jahren einzelne Schulprojekte zu den Themen Umweltschutz und Schüleraustausch. Doch nun wurden diese Einzelmaßnahmen zu einem richtigen Nachhaltigkeitsprogramm für verschiedene Klassenstufen zusammengeführt. Die größten Bausteine dieses Programms sind im Moment das Projekt „Fairtrade" und der seit 2009 bestehende Schulaustausch mit der „Delhi Public School" in Mumbai, einer der größten Städte Indiens. Weitere globale Projekte wurden in Angriff genommen, wie die Zusammenarbeit mit dem „Hope Theatre" aus Kenia, das Jugendlichen aus Armutsvierteln durch Theaterspielen Chancen eröffnet.

Fairtrade-Schule/School

Seit 2013 ist das Hellenstein-Gymnasium anerkannte Fairtrade-Schule/School – die damals erste des Landes. Im Schulalltag bedeutet das, dass im Pausenverkauf regionale und fair gehandelte Produkte angeboten werden, und Aktionstage zu wechselnden Themen – etwa ein faires Klimafrühstück – im Jahresverlauf fest auf dem Programm stehen. Hier geben ältere Schülerinnen und Schüler an Lernstationen ihr Wissen jeweils an die Jüngeren weiter.

Um als Fairtrade-School anerkannt zu werden, müssen folgende fünf Kriterien erfüllt sein:

Kriterium 1: Gründung eines Fairtrade-Schulteams bestehend aus Lehrerinnen, Lehrern, Schülerinnen, Schülern, Eltern sowie weiteren Interessierten.

Kriterium 2: Erstellen eines Fairtrade-Kompasses, der vom Schulleiter/der Schulleiterin unterzeichnet werden muss.

Kriterium 3: Verkauf und Verzehr von fair gehandelten Produkten an der Schule.

Kriterium 4: In mindestens zwei Klassenstufen muss in mindestens zwei unterschiedlichen Fächern der faire Handel im Unterricht behandelt werden.

Kriterium 5: Mindestens einmal im Schuljahr muss es eine Schulaktion zum Thema Fairtrade geben.

4 In der Delhi Public School (DPS) in Mumbai (Indien)

7 Die Schülerfirma Global Players

Globale Begegnung

Die Delhi Public School (DPS) Navi Mumbai in Indien und das Hellenstein-Gymnasium (HG) pflegen seit 2009 eine Partnerschaft. Im zweijährigen Rhythmus findet ein Schüleraustausch für die Klassen 9 und 10 statt, der die Heidenheimer im Herbst zunächst für drei Wochen nach Mumbai führt. Dort leben sie in Gastfamilien, besuchen den Schulunterricht an der DPS und arbeiten an einem gemeinsamen Projekt. Im Frühjahr des folgenden Jahres kommen die indischen Schülerinnen und Schüler für drei Wochen nach Heidenheim.

Der Indienaustausch findet auf Augenhöhe statt. Es geht nicht darum, die andere Kultur verändern oder entwickeln zu wollen. Sowohl die indischen als auch die deutschen Schülerinnen und Schüler hinterfragen ihr eigenes Leben und versuchen die Perspektive zu wechseln, um möglichst viel von den Austauschpartnern zu lernen.

Aus einem Austauschprojekt heraus entstand auf Wunsch der Schülerinnen und Schüler die nachhaltige Schülerfirma „Global Players S-GbR", sodass die Austauschgruppe ihr Projekt nicht nur während des Austausches, sondern über mehrere Jahre fortführt.

5

„Global Players" entwickeln Samana

Über 1 400 Jahre lang entwickelte sich in einem globalen Prozess aus dem indischen Spiel „Pachisi" das beliebte „Mensch-ärgere-dich-nicht". Diesen Vorgang haben die indischen und deutschen Schülerinnen und Schüler nachgeahmt. Aus dem indischen Sportspiel „Kabaddi" entwickelten sie gemeinsam das neue spannende Brettspiel „Samana". Durch Kreativität und globale Freundschaften wurde damit etwas ganz Neues geschaffen. Anschließend gründeten die Schülerinnen und Schüler die nachhaltige Schülerfirma „Global Players S-GbR". Diese produziert nun Samana wie ein kleines Unternehmen aus nachhaltigen Materialien und so fair wie möglich. Das Spielbrett wird z. B. aus ökologisch zertifiziertem Holz ausgefräst und die Stoffsäckchen für die Spielsteine werden aus gebrauchten indischen Saristoffen „upgecycelt". Verkauft wird das Spiel über das Internet oder im Heidenheimer Weltladen. Über das Spiel und seine Entstehungsgeschichte soll die Idee der Zusammenarbeit auf Augenhöhe und des fairen Handels in die Welt getragen werden. Der Gewinn kommt der Schülerfirma, dem Indienaustausch und sozialen Einrichtungen zu Gute.

6

8

9

---

1 Beschreibe die Aktivitäten des Hellenstein-Gymnasiums in Heidenheim. ○

2 Informiere Dich über den aktuellen Stand der Fairtrade-Schulen in deiner Region. Nutze dazu die Internetseite: https://www.fairtrade-schools.de/. ◗

3 Beurteile den Beitrag des Hellenstein-Gymnasiums für eine nachhaltige Entwicklung. ◗

4 Informiere dich über Nachhaltigkeitsprojekte an deiner Schule. ◗

5 Entwickle Ideen für deinen eigenen Beitrag zu einer nachhaltigen Entwicklung. ● ⚭

AFB I: 1   AFB II: 2, 4   AFB III: 3, 5

TERRA TRAINING

Wichtige Begriffe	Disparität	Gesundheits-	Hunger
Armut	Entwicklungs-	versorgung	nachhaltige
Bildung	zusammenarbeit	HDI	Entwicklungsziele

Sich orientieren

1 Wer kennt die Welt? ○

Nenne jeweils drei Länder,

a) in denen Wohlstand weit verbreitet ist;

b) in denen Armut weit verbreitet ist;

c) in denen Hunger ein großes Problem darstellt;

d) in denen Überernährung ein Problem darstellt;

e) in denen die Gesundheitsversorgung nicht gesichert ist;

f) in denen die Gesundheitsversorgung sehr gut ist;

g) in denen sehr gute Bildungsangebote gegeben sind;

h) in denen kaum Bildungsangebote verfügbar sind.

Benenne diese Länder deinem Lernpartner und lasse sie auf einer Weltkarte zeigen.

Kennen und verstehen

2 Richtig oder falsch? ○

a) Die Lebenserwartung ist weltweit in etwa gleich, nämlich 75 Jahre.

b) Die Bildungsmöglichkeiten für Mädchen sind in Entwicklungsländern vielmals eingeschränkt.

c) Anhand des Human Development Index kann man den Entwicklungsstand eines Landes erkennen.

d) Der Human Development Index wird aus der durchschnittlichen Lebenserwartung, der Anzahl der Pkw pro Person und der Wirtschaftsleistung eines Landes berechnet.

e) Deutschland ist eines der reichsten Länder der Erde.

f) In Deutschland gibt es keine Armut.

g) In den nachhaltigen Entwicklungszielen ist festgelegt, wie die Welt bis 2030 entwickelt sein soll.

3 Bilderrätsel ◖

a) Löse die Bilderrätsel

b) Erkläre die Begriffe. ◖

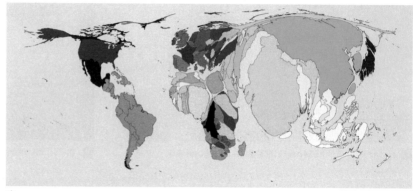

1 Bevölkerung weltweit

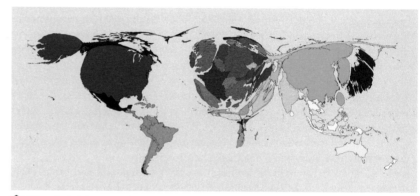

2 Wirtschaftsleistung weltweit

4 Nenne mindestens fünf nachhaltige Entwicklungsziele. ○

5 Armut bekämpfen

a) Beschreibe das Bild 3. ○

b) Formuliere eine Überschrift. ◖

c) Gestalte für die Vereinten Nationen ein drittes Bild für das Jahr 2030. Berücksichtige dabei die SDGs (Sustainable Development Goals). ●

Fachmethoden anwenden

6 Karten auswerten ◖

Arbeite mit den beiden „anamorphen Weltkarten". Sie stellen Themen, wie hier „Bevölkerung" oder „Wirtschaftsleistung" im Vergleich zu ihrer Fläche dar. Leben in einem Land also etwa

Material
Selbsteinschätzung
y557r7

Material
Kompetenzcheck
y557r7

Lernen im Netz
Interaktive Übungen
y557r7

Lebenserwartung   SDG
Reichtum   Unterernährung

3

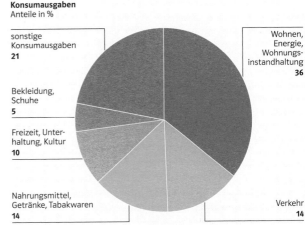

Konsumausgaben
Anteile in %

sonstige
Konsumausgaben
21

Bekleidung,
Schuhe
5

Freizeit, Unter-
haltung, Kultur
10

Nahrungsmittel,
Getränke, Tabakwaren
14

Wohnen,
Energie,
Wohnungs-
instandhaltung
36

Verkehr
14

4 Durchschnittliche Ausgaben der Deutschen/Jahr (Stand 2014)

sehr viele Menschen und ist dieser Anteil an der Weltbevölkerung größer als der Anteil der Landesfläche an der Erdoberfläche, dann wird das Land viel größer als in den dir vertrauten Welt-karten dargestellt.

Nenne jeweils vier Länder

a) mit einer besonders großen Bevöl-kerung;

b) mit einer sehr kleinen Bevölkerung.

c) mit einem großen Anteil an der Weltwirtschaft;

d) mit einem sehr kleinen Anteil an der Weltwirtschaft;

e) in der bei kleiner Bevölkerung eine große Wirtschaftsleistung erbracht wird;

f) in denen bei großer Bevölkerung eine sehr kleine Wirtschaftsleistung erbracht wird.

7 Mit dem Web-GIS arbeiten

a) Ermittle den Lebenserwartung in Deutschland, Indien und Haiti. ◒

b) Ermittle die Gesundheitsvorsorge für die drei Länder. ◒

c) Stelle Zusammenhänge her. ●
Solltest du keinen Internetzugang haben, bearbeite die Aufgabe mit den Strukturdaten auf der Seite 224.

8 Ein Schaubild auswerten ◒

a) Besteht die Gefahr, in Deutschland Hunger zu leiden? Beurteile diese Frage mithilfe von Diagramm 4.

b) Vergleiche die Ausgaben mit den prozentualen Ausgaben der eige-nen Familie. Befrage dazu deine Eltern.

Beurteilen und bewerten

9 Entwicklungsstände einschätzen ●

a) Bewerte die Länder nach deiner Meinung als arm oder reich: Frankreich, Niger, Singapur, USA.

b) Erstelle eine Reihenfolge und überprüfe diese mithilfe des HDI.

10 Projekte beurteilen ●
Projekt 1: Ziel eines Projektes in Boli-vien ist es, die Förderung der Mädchen durch Schulbesuch und Berufsaus-bildung voranzubringen.
Projekt 2: Ziel eines Schulprojektes ist es, Geld für eine Partnerschule zu sammeln und gemeinsam Maßnahmen gegen den Klimawandel zu entwickeln. Beurteile jeweils die Bedeutung der Projekte für die SDG (Seite 115).

Am Ende kannst du ...

– den Entwicklungsstand verschiedener Länder charak-terisieren,

– mit dem Web-GIS informatio-nen über den Entwicklungs-stand von Ländern ermitteln,

– Disparitäten in der Einen Welt am Beispiel von Ernährung, Gesundheit, Bildung oder Ein-kommen analysieren,

– Lösungsstrategien entwickeln und deren Umsetzbarkeit hin-terfragen,

– ein (Schul-)Projekt der Ent-wicklungszusammenarbeit hinsichtlich der Verbesserung der Lebensverhältnisse an-hand ausgewählter nach-haltiger Entwicklungsziele (SDG) beurteilen.

TERRA
FÜR DICH

Staatliche Entwicklungsprojekte:
„Mit gutem Kakao zu bescheidenem Wohlstand". So lautet das Ziel eines Regional-

entwicklungsprogramms für Westafrika, das das Bundesministerium für wirtschaftliche Zusammenarbeit und Entwicklung

**Wähle
aus!**

1 Arbeite die Verbesserungen im Leben von Agnès und Nikouette heraus. (Text 5) ◐

2 Erläutere die Schwierigkeien, mit denen sie als Kleinbäuerinnen in Westafrika konfrontiert sind. (Text 1) ◐

3 Stelle die Projektstrategie der GIZ zur Überwindung dieser Schwierigkeiten dar. (Text 1) ◐

4 Beurteile die Wirkung des Regionalprojektes Kakao mit Blick auf die nachhaltigen Entwicklungsziele (SDG). ●

Projekt: „Mit gutem Kakao zu bescheidenem Wohlstand"

Ein Projekt der **Entwicklungszusammenarbeit** wird gründlich geplant. Zunächst analysieren Entwicklungsexperten die Ausgangslage, ehe das Ziel des Entwicklungsprojektes, die Vorgehensweise und die dazu notwendigen Maßnahmen festgelegt und verwirklicht werden können.

Die Ausgangslage

Kakao ist in West- und Zentralafrika eines der wichtigsten Agrarprodukte und eine der bedeutendsten Devisenquellen. Die Region liefert über 70 Prozent des weltweit produzierten Kakaos. Auf einer Anbaufläche von insgesamt fünf bis sechs Millionen Hektar wird Kakao hauptsächlich von Kleinbauern auf Flächen von bis zu zwei Hektar angebaut. Das „braune Gold" ist die wichtigste Einkommensgrundlage für über 2 Millionen Kleinbauern und ihre Familien. Zusätzliche Einkommen stammen meist aus der Nahrungsmittelproduktion.

Doch die Erträge von Kakao und anderen Nahrungsprodukten sind niedrig. Die Familien der Kakao-Kleinbauern müssen durchschnittlich mit weniger als 2 US-Dollar pro Person und Tag auskommen. Vielen Kakaoerzeugern fehlen finanzielle Ressourcen, technisches Wissen und insbesondere unternehmerische Fähigkeiten, um moderne Technologien und wachsende Agrarmärkte für eine Einkommenssteigerung zu nutzen. Die hohe Abhängigkeit von der Kakaoproduktion als Einkommensquelle und

stark schwankende Weltmarktpreise führen zu Verarmung, Mangelernährung und sozialen Problemen wie Kinderarbeit.

Die Zielsetzung

West- und zentralafrikanische Kleinbauern und -bäuerinnen sollen ihre Einkommen und ihre Nahrungsversorgung aus vielfältigem Anbau nachhaltig verbessern.

Die Vorgehensweise

350 000 Kleinbauern und -bäuerinnen in Côte d'Ivoire, Ghana, Togo, Nigeria und Kamerun sollen in Unternehmensorganisation geschult werden. Dazu unterstützt die **GIZ*** öffentliche und private ländliche Beratungsdienste. Die Kakaobauern lernen in sogenannten „Farmer Business Schools" (FBS), wie sie die Produktion von Kakao und Nahrung besser planen können, welche Kosten mit verbesserten Anbautechniken verbunden sind und wie sie mit gezielten Investitionen ihre Erträge und Einkommen steigern können. Dazu gehört technische Beratung und Schulung, der Überblick über die Marktsituation sowie Informationen über gesunde Ernährung.

Die Wirkungen

Zusammen mit 20 lokalen Partnern hat das Vorhaben das Schulungsprogramm der Farmer Business Schools zur Stärkung von Unternehmerfähigkeiten entwickelt. Seit 2010 wurden mehr als

230 000 Bauern ausgebildet, über ein Viertel davon Frauen.

Die Absolventen der FBS planen ihre Produktion, halten Einnahmen und Ausgaben fest und ermitteln so Einkommen und Gewinne. Auf dieser Grundlage investieren sie gezielt in bessere Produktionsverfahren, etwa beim Schälen oder Trocknen der Kakaobohnen und eine bessere Lagerung.

70 bis 99 Prozent der befragten Landwirte haben die Erträge von Kakao und anderen Nahrungsprodukten wie Mais um 50 bis 100 Prozent verbessert. Über 60 Prozent haben Konten bei ländlichen Banken eröffnet und sparen Geld als Eigenkapital für neue Kredite an. Etwa ein Drittel dieser neuen Bankkunden hat bereits Kredite für die Kakao- oder Nahrungsmittelproduktion erhalten.

Um ihre Stellung am Markt zu verbessern, ist ein Drittel der Ausgebildeten einer Erzeugergemeinschaft beigetreten. Nahezu die Hälfte der Absolventen hat sich zu Erzeugergemeinschaften zusammengeschlossen. Das jährliche Einkommen aus landwirtschaftlicher Produktion hat sich erhöht: Das Einkommen aus Nicht-Kakaoprodukten, vor allem aus der Nahrungsmittelproduktion und der Verringerung der Lagerungsverluste, hat sich mehr als vervierfacht. Die Ernährung ihrer Familien hat sich in Menge und Qualität verbessert.

* GIZ=Deutsche Gesellschaft für internationale Zusammenarbeit (GIZ)

Verändert nach: https://www.giz.de/de/weltweit/16002.html. Download am 27.11.2016

(BMZ) seit einigen Jahren umsetzt. Kakaobauern und -bäuerinnen sollen zu Unter-
nehmern und Unternehmerinnen werden.

Aber wie kann dieses Ziel ganz konkret
für die Menschen in Westafrika erreicht
werden?

2 Kakao-Kooperative

4 Farmer Business School

**Nachhaltige kleinbäuerliche Kakao- und
Nahrungswirtschaft in West- und Zentralafrika**

Programmkurzbeschreibung:
Bezeichnung
– Nachhaltige kleinbäuerliche Kakao- und Nahrungs-
  wirtschaft
Auftraggeber
– Bundesministerium für wirtschaftliche Zusammen-
  arbeit und Entwicklung (BMZ)
Land
– Nigeria, Ghana, Kamerun, Côte d'Ivoire, Togo
Politischer Träger
– Ghana: Ghana Cocoa Board
– Côte d'Ivoire: Ministère de l'Agriculture
– Nigeria: National Planning Commission
– Kamerun: Ministère de l'Economie, de la Planification
  et de l'Aménagement du Territoire
– Togo: Ministère de l'Agriculture, de l'Elevage et de
  la Pêche
Gesamtlaufzeit
– 2014 bis 2018

https://www.giz.de/de/weltweit/16002.html

3

**Erfolgreiche Absolventinnen
des Projektes**

Agnès Kacou Koumatia aus Djangobo im Osten von Côte
d'Ivoire nahm 2010 an der ersten „Farmer Business School"
des Landes teil. Seit der Ausbildung kümmert sie sich um
die Buchführung ihres Betriebes, hat ein Sparkonto eröffnet und organisiert die Vermarktung von Erzeugnissen ihrer
Frauengruppe. Sie produziert jetzt auch noch Reis und Yams
und erzielt damit ein zusätzliches Einkommen.

Nkouette Marguerite Eyebe aus Efok in Kamerun ist stolz
auf ihre Erfolge nach der „Farmer Business School" 2011:
„Ich plane meine Arbeit und habe meine Anbaufläche vergrößert. Als Mitglieder einer Gruppe verhandeln wir bessere
Preise für unsere Produkte und den Dünger, den wir brauchen. Mein Sparguthaben bei der Bank wächst. Neben Kakao
habe ich nun noch andere Einkommen – und habe die Ernährung meiner Familie verbessert!"

http://www.bmz.de/de/ministerium/ziele/2030_agenda/historie/MDGs_2015/un-
ser_beitrag/westafrika/westafrika_kasten.html (Zugriff amm 03.02.2017)

5

TERRA
FÜR DICH

Armut auch in Deutschland?
Deutschland zählt zu den reichsten Ländern der Welt. Rein statistisches. Dennoch gibt es Armut auch bei uns, in jeder Stadt oder Gemeinde, auch bei euch. Aber wie ist diese Armut verteilt?

Y Wähle aus!

1 Beurteile den Wohlstand Deutschlands im internationalen Vergleich. ◖

2 Gestalte einen Zeitungsartikel über die räumliche Verbreitung der Armut in Deutschland. ◖ 👓

3 Erläutere die Aussage „Armut ist Armut, egal ob in Südafrika oder in Deutschland". ●

4 Arm und Reich findet man in jeder Stadt, auch in deinem Umfeld. Recherchiere dazu im Internet. ●

1 Armutsquote nach Gruppen

3 Armut in Deutschland

Armutsquote 2014 (nach Raumordnungsregionen, in %)
< 10 | 10 – < 14 | 14 – < 16 | 16 – < 20 | > 20

Rang	Land	Durchschnittseinkommen	Rang	Land	Durchschnittseinkommen
1	Katar	146 012 Dollar	13	Niederlande	48 798 Dollar
2	Luxemburg	94 167 Dollar	14	Irland	48 787 Dollar
3	Singapur	84 821 Dollar	15	Australien	48 288 Dollar
4	Brunei	80 335 Dollar	16	Österreich	46 906 Dollar
5	Kuwait	71 601 Dollar	17	Schweden	46 386 Dollar
6	Norwegen	67 619 Dollar	18	Deutschland	46 166 Dollar
11	Saudi-Arabien	56 253 Dollar	19	Taiwan	45 997 Dollar
12	Bahrain	52 830 Dollar	20	Kanada	45 982 Dollar

2 Durchschnittseinkommen der 20 reichsten Länder

Entscheide dich, mit welchen Informationsmaterialien du arbeiten willst.

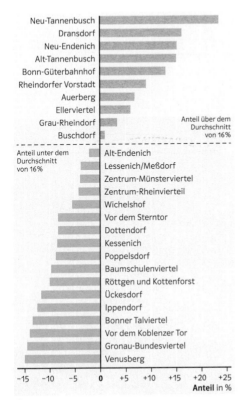

4 Hartz IV-betroffene Kinder in Bonn 2015

5 Verteilung der Hartz IV-Empfänger in Bonn, 2015

Seit Jahren und auch nach den neuesten Erkenntnissen sind in Deutschland ganz bestimmte Gruppen in der Gesellschaft sehr stark von Armut betroffen. Diese sind:

- etwa 800 000 alleinerziehende Mütter mit 839 000 Kindern,
- Familien mit drei oder mehr Kindern,
- Menschen ohne Einkommen, also Erwerbslose, aber auch zunehmend alte Menschen,
- Menschen ohne Schulabschluss oder Berufsausbildung, also einer geringen Qualifikation,
- Ausländer und
- Menschen mit einem Migrationshintergrund, die also aus anderen Teilen Europas oder der Welt nach Deutschland gekommen sind.

Verliert jemand seine Arbeit, dann bedeutet dies in Deutschland zumeist, dass die Betroffenen und ihre Familien in Armut abgleiten.

Was bedeutet Armut in Deutschland konkret? Im weltweiten Vergleich wird zwischen absoluter Armut und relativer Armut unterschieden, Armut ist also nicht gleich Armut.

Die „absolute Armut" stellt das Überleben eines Menschen infrage. Diese ist nach derzeitigem Verständnis dann gegeben, wenn eine Person weniger als 1,25 US$ pro Tag zur Verfügung hat. Diese Form von Armut ist vor allem in Entwicklungsländern verbreitet, kaum in Deutschland.

Demgegenüber spricht man in den reichen Ländern von „relativer Armut". Diese ist dann gegeben, wenn eine Person weniger als die Hälfte des Durchschnittseinkommens zur Verfügung hat. Relative Armut gefährdet nicht das bloße Überleben, führt aber zur Ausgrenzung, da sie den Betroffenen nicht ermöglicht am sozialen und kulturellen Leben teilzuhaben. Eintrittskarten für den Zoo, das Kino, das Theater oder das Schwimmbad sind dann kaum noch zu bezahlen.

Hartz IV ist die Zusammenführung von Arbeitslosengeld II (ALG II) und Sozialhilfe und wird gewährt wenn kein Anspruch bzw. kein Anspruch mehr auf Arbeitslosengeld I besteht.

„Vergleichsstudien bescheinigen Bonn seit vielen Jahren eine im weltweiten Vergleich herausragende Lebensqualität."
Bonn, 24.10.2016

„In Bonn lebt jeder 5. Minderjährige unter der Armutsgrenze"
Generalanzeiger Bonn, 18.10.2016

In Mannheim ist sogar jedes 4. Kind von Armut betroffen
Mannheimer Morgen, 18.10.2016

8

Auf der Suche nach Zukunft

1 Flüchtlingstreck auf dem Weg zur Grenze nach Ungarn in Belgrad, 4.10.2016

Seine Heimat verlässt kein Mensch ohne Grund. Viele gehen, weil sie dort keine Zukunft mehr haben. Sie werden vertrieben oder haben keine Möglichkeit sich und ihre Familien ausreichend zu versorgen. Oder die Fremde lockt mit der Aussicht auf ein besseres Leben.

Manche müssen auch gehen. Doch welche Ursachen liegen dafür vor? Wo fliehen die Menschen vor allem vor Krieg oder Hunger und welches sind die bevorzugten Zielländer, auf die sie ihre Hoffung für ein besseres Leben setzen?

2 Indische Bauarbeiter in Katar

Noch nie zuvor verließen so viele Menschen ihr Zuhause. Doch ohne Grund verlässt niemand seine Heimat.

Warum ist die Migration heute ein so bedeutendes Thema, von dem häufig in den Nachrichten berichtet wird?

Migration weltweit

Als im Jahre 2015 etwa 900 000 Menschen als **Flüchtlinge** nach Deutschland kamen, rückte das Thema ins Interesse und Bewusstsein vieler Bürger. Doch Flucht ist nur eine Form der weltweit vorkommenden **Migration**, bei der jemand seinen Wohnort dauerhaft und aus ganz unterschiedlichen Gründen verändert.

Auszug aus der Genfer Flüchtlingskonvention (1951, Artikel 33, Absatz 1)

Kein vertragsschließender Staat darf einen Flüchtling in irgendeiner Form in das Gebiet eines Landes ausweisen oder zurückstellen, wo sein Leben oder seine Freiheit wegen seiner Rasse, Religion, Staatszugehörigkeit, seiner Zugehörigkeit zu einer bestimmten sozialen Gruppe oder seiner politischen Anschauungen gefährdet wäre.

Zu Hause geht es nicht mehr ...

Die Menschen, die 2015 nach Deutschland kamen, waren ein Teil der 65 Millionen, die in diesem Jahr weltweit **unfreiwillig** auf der Flucht waren. Das entspricht etwa der Bevölkerungszahl von Frankreich. Die Hälfte von ihnen waren noch Kinder und Jugendliche. Pro Minute mussten in diesem Jahr 24 Menschen ihre Heimat verlassen.

Hinter jedem der 65 Millionen steckt ein Schicksal, eine Geschichte, die einzigartig ist. Doch lassen sich als Fluchtursachen Gemeinsamkeiten feststellen: politische und religiöse Verfolgung, ökonomische und soziale Probleme und ökologische Katastrophen. Viele Menschen haben aber nicht nur eine problematische Situation zu bewältigen. So führt für die meisten Menschen eine Kombination von mehreren Ursachen zur Flucht (z.B. Krieg und Dürre).

Nationale und internationale Flucht

21 Millionen Menschen waren im Jahr 2015 als Flüchtlinge in einem anderen Land. Nur drei Millionen Menschen haben weltweit in verschiedenen Ländern das **Menschenrecht** Asyl beantragt (in Deutschland im Jahre 2015 etwa 476 000). Dies war allerdings nur möglich, wenn sie als Flüchtlinge im Sinne der Genfer Konvention anerkannt wurden.

Nur ein geringer Teil davon schaffte es in Länder, in denen sie für sich eine Zukunftsperspektive auf ein menschenwürdigeres Leben sahen. Die meisten, nämlich 41 Millionen, waren **Binnenvertriebene/Binnenflüchtlinge** im eigenen Land. Umgerechnet waren das im Jahr 2015 neun von zehn Flüchtlingen, die in wirtschaftlich weniger entwickelten Ländern des globalen Südens blieben. Viele sind somit auf die Hilfe der internationalen Staatengemeinschaft angewiesen.

Herkunftsländer		
1.	Syrien	4,9 Mio.
2.	Afghanistan	2,7 Mio.
3.	Somalia	1,12 Mio.
4.	Südsudan	0,8 Mio.
5.	Sudan	0,6 Mio.
6.	D. R. Kongo	0,5 Mio.
7.	Zentralafrika	0,5 Mio.
8.	Myanmar	0,5 Mio.
9.	Eritrea	0,4 Mio.
10.	Kolumbien	0,3 Mio.

Aufnahmeländer		
1.	Türkei	2,5 Mio.
2.	Pakistan	1,6 Mio.
3.	Libanon	1,1 Mio.
4.	Iran	0,9 Mio.
5.	Deutschland	0,9 Mio.
6.	Äthiopien	0,7 Mio.
7.	Jordanien	0,7 Mio.
8.	Kenia	0,6 Mio.
9.	Uganda	0,5 Mio.
10.	Republik Kongo	0,4 Mio.

1 Mindmap Ursachen der Migration

2 Die zehn größten Herkunfts- und Aufnahmeländer von Flüchtlingen (2015)

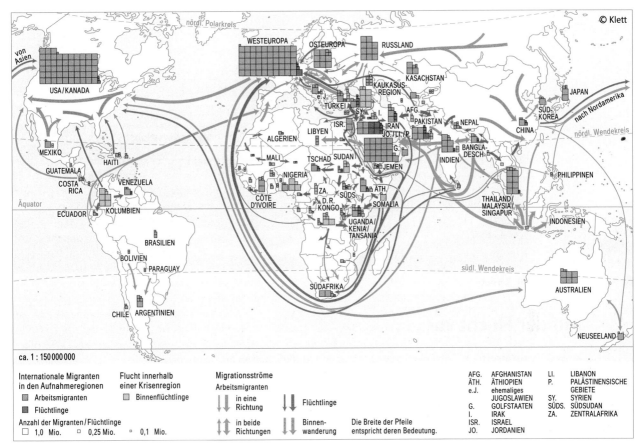

3 Migration weltweit

Die **UNHCR** ist die Organisation der Vereinten Nationen (UNO), die sich sowohl um Flüchtlinge als auch um Binnenvertriebene und Asylsuchende kümmert. Sie hilft bei Versorgung und Unterkunft, z. B. in Flüchtlingslagern, beim Schutz der Menschenrechte, bei der Rückkehr in die Heimat oder bei der Neuansiedlung in einem Aufnahmeland.
Die UNHCR orientiert sich für die Anerkennung als Flüchtlinge an der Genfer Konvention, in der z. B. Umweltflüchtlinge noch nicht berücksichtigt sind. Ebenso wie die UNHCR helfen viele Zielländer den Flüchtlingen innerhalb ihrer Möglichkeiten.

Hoffen auf bessere Bedingungen

Wer **freiwillig** seinen Heimatort verlässt, macht dies häufig aus wirtschaftlichen Gründen, mit der Perspektive auf bessere Lebensbedingungen. Deswegen findet man in Statistiken und Karten für diese Form der Migration häufig die Bezeichnung **Arbeitsmigration/Wirtschaftsmigration**.
Im Jahr 2000 waren es weltweit 173 Millionen Menschen, die freiwillig oder unfreiwillig nicht mehr in ihrem Geburtsland lebten. Im Jahr 2015 waren es 244 Millionen Menschen. Wie viele sind es in diesem Jahr und wie viele werden es zukünftig sein?

→ Umweltflucht Seite 128/129
→ Flucht Seite 130/131
→ Arbeitsmigration Seite 132/133

1. Aus welchen Ländern kommen deine Vorfahren. Erforsche, falls möglich, deine Migrationsgeschichte.
2. Zeichne die Mindmap 1 ab und ergänze sie mithilfe der folgenden Seiten.
3. Erläutere die Unterschiede zwischen Flucht und Migration.
4. Werte die Tabelle 2 aus. Beachte die geographische Lage der Länder.

5. Werte Karte 3 aus:
a) Nenne fünf Länder, aus denen viele Flüchtlinge kommen.
b) Nenne die Regionen, die besonders viele Flüchtlinge aufnehmen.
c) Nenne die Regionen, in denen die meisten Migrationsströme ankommen.
d) Beschreibe Ströme der Arbeitsmigration.
e) Beschreibe die Migrationsbewegungen auf dem afrikanischen Kontinent.
f) Ermittle die Anzahl der nach Westeuropa eingewanderten Flüchtlinge.

6. Diskutiert die Frage, welche Folgen Migration für die Herkunft- und Zielländer hat.

7. Nach der Unterrichtseinheit und der Vervollständigung der Mindmap: Ordne die Ursachen der Migration der freiwilligen und unfreiwilligen Migration zu und beurteile, in welchen Fällen die Zuordnung schwierig ist.

AFB II: 1, 2, 3, 4, 5, 6   AFB III: 7

KIRIBATI ⟶

Gilbert-In.

Linie-Inseln

Phönix-In.

KIRIBATI

Pazifischer Ozean

NEUSEELAND

├──────┤ 1000 km

1

3 Kiribati

Auf der Flucht vor ...

Kiribati ist ein Inselstaat, bestehend aus 33 Inseln und Atollen, mitten im Pazifischen Ozean. Wegen der Schönheit der Landschaft wird er auch „Kuss des Pazifiks" genannt. Doch wenn es so weitergeht, wird es dieses Land bald nicht mehr geben ...

Hallo, mein Name ist Kirita, ich bin 13 Jahre alt und lebe in dem Land Kiribati.

Ich gehe hier zur Schule, spiele mit meinen Freundinnen und Freunden Basketball und schwimme sehr gerne im direkt vor der Haustür liegenden Meer. Eigentlich ist Kiribati ein Paradies! Wenn da nicht die vielen Probleme wären.

Kiribati ist ein armes Land, mit wenig Möglichkeiten, den eigenen Lebensunterhalt zu verdienen. Wir haben keine Industrie, nur Fischfang und Tourismus helfen uns, über die Runden zu kommen. Wie auch mein Vater fahren viele Männer hier als Seemänner auf ausländischen Handelsschiffen zur See, um ihre Familien versorgen zu können. Sehr große Schwierigkeiten bereiten uns die in letzter Zeit häufiger und stärker auftretenden Wirbelstürme. Sie gefährden unsere Häuser und unser

Leben. Eine Wissenschaftlerin, die letztes Jahr hier war, hat uns in der Schule erklärt, wie das mit dem Klimawandel zusammenhängt. Aber die Stürme sind nicht die einzige Folge für uns, fast noch schlimmer sind die Überschwemmungen, denen unsere Schutzwälle nicht mehr standhalten können. Schon öfter stand das Wasser bei uns zu Hause einen halben Meter hoch. Weil die meisten Inseln nur etwa einen Meter über dem Meeresspiegel liegen, wird dann auch ein großer Teil des Landes überschwemmt. Viele Gebiete werden nicht mehr bewohnbar sein. Und das Meereswasser dringt in die Süßwasservorkommen ein, sodass wir kein Trinkwasser und kein Wasser mehr für die Landwirtschaft haben. Das führt zu hygienischen Problemen und damit verbunden schweren Erkrankungen und das bei unserer schlechten medizinischen Versorgung. Viele der Menschen auf den Nachbaratollen sind schon zu uns auf die Hauptinsel Tarawa gezogen und haben ihre

eigentliche Heimat verlassen, aus Angst, dass alles noch schlimmer wird. Einige haben auch schon Kiribati verlassen und in Neuseeland um Aufnahme gebeten. Doch dort wird noch darüber diskutiert, ob wir von den Inseln überhaupt „Flüchtlinge" sind, denen man erlaubt, im Land zu bleiben.

Natürlich verlässt niemand hier gerne seine Heimat, doch wir müssen überlegen, was wir tun, wenn die Folgen des Klimawandels uns die Heimat nehmen. Das macht mich traurig, weil ich meine Heimat doch sehr liebe.

Was, wenn ich irgendwo hingehen muss und dann nie wieder zurückkommen kann, weil Kiribati untergegangen ist? Ich fürchte, dass dies geschehen wird. Wir müssen etwas gegen den Klimawandel tun und dürfen nicht zulassen, dass der „Kuss des Pazifiks" für immer verschwindet.

verändert nach: UNICEF New Zealand: Climate change: "I Fear Kiribati Will Be Gone Forever": https://www.unicef.org.nz/news/2016/june/kirita (21.09.2016)

2

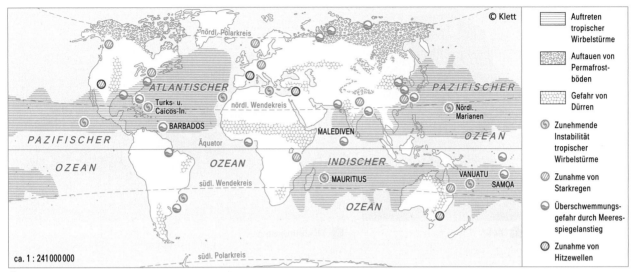

4 Durch Meeresspiegelanstieg, Überflutungen und Dürren besonders gefährdete Gebiete

Legend:
- Auftreten tropischer Wirbelstürme
- Auftauen von Permafrostböden
- Gefahr von Dürren
- Zunehmende Instabilität tropischer Wirbelstürme
- Zunahme von Starkregen
- Überschwemmungsgefahr durch Meeresspiegelanstieg
- Zunahme von Hitzewellen

© Klett

ca. 1 : 241 000 000

Umweltflucht

Das Hochwasser zerstört neben dem Haus auch die ganze Ernte, der Hurrikan fegt ganze Küstenabschnitte weg, die Dürre tötet das Vieh oder die Meeresfluten überschwemmen ganze Landstriche. Die Lebensgrundlage der betroffenen Menschen wird durch ein Naturereignis zerstört. Die Versorgung mit Wasser- und Nahrungsmitteln ist nicht mehr möglich. Den Betroffenen bleibt nichts anderes übrig, als für eine begrenzte Zeit oder dauerhaft ihre Heimat zu verlassen.

Einige Gebiete der Erde sind davon stärker betroffen als andere, weil dort mehr Naturereignisse (z. B. Erdbeben) auftreten oder der Klimawandel stärkere Veränderungen bewirkt (z. B. Hochwasser, Dürren). Entstehen große Schäden für Menschen, so werden Naturereignisse zu Naturkatastrophen. Manche Länder sind besser darauf vorbereitet, Naturereignisse zu überstehen, als andere, weil sie gut ausgebildete Hilfskräfte, eine gute medizinische Versorgung mit Ärzten und Krankenhäusern und eine besser arbeitende Regierung haben. So kommt es dort zu Naturkatastrophen geringeren Ausmaßes. Armut dagegen verschärft meistens die Auswirkungen von Naturkatastrophen.

Die Veränderung der Umweltbedingungen ist seit Jahrtausenden ein Hauptgrund für Migration. Heute jedoch beschleunigt der Klimawandel den Prozess. Dazu tragen die Industrieländer maßgeblich durch ihre Wirtschaftsweise bei. Entwicklungsländer, die daran am wenigsten beteiligt sind, werden aber am stärksten davon betroffen sein.

Die Umweltorganisation Greenpeace schätzt, dass heutzutage über 20 Millionen Menschen gezwungen sind aus Gründen der Umweltzerstörung oder des Klimawandels zu migrieren. Schätzungen gehen davon aus, dass es aufgrund des fortschreitenden Klimawandels bis zum Jahre 2050 bis zu 300 Millionen Menschen sein könnten. Das entspricht etwa der Einwohnerzahl der USA 2015.

Bisher fliehen die meisten innerhalb ihrer Heimatländer vor den verschiedenen Naturkatastrophen. Klima- und Umweltflüchtlinge, die ihr Land verlassen, werden jedoch rechtlich noch nicht als Flüchtlinge anerkannt, die den Kriterien der Genfer Flüchtlingskonvention entsprechen. Sie können damit ihr Menschenrecht auf Erhalt der Lebensgrundlage, angemessene Unterkunft, Nahrung, Wasser- und Sanitätsversorgung sowie Gesundheit nicht einfordern.

Naturereignis
Vorgang in der Natur, der ohne Zutun des Menschen naturgesetzlich abläuft

Naturgefahr
Naturereignisse, die Menschen gefährlich werden können

Naturkatastrophe
Naturereignis mit großen Schäden für den Menschen

→
Klimawandel
Seite 190 – 207

←
Wirbelstürme
Seite 20/21

1 Kiribatis Schicksal

a) Verorte die Inselgruppe Kiribati mithilfe des Atlas oder Google Earth in Karte 4. ○

b) Welche Zukunft siehst du für Kiribati und seine Bewohner? Begründe deine Überlegungen. ●

2 Auf der Flucht vor …

a) Ergänze die Überschrift (Vorschläge). ◗

b) Ergänze die Mindmap zu den Ursachen für Migration. ◗

c) Nenne die Gebiete, die vom Anstieg des Meeresspiegels betroffen sind. ○ ✀

d) Erkläre die Bedingungen, die Naturereignisse zu Naturkatastrophen werden lassen. ◗

e) Erkläre den Zusammenhang von Klima- und Umweltflucht. ◗

AFB I: 1a, 2c   AFB II: 1b, 2a, 2b, 2d, 2e

1

3 Amir

4 Flüchtlingsboot

Auf der Flucht vor ...

Seit dem Ausbruch des Bürgerkriegs im Jahre 2011 haben Hunderttausende Menschen ihr Leben verloren, Millionen mussten fliehen, wie auch Amir mit seiner Familie. Syrien wurde zum größten humanitären Notfall unserer Zeit.

Hallo, mein Name ist Amir, ich bin 13 Jahre alt und komme aus Tall Rifaat in Syrien.

Mit meinen Eltern habe ich 2015 unsere Heimatstadt im Norden Syriens verlassen. Ich bin dort geboren und meine Eltern hatten dort eine kleine Schneiderei. Vor dem Krieg führten wir ein ruhiges und normales Leben. Doch dann kam dieser Krieg. Die Situation in unserer Stadt war schrecklich. Jeden Tag schlugen Raketen in der Umgebung ein – wir waren zwischen den Fronten der Kriegsparteien. Wir haben viele Verwandte, Freunde und Nachbarn bei den Angriffen verloren. Als die Unruhen kein Ende mehr nahmen, verkauften wir unser Haus und gingen. Zuerst waren wir einige Zeit in Syrien unterwegs, bevor wir in die Türkei flohen. Dort verbrachten wir eine lange Zeit in einem Flüchtlingslager der UNHCR in Akçakale, im Süden der Türkei. Wir bekamen ein Zelt als Unterkunft und auch Nahrungsmittel. Die Menschen in der Türkei behandelten uns wie Gäste. Der Krieg tobt immer noch und in einem Flüchtlingslager fehlt einfach die Perspektive für die Zukunft. Die Entscheidung in Richtung Deutschland zu gehen, gab uns Hoffnung auf ein normales Leben. So ging es dann mit dem Bus nach Çeşme an der türkischen Küste, mit dem Ziel Griechenland. Die griechische Insel Chios ist hier zum Greifen nah, aber nur durch eine gefährliche Bootsfahrt zu erreichen. Schlepper organisierten uns die Fahrt. Das war aber so teuer, dass wir danach fast nichts mehr von unserem Ersparten hatten. Das alte Boot war 17 Meter lang und nahm etwa 300 Menschen auf. Es war so eng, dass ich kaum atmen konnte. Nach der Abfahrt des Bootes verschwanden die Schlepper. Wir waren auf uns alleine gestellt und ich dachte nicht, dass wir auf der anderen Seite ankommen würden. Zweimal wäre das Boot fast gekentert, aber wir kamen völlig durchgefroren und durchnässt auf Chios an. Nach der Fährfahrt zum griechischen Festland ging es auf tagelangen Fußmärschen, Zug- und Busfahrten auf der sogenannten „Balkanroute" über Mazedonien, Serbien, Ungarn, Österreich und dann bis nach Deutschland. Unterwegs erlebten wir Gutes und Schlechtes: Menschen, die uns geholfen haben, wie z.B. der Busfahrer, der sich so hilfsbereit um uns gekümmert hat, aber auch Grenzposten, die uns mit Tränengas vom Weitergehen abhalten wollten. Bei Wind und Wetter campierten wir in unserem kleinen Zelt. Zum Glück halfen uns Menschen mit Nahrungsmitteln, sodass der Hunger nicht unerträglich wurde. In Deutschland lebten wir zuerst in einer Aufnahmeeinrichtung in Bayern, wo wir auch registriert wurden, dann in einer Zeltstadt. Jetzt haben wir eine kleine Wohnung in der Nähe von Stuttgart und ich gehe in eine Vorbereitungsklasse, in der ich sehr viel Deutsch lerne. Meine Eltern haben zum Glück auch schon wieder eine Arbeit als Schneider gefunden. Mittlerweile haben wir auch eine Aufenthaltserlaubnis und können vorerst hier in Sicherheit bleiben. Ich mag Deutschland sehr, aber ob es meine neue Heimat wird oder ob ich wieder nach Syrien zurück soll – ich weiß es noch nicht.

2

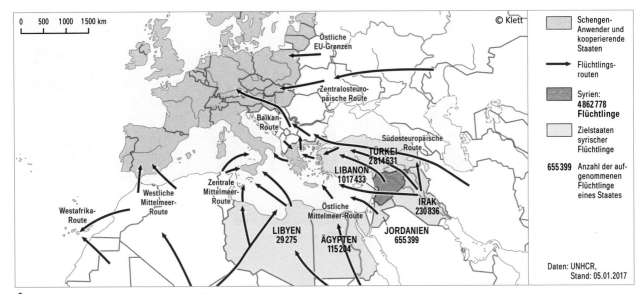

5 Flüchtlingsrouten nach Europa und in Nachbarländer

Flucht vor Krieg und Verfolgung

Die wachsende Zahl an gewaltsamen Konflikten (Verfolgungen, Bürgerkriege, Kriege) in vielen Regionen der Welt treibt Millionen von Menschen jährlich in die Flucht. In den Ländern mit den höchsten Flüchtlingszahlen bestanden oder bestehen gewaltsame Konflikte, so z. B. der Krieg in Syrien, die Bürgerkriege im Sudan und Südsudan, in Afghanistan und dem Irak. Außerdem sind z. B. die terroristischen Bedrohungen in Somalia und Nigeria eine weitere Fluchtursache. Im buddhistisch geprägten Myanmar werden Muslime, im Irak die Angehörigen der jesidischen Religion und im Nahen Osten und in Mali Christen zur Flucht gezwungen. Viele Konflikte haben ethnische, religiöse oder politische Hintergründe, die dann in Gewalt enden und damit viele Menschen durch Zerstörung ihrer Häuser, Vertreibung und Verfolgung treffen.

Finden dann die Menschen im eigenen Land als Binnenflüchtlinge keinen sicheren Ort mehr, suchen sie Schutz in Nachbarländern. Jedoch führen Armut und Unsicherheit in diesen Ländern häufig dazu, dass einige sich auf einen risikoreichen Weg in weiter entfernte Länder machen – dorthin, wo sie eine Perspektive sehen.

Auf der Flucht erhalten die Menschen Unterstützung vom Flüchtlingshilfswerk der UNO (UNHCR). Die Möglichkeit, dass verfolgte Menschen in anderen Ländern Zuflucht suchen können, ist in der Erklärung der Menschenrechte festgeschrieben. Die internationale Staatengemeinschaft hat dies 1951 in der Genfer Konvention bekräftigt, Deutschland hat diese im Grundgesetz aufgenommen.

Menschen aus Kriegsgebieten haben meistens einen Grund, der den Aufnahmekriterien der Länder entspricht. Jedoch besteht die Herausforderung in Zeiten globaler Flüchtlingsströme darin, dass viele Menschen für ihre Flucht nicht einen, sondern mehrere Gründe haben (Verfolgung, Bedrohung durch Gewalt, keine Arbeit usw.). Außerdem beantragen viele Menschen mit unterschiedlichen Gründen in den gleichen Ländern ihre Aufnahme. Dazu wird die Aufnahme durch die Zielländer sehr unterschiedlich geregelt. Einige reagieren mit sehr strengen Aufnahmeregelungen, andere in aktuellen Notsituationen mit humanitärer Hilfe.

Viele der Vertriebenen wünschen sich nichts sehnlicheres, als in ihre Heimat zurückkehren zu können – wenn endlich Gewalt, Verfolgung und Krieg ein Ende haben …

1 Amirs Schicksal
a) Vollziehe die Route von Amir auf der Karte 5 nach. Nutze auch den Atlas. ○
b) Was würdest du Amir raten bei der Frage, ob er irgendwann wieder nach Syrien zurückkehren soll? ●

2 Auf der Flucht vor …
a) Ergänze die Überschrift (Vorschläge). ◗
b) Ergänze die Mindmap zu den Ursachen für Migration. ◗
c) Nenne die Länder der Balkanroute. ○

d) Viele Menschen gelangen auch über Libyen nach Europa. Nenne die möglichen Stationen ihrer Fluchtroute. ◗

AFB I: 1a, 2c   AFB II: 1b, 2a, 2b   AFB III: 1b

1

3 Pablo

4 Auf der „Reise" zur mexikanischen Grenze

Auf der Suche nach …

Pablos Vater ist auf einem langen und beschwerlichen Weg aus Guatemala in die USA ausgewandert. Pablo überlegt sich nun seinem Vater zu folgen. Ein guter Entschluss?

Hallo, mein Name ist Pablo, ich bin 16 Jahre alt und wohne im Dorf La Esperanza in Guatemala.

Ich bin kurz davor, mein Heimatdorf zu verlassen. Mein Ziel ist es, meinen Vater zu finden, der seit fünf Jahren im Süden der USA arbeitet und meiner Mutter und uns fünf Kindern regelmäßig Geld schickt.

Mein Vater hoffte unsere Situation durch seine Auswanderung zu verbessern. Denn das Einkommen als Arbeiter in der Fabrik für Elektrogeräte reichte nicht aus, um uns allen den Schulbesuch zu ermöglichen. Er möchte, dass es uns einmal besser geht! Doch es ist hier in unserem Land wohl nicht möglich. Ich möchte nun Esperanza verlassen, weil ich nicht in den Bandenkriegen der Jugendgangs, bei denen es um Drogen und Schutzgeld geht, mein Leben verlieren will. Vielmehr möchte ich mit meinem Vater erreichen, dass eines Tages unsere ganze Familie wieder zusammen sein kann.

Doch der Weg in die USA ist lang, beschwerlich und gefährlich. Was mein Vater mir von seiner Reise gemailt hat, ist kaum zu glauben. Zuerst überquerte er den Fluss Suchiate, die Grenze von Guatemala nach Mexiko. Dann legte er

die fast 4 000 Kilometer lange Strecke von Tapachula an der Südgrenze Mexikos über Ixtepec, Mexiko-Stadt, Guadalajara, Mazatlán, Hermosillo bis nach Altar nahe der Grenze Mexiko/USA mit dem Güterzug zurück. Wochenlang war er unterwegs, nicht in einem komfortablen Abteil, sondern auf dem Dach! Das war sehr gefährlich. Viele Mitreisende sind vom Dach gestürzt und haben sich dabei schwer verletzt. Außerdem wurden sie von bewaffneten Banden überfallen. Wer Glück hatte, konnte an bestimmten Stellen absteigen und sich in Unterkünften von humanitären und kirchlichen Organisationen ausruhen und stärken. Manchmal warfen Menschen, die selber wenig haben, Essenspakete zu den Mitfahrern auf den Zug. Doch nun hat die mexikanische Regierung die Geschwindigkeit des Zuges erhöht, sodass man nicht mehr einfach aufspringen kann. Vielleicht ist das auch gut so, doch die Reise in einem Fernbus für die gleiche Strecke kostet mich fast mein ganzes für die Reise gespartes Geld. Das Geld bräuchte ich aber dringend an

der Grenze zu den USA, denn dort kommt man nur mit Schleusern, den sogenannten „Kojoten", durch. Von Altar aus ist mein Vater dann mit einer Gruppe anderer Flüchtlinge in einem Bus bis zur Grenze gebracht worden. Nachts sind sie mit einem Führer zu dem fünftägigen Marsch durch die Wüste von Arizona aufgebrochen, nur mit acht Litern Wasser und immer in Deckung vor der US-Grenzpolizei und den Überwachungskameras.

Das Ziel Tucson erreichten sie völlig erschöpft, ausgehungert und fast verdurstet. Sein Bruder – mein Onkel – ist schon länger dort und konnte ihm auch eine Arbeitsstelle als Hilfsarbeiter auf der Baustelle besorgen. Würde er entdeckt, müsste er die USA wieder verlassen.

Ehrlich gesagt habe ich große Angst, mich auf den Weg zu machen, aber hier in Guatemala ist die Situation sehr schlecht. Ich bin unschlüssig; was soll ich tun – hier bleiben oder mich auf den Weg machen …?

2

5 Bauarbeiter in Katar

6 Ingenieurin aus Indien

**Top-Herkunfts-
länder von Rück-
überweisungen
2014 (in Mrd. US-$)**

USA	56,3
Saudi-Arabien	36,9
Russland	32,6
Schweiz	24,7
Deutschland	20,8
VAE	19,3
Kuwait	18,1
Frankreich	13,8
Luxemburg	12,7
UK	11,5

Arbeitsmigration

Die Verbesserung von Lebensbedingungen ist ein grundlegendes Bedürfnis. Das Ganze hat allerdings zwei Seiten. Zum einen führt es zur Verbesserung der Lebenssituation der einzelnen Menschen und ihrer Familien. Dabei spielt das zurückgeschickte Geld (Rücküberweisung) eine wichtige Rolle für die Daheimgebliebenen und kann die Situation in den weniger entwickelten Ländern verbessern. Z. B. können sich die Verwandten in der Heimat damit eine ärztliche Versorgung leisten oder das Schulgeld für die Kinder bezahlen. Die Menge des zurücküberwiesenen Geldes macht z.T. bis zu einem Drittel der wirtschaftlichen Leistung eines Landes aus. Zum anderen fehlen die Migranten aber als Arbeitskräfte in den Heimatländern. Bei qualifizierten Berufen spricht man von „Braindrain", der Abwanderung von Wissen und Können gut ausgebildeter Personen. Dies kann die Entwicklung der Herkunftsländer negativ beeinflussen.

In Deutschland spielen Arbeitsmigranten als Erntehelfer und Pflegekräfte, die ihre Arbeitskraft meist für den Mindestlohn einbringen, eine wichtige Rolle in der Landwirtschaft und im Gesundheitssystem. Sie kommen meist aus Polen und Rumänien. Unabhängig von ihrem erlernten Beruf, versuchen sie von den großen Einkommensunterschieden innerhalb Europas zu profitieren. Der Preis dafür ist aber mit der oft wochen- oder monatelangen Abwesenheit von der Familie sehr hoch.

Eine Ingenieurin aus Indien arbeitet in Stuttgart bei einem Automobilunternehmen. Ein Bäcker aus Baden-Württemberg backt Brezeln in Vancouver. Ein deutscher Arzt arbeitet in einem Krankenhaus in der schwedischen Hauptstadt Stockholm. Ihre beruflichen und manchmal auch familiären Wege haben sie dorthin geführt. Die Schritte waren oft nicht einfach: Visa-, Arbeitsanträge, Formulare, dann eine zeitlich begrenzte und schlussendlich vielleicht auch dauerhafte Aufenthaltserlaubnis. Aber die wirtschaftliche Situation in den Herkunftsländern hätte wahrscheinlich auch für sie einen Arbeitsplatz ermöglicht. Doch sie haben sich für einen anderen Ort entschieden und damit auch für einen anderen Lebensmittelpunkt.

7

**Top-Zielländer von
Rücküberweisungen
2014 (in Mrd. US-$)**

Indien	72,2
China	63,9
Philippinen	29,7
Mexiko	25,7
Frankreich	24,6
Nigeria	20,8
Ägypten	20,4
Pakistan	20,1
Deutschland	17,5

Ein Kleinbauer aus Pakistan arbeitet in Katar auf der Baustelle eines Stadions. Ein Kleinbauer aus Marokko pflückt in Almería Gemüse. Eine Mutter von vier Kindern aus Honduras arbeitet in einer Textilfabrik in den USA und schickt ihren zurückgelassenen Kindern immer wieder Geld. Auch diese Arbeitsmigranten versuchen, ihre wirtschaftliche Situation zu verbessern, allerdings aus einer Notlage. Sie gehen auf ihrer Flucht vor Armut und Aussichtslosigkeit ein großes Risiko ein und nehmen große Strapazen auf sich. Haben sie dann Arbeit, verdienen sie im Gegensatz zu vorher nun drei oder vier US-$ je Stunde, anstatt an einem Tag. Ihre Situation hat sich verbessert – aber gut ist sie noch lange nicht.

8

1 Pablos Schicksal:
a) Vollziehe die Route von Pablos Vater auf einer Karte (Atlas/GoogleEarth) nach. ◔
b) Partnerarbeit: Überlegt, was ihr Pablo raten würdet und begründet dies. ◔

2 Auf der Suche nach …
a) Ergänze die Überschrift (Vorschläge). ◔
b) Ergänze die Mindmap zu den Ursachen für Migration. ◔

c) Ermittelt aus der Karte „Migration weltweit" (S.127), wie viele Menschen als Arbeitsmigranten in den USA leben. ◔
d) Erläutere die unterschiedlichen Gründe für Arbeitsmigration (Texte 7 und 8). ◔

8

TERRA TRAINING

Wichtige Begriffe
Arbeitsmigration
Binnenflucht

Flucht
Integration
Menschenrechte

Migration
Migrationsur-
sachen

Umweltflucht
UNHCR

Sich orientieren

1 Beschreibe mithilfe der Karte 3, S. 127 die verschiedenen Flüchtlingsrouten nach Westeuropa. ○

2 Nenne die bedeutendsten Herkunftsregionen und Aufnahmeregionen der Welt für Arbeitsmigranten. ○

Kennen und verstehen

3 **Richtig oder falsch?** ◕

Verbessere die falschen Aussagen und schreibe sie richtig auf.

a) Migration ist die Wanderung von einem armen zu einem reichen Land.

b) Flüchtlinge verlassen erzwungenermaßen ihre Heimat und fliehen in ein anderes Land.

c) Arbeitsmigranten werden gezwungen in einem anderen Land eine neue Arbeit anzunehmen.

d) Die meisten Flüchtlinge werden von den reichen Industrieländern aufgenommen.

e) Die Organisation UNHCR kümmert sich um hochqualifizierte Auswanderer, die in einem anderen Land einen Arbeitsplatz suchen.

4 **Silbenrätsel** ○

AR / BEI / BRA / DRA / FLÜCHT / GRA / GRA / IN / IN / IN / IN / KLU / LAGER / LINGS / MI / MIG / NT / ON / ON / RANT / SI / TE / TI / TS

Die hier gesuchten Begriffe sind in den Silben versteckt:

a) Abwanderung gut qualifizierter Arbeitskräfte

b) jemand, der seine Heimat verlässt und ggf. auch in sein Heimatland zurückkehrt

c) Eingliederung von Menschen in eine Gesellschaft

d) gleichberechtigtes Nebeneinander von Menschen in einer Gesellschaft

e) meist die erste sichere Anlaufstelle für Menschen auf der Flucht

1 Mali am 1.2.2007

2 Ceuta (spanische Enklave) am 3.2.2015

5 **Ursachen für Migration** ◕

Überprüfe, ob es sich in folgenden Situationen um Migration handelt. Ordne sie, wenn zutreffend, einer Migrationsursache zu:

a) Familie Miller flieht vor einem Sturm, der ihr Haus zerstört, aus ihrer Heimat New Orleans (USA). In Memphis/Tennessee kann sie mithilfe staatlicher Unterstützung ein neues Zuhause aufbauen und bleibt für immer dort.

b) Felix ist Agrarexperte und ist mit seiner Familie für längere Zeit nach Benin gezogen. Er arbeitet dort für die Deutsches Gesellschaft für Internationale Zusammenarbeit.

c) Die Fischfangflotten haben vor der westafrikanischen Küste so leergefischt, dass einheimische kleine Fischer kaum noch einen Fang machen. Der 28-jährige Fischer Joshua aus Ghana entschließt sich nach Europa zu gehen, um seine Familie dadurch ernähren zu können.

d) Millionen von Menschen mussten ihre Heimat verlassen, um für den Drei-Schluchten-Staudamm in China Platz zu machen.

e) Die Familie von Najib gehört in Myanmar der muslimischen Minderheit der Rohingya an. Obwohl sie schon seit Generationen dort leben, erhalten sie nicht die Staatsbürgerschaft von Myanmar, dürfen nicht wählen und haben nur eingeschränkt Zugang zum Gesundheits- und Bildungssystem. Nachdem nun auch die Nachbardörfer überfallen wurden, entschließt sich die Familie, das Land zu verlassen.

f) Myriam ist Ärztin und hilft während ihres Jahresurlaubes für einige Zeit in Kalkutta in einem Krankenhaus beim Operieren.

g) Als Folge eines langjährigen Bürgerkrieges ist die Nahrungsmittelversorgung in Mali zusammengebrochen. Deshalb floh Familie Ogi ins Nachbarland Guinea.

Material
Selbsteinschätzungsbogen
q9u38x

Material
Kompetenzcheck
q9u38x

Lernen im Netz
interaktive Übung
q9u38x

Fachmethoden anwenden

6 Kartogramm auswerten ◐

Ermittle folgende Informationen aus der Karte 3, S.127:

a) Die Region/das Land mit der höchsten Anzahl eingewanderter Arbeitsmigranten;

b) die Region/das Land mit der höchsten Anzahl an Binnenflüchtlingen.

c) Beschreibe in den drei Ländern USA, China, Russland die Richtung der Binnenwanderung. Nenne mögliche Gründe dafür.

7 Die Zukunft im Blick

a) Beschreibe Foto 1 und 2. ○

b) Erläutere, welcher Zusammenhang zwischen dem Fotoinhalt und dem Thema „Migration" besteht. ◐

Beurteilen und bewerten

8 Beschreibe, was du als Flüchtling von deiner Heimat vermissen würdest.

9 Stell dir vor, du müsstest Hals über Kopf fliehen. Bergründe, welche drei Dinge du mitnehmen würdest? ◐

10 „Das Elend der Flüchtlinge muss man in ihren Heimatländern bekämpfen." Nimm Stellung zu dieser Aussage. ●

11 Was geht uns das an?

Werte die Karikatur 3 aus. ◐

12 Beurteile die Saisonarbeit (Text 4) aus der Sicht des Landwirts und des Saisonarbeiters. ●

„ WAS GEHT DAS EIGENTLICH UNS AN ? "

3

Schwere Arbeit auf dem Feld

Fast alle kommen wie [Vasile Kostele] aus Rumänien. (…) Kein Deutscher würde die schwere Arbeit für das Geld machen, für die jährlich fast 300 000 Saisonarbeiter aus Osteuropa nach Deutschland reisen. Jegliche Versuche der vergangenen Jahre, deutsche Arbeitslose als Erntehelfer zu vermitteln, sind fehlgeschlagen. „In Rumänien gibt es keine Arbeit", sagt Kostele, „seit der Krise ist alles noch viel schlimmer geworden".

Seinen Job auf dem Bau hat er verloren. Deshalb zog er los – von Bu-karest nach Bornheim. Zwei Monate gilt seine Arbeitserlaubnis, sechs sind das Maximum für einen rumänischen Saisonarbeiter. „Es ist schwer, so lange von der Familie getrennt zu sein", sagt er, der immer noch lächelt. Seine Frau und zwei kleine Töchter warten in der Heimat.

Trotzdem würde er lieber länger in Deutschland bleiben. „Wir brauchen einfach das Geld", meint er und arbeitet dabei unermüdlich weiter.

General-Anzeiger Bonn, 30.4.2011

4

| **Am Ende kannst du …** | – wirtschaftliche, politische, religiöse oder ökologische Ursachen und Folgen von Migration an einem Raumbeispiel darstellen, | – Folgen der Migration für Herkunfts- und Zielländer beispielhaft herausarbeiten,

– Ursachen von Migration in einer Mindmap darstellen, | – den Unterschied zwischen Integration und Inklusion beschreiben,

– beurteilen, ob es sich um Flucht oder Migration handelt. |

AFB I: 1, 2, 4, 7a   AFB II: 3, 5, 6, 7b   AFB III: 8, 9, 10, 11, 12

8

TERRA FÜR DICH

Migration und Integration

„Wir schaffen das!" Dieser Satz der Bundeskanzlerin Angela Merkel aus dem Jahr 2015 stellt eine Herausforderung für uns alle dar, sich für Integration und Inklusion im alltäglichen Leben und in der Schule einzusetzen.

Wähle aus!

1 Wähle eines der vier Beispiele (3–6) aus und bearbeite folgende Aufgabe:
  a) Beschreibe das Beispiel mit wenigen Worten. ◖
  b) Arbeite an dem Beispiel den Aspekt der Inklusion und der daraus entstehenden Chancen heraus. ◖

2 Stellt euch gegenseitig eure Ergebnisse vor. ◖

3 Sucht in der Gruppe Möglichkeiten, in eurer Klasse, Clique, Familie oder Verein, Ähnliches anzustoßen, also Inklusion im Kleinen zu betreiben. Stellt den Nutzen einer solchen Aktion für alle Beteiligten im Plenum zur Diskussion. ●

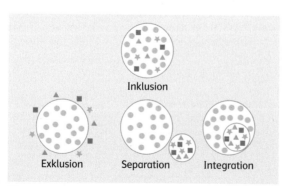

1 Maria aus Dortmund

Von der Exklusion zur Inklusion

Die Integration der Menschen mit Migrationshintergrund gehört zu den wichtigsten Zielen des Sozialstaates Deutschland. Integration schließt die Exklusion (Ausschluss) und die Separation (Trennung) aus. Sie will eingliedern und tolerieren. Die Inklusion will noch mehr. Sie will nicht nur eingliedern, sie will das gleichberechtigte Nebeneinander und sie will die Chancen der Vielfalt nutzen. Deswegen spricht man heute auch oft von Inklusion im Zusammenhang mit Migranten. Inklusion und Integration gelingen aber nur, wenn die Beteiligten beider Seiten aktiv mitmachen.

Inklusion

Exklusion Separation Integration

2

Beispiel Hrvoje und Mohamed

Flüchtlinge im Schulalltag

Hrvoje aus Kroatien und Mohamed aus Somalia, beide 13 Jahre alt, besuchen zusammen mit acht anderen Schülerinnen und Schülern die Vorbereitungsklasse an einer Schule in Baden-Württemberg. Das Besondere ist, dass die meisten vor Kurzem noch auf der Flucht waren und jetzt erst seit wenigen Monaten in Deutschland leben. Deshalb müssen sie zuerst die deutsche Sprache lernen, bevor sie in den Unterricht einer weiterführenden Schule integriert werden können. Um eine optimale Schule für sie zu finden, helfen auch Tests.
Da Hrvoje und Mohamed sprachlich sehr gute Fortschritte gemacht und auch in den Tests ganz gut abgeschnitten haben, werden sie kommendes Schuljahr an ein Gymnasium gehen. Die beiden sind sehr gerne mit den Mitschülern in der Klasse. Aber nun sind sie auch sehr gespannt und auch ein wenig aufgeregt, wie es in einer ganz „normalen" Klasse sein wird. Am meisten wünschen sie sich, einfach ganz dazuzugehören, also nicht aufgrund ihrer Herkunft und Kultur anders behandelt zu werden.

3

Jerome Boateng, Fußballer

Dayan Kodua, Schauspielerin

Gymnasium in den Pfarrwiesen

Auf der Homepage von MitternachtsSport e.V. Verein interkulturelle Jugendsozialarbeit in Berlin steht:

Jérôme Agyenim Boateng, 28 Jahre, Spieler des FC Bayern München und der deutschen Fußballnationalmannschaft. Für die Mitternachts-Sportler ist er nicht nur ein Idol, sondern vor allem einer von ihnen. Ihr „Großer Bruder"! Ein Berliner Junge, der seine Jugend im Fußballverein und auf der Straße verbracht hat. Einer, der sich mit vollem Einsatz und Fairplay Respekt verdient hat. [...]

Aus eigener Erfahrung weiß er aber, dass es für junge Menschen mit Migrationshintergrund auch in der Multikulti-Metropole Berlin grundsätzlich alles andere als einfach ist. Als Schirmherr, Gründungsmitglied und „Großer Bruder" des MitternachtSport e.V. setzt sich Jérôme für Jugendliche ein, die weniger Glück haben als er: „Ich liebe Berlin. Aber so eine Großstadt hat eben auch ihre Schattenseiten. Und der Mitternachts-Sport ist da doch eine geile Idee, um die Kids nicht hinten runterfallen zu lassen."

http://www.mitternachtsport.com (Zugriff 02.03.2017)

Selbstbewusst und erfolgreich mit Migrations-Hintergrund

Dayan ist zehn Jahre alt, als ihre Familie (1990) das Land verlässt, um sich in Deutschland eine bessere Zukunft aufbauen zu können. In Ghana gehört sie zum Stamm der „Ashanti" – der Krieger, [...] und so behauptet sie sich rasch in der neuen Heimat. Deutsch wird schnell zur zweiten Muttersprache. [...] Ein Studium an der Coaching Company in Berlin setzte den ersten Meilenstein für ihre Schauspielkarriere. [...] Dayan ist sehr engagiert und eine begeisterte Verfechterin von Charity-Projekten. Bildung liegt ihr besonders am Herzen – ein Privileg, dass Dayan als Migrantin durch die selbstlose Fürsorge ihrer Eltern erfahren durfte, aber genau weiß, dass dies nicht selbstverständlich ist. [...] Dayan, die 2005 als Kulturbotschafterin für den Afrikanischen Kontinent in Deutschland ausgezeichnet wurde, scheut sich aber auch nicht, kritisch zu sein. So appelliert sie an alle Jugendlichen, die in Europa, besonders in Deutschland geboren sind: „Engagiert Euch, verleugnet Eure Herkunft nicht, aber schiebt nicht jede Schwierigkeit auf Eure schwarze Hautfarbe!" [...].

http://www.dayan-k.com (Zugriff 02.03.2017)

Schule ohne Rassismus – Schule mit Courage

Jede Schule in Deutschland kann Schule ohne Rassismus – Schule mit Courage werden. Dies ist keine Auszeichnung, sondern eine Verpflichtung: Verpflichtung künftig gegen jede Art der Diskriminierung zum Beispiel gegen Mobbing, Ausgrenzung, Rassismus aktiv vorzugehen und so Courage zu zeigen. Mindestens 70 % aller an der Schule Beteiligten müssen sich mit einer Unterschrift dazu verpflichten. Wenigstens eine Patin oder ein Pate geben Unterstützung bei der Einhaltung der Selbstverpflichtung. Bereits mehr als 2 000 Schulen aller Schulformen in Deutschland, davon 163 in Baden-Württemberg, waren Ende 2016 Schulen ohne Rassismus. 2014 wurde dem Gymnasium in den Pfarrwiesen Sindelfingen von der prominenten Patin der Titel verliehen: Bilkay Öney, Ministerin für Integration in Baden-Württemberg, lobte das große Engagement der Schülerinnen und Schüler.

9

Weltbevölkerung wohin?

7 482 049 224 Menschen. In der Zeit, in der du diese Zahl liest, hat die Erdbevölkerung schon wieder um zwölf Menschen zugenommen: 2,6 in der Sekunde, 159 in der Minute, 229 177 pro Tag, 83 586 000 pro Jahr.

Doch dieses Wachstum verläuft weltweit höchst unterschiedlich, in manchen Ländern schrumpft die Bevölkerung sogar. Welche Ursachen führen zu diesen Entwicklungen? Welche Auswirkungen hat dies für die Menschen?

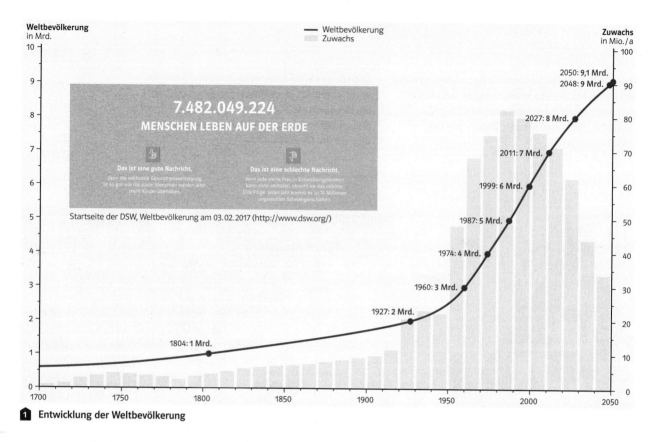

Weltbevölkerung in Mrd.

— Weltbevölkerung
░ Zuwachs

Zuwachs in Mio./a

7.482.049.224
MENSCHEN LEBEN AUF DER ERDE

Das ist eine gute Nachricht,
denn die weltweite Gesundheitsversorgung
ist so gut wie nie zuvor. Menschen werden älter,
mehr Kinder überleben.

Das ist eine schlechte Nachricht,
denn jede vierte Frau in Entwicklungsländern
kann nicht verhüten, obwohl sie das möchte.
Eine Folge: Jedes Jahr kommt es zu 74 Millionen
ungewollten Schwangerschaften.

Startseite der DSW, Weltbevölkerung am 03.02.2017 (http://www.dsw.org/)

2050: 9,1 Mrd.
2048: 9 Mrd.
2027: 8 Mrd.
2011: 7 Mrd.
1999: 6 Mrd.
1987: 5 Mrd.
1974: 4 Mrd.
1960: 3 Mrd.
1927: 2 Mrd.
1804: 1 Mrd.

1 Entwicklung der Weltbevölkerung

Immer mehr, immer schneller, überall?

Als Kolumbus 1492 Amerika erreichte, lebten auf der Erde nur 500 Millionen Menschen.
Es dauerte noch 300 Jahre, ehe sich die Weltbevölkerung auf eine Milliarde Menschen verdoppelt
hatte. Danach erfolgte die Verdoppelung immer schneller. Wie ist diese Entwicklung zu erklären?

Geburtenrate (G)
Zahl der Lebendgeborenen pro 100 Einwohner in einem Jahr

Sterberate (Z)
Zahl der Verstorbenen pro 100 Einwohner in einem Jahr

Wachstumsrate (W)
Differenz aus Geburten- und Sterberate. Sie wird in Prozent angegeben und berechnet sich zu
W= (G–S)/100 [%]

Bis vor etwa 130 Jahren wurden bei uns so viele Kinder geboren, dass die Bevölkerung hätte stark wachsen können. Doch Kriege, Krankheiten, schlechte Hygiene, unzureichende und schlechte Ernährung sorgten kaum für eine Veränderung der Bevölkerungszahl. Die Zahl der Sterbefälle lag fast ebenso hoch wie die Zahl der Geburten. Deshalb war das **Bevölkerungswachstum** gering.

Erst als es gelang, mehr Nahrungsmittel zu produzieren sowie durch bessere Hygiene und medizinische Versorgung Krankheiten erfolgreich zu bekämpfen, sank die Sterberate. Durch die sinkende **Sterberate** und die unveränderte **Geburtenrate** wuchs die Bevölkerung.

Die Weltbevölkerung nimmt also dann zu, wenn die Geburtenrate höher als die Sterberate ist. Diese Differenz wird auch als **Wachstumsrate** bezeichnet.

Während über Jahrhunderte die Bevölkerung nur langsam anstieg, übersprang die Anzahl der Menschen im letzten Jahrhundert eine Milliardengrenze nach der anderen: Die Wachstumsrate stieg von 0,5 Prozent im Jahr 1900 auf 2,1 Prozent im Jahr 1975 an. Wäre die Weltbevölkerung mit gleichbleibender Wachstumsrate 50 Jahre lang weiter gewachsen, dann würden im Jahr 2025 11,3 Mrd. Menschen auf der Erde leben. In solchen Prognosen eines rasanten Bevölkerungswachstums sahen viele eine Bedrohung und sprachen sogar von „Bevölkerungsexplosion" als ein Grundproblem der Menschheit.

Die Weltbevölkerung steigt momentan nur noch um 1,1 Prozent pro Jahr an. Das klingt wenig, aber es ist eine Zahl mit großer Wirkung. Diese 1,1 Prozent bedeuten eine absolute Zunahme von etwa 84 Millionen Menschen pro Jahr.

Surftipp
Datenreport – Deutsche Stiftung Weltbevölkerung
z86zr9

Üben interaktiv
Begriffe finden
z86zr9

Bevölkerung in Mrd.

- Afrika
- Asien (ohne China)
- Indien
- China
- Lateinamerika
- Industrieländer

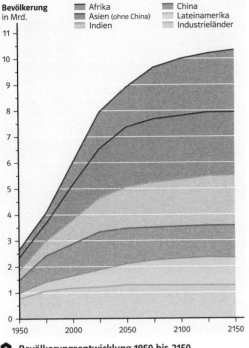

2 Bevölkerungsentwicklung 1950 bis 2150

4

Nigeria und Deutschland im Vergleich

Staat	Nigeria (2015)	Deutschland (2015)
Bevölkerung 2015 (in Mio.)	186,5	82,6
Geburtenrate 2015 (pro 100 Einwohner)	3,9	0,9
Sterberate 2015 (pro 100 Einwohner)	1,3	1,1
Natürliche Wachstumsrate (in %)	2,6	-0,2
Verdopplungszeit 2015 (in Jahren)	28	–
Bevölkerung 2050, geschätzt (in Mio.)	397,5	81,4

DSW Datenreport 2016

3

Wachstumsrate und Bevölkerungszahl

Kontinent	Wachstumsrate 2015 in %	Bevölkerung in Mio. 2015	Bevölkerung in Mio. 2050
Afrika	2,6	1203	2527
Asien	1,1	4437	5327
Europa	0	740	728
Lateinamerika und Karibik	1,1	637	775
Nordamerika	0,4	360	445
Ozeanien	1,0	40	66
Welt gesamt	1,2	7418	9869

DSW Datenreport 2016

5

1 Gib den Link http://www.weltbevoelkerung.de/meta/widget-whats-your-number.html ein und ermittle, der wievielte Erdenbürger du bist. ○

2 Werte das Diagramm 1 zur Entwicklung der Weltbevölkerung aus. Beachte die Gesamtentwicklung und den zehnjährigen Zuwachs. ◖

3 Erkläre, was ein Bevölkerungswachstum von 1,2 % bedeutet. ◖ ✂

4 Vergleiche die Bevölkerungsentwicklung von Nigeria und Deutschland in Tabelle 3. ◖

5 Vergleiche die Bevölkerungsentwicklungen der einzelnen Kontinente bzw. Staaten in Diagramm 2. ◖

6 Vergleiche die Wachstumsraten und Bevölkerungszahlen in Tabelle 5 und beurteile die jeweiligen Entwicklungen. ◖

7 Diagramm 2: Beurteile an einem Beispiel mögliche Folgen der zukünftigen Bevölkerungsentwicklung. ◖

8 Werte die Karikatur 4 aus. ●

AFB I: 1   AFB II: 2, 3, 4, 5, 6, 8   AFB III: 7

1 Familie in Afrika

2 Familie in Deutschland

Die einen werden mehr, die anderen älter

In einer Minute werden weltweit 159 Kinder geboren, 138 von ihnen in Schwellen-
und Entwicklungsländern und nur 21 in Industrieländern. Wie und warum kommen
so große Unterschiede zustande?

Viele Kinder

Es gibt eine Vielzahl an Ursachen für die hohe Kinderzahl in Entwicklungsländern. Hier einige Beispiele:

Kinder haben in Entwicklungsländern einen anderen Stellenwert in der Lebensplanung der Eltern als bei uns. Sie sichern die Versorgung im Alter, da es dort keine Rente gibt. Für die Wirtschaft in diesen Ländern sind Kinder billige Arbeitskräfte. Viele Betriebe vergeben ihre Arbeit bevorzugt an Minderjährige, weil deren Stundenlöhne gerade einmal halb so hoch sind wie die der Erwachsenen. Diese Einkommen benötigen die Familien aber, um überleben zu können. In einigen Regionen der Welt sind Verhütungsmittel nicht erschwinglich, noch nicht bekannt oder sie werden aus religiösen Gründen abgelehnt. Deswegen ist die Anzahl der ungewollten Schwangerschaften in diesen Ländern sehr hoch.

Wenige Kinder

In den Industrieländern verläuft die demografische Entwicklung anders, es werden immer weniger Kinder geboren.

**Bevölkerungs-
entwicklung**

Neben der natürlichen Wachstumsrate aus dem Verhältnis von Geburten- und Sterberate wird die Bevölkerungsentwicklung eines Landes auch von der Zu- und Abwanderung beeinflusst.

Ein Grund dafür ist, dass in den Industrieländern in der Regel die Eltern ihre Familie versorgen. Die Kinder arbeiten – wenn überhaupt – nur, um ihr Taschengeld und nicht um das Familieneinkommen zu verbessern. Gleichzeitig leistet der Staat einen Beitrag zur Altersvorsorge der Eltern in Form von Renten oder Pensionen. Es gibt Arbeitslosen- und Krankenversicherungen sowie eine staatliche Grundsicherung, um in Not geratene Familien zu unterstützen.

Mehrere Kinder würden die Berufstätigkeit von mindestens einem der Ehepartner einschränken. Daher entscheiden sich viele Ehepaare wegen der damit verbundenen möglichen Einschränkungen für nur ein oder sogar für kein Kind. Manche Erwachsene befürchten durch ein oder mehrere Kinder materielle Notlagen und ein Armutsrisiko.

Die Folgen

Gerade in Deutschland klagen Politiker darüber, dass zu wenige Kinder geboren werden. Modellrechnungen zeigen, dass Deutschland im Jahr 2080 nur noch rund 43 Millionen Einwohner haben wird. Weniger Kinder gleich weniger Menschen – heißt das nicht: weniger Arbeitslosigkeit und weniger Umweltverschmutzung? Ganz so einfach ist

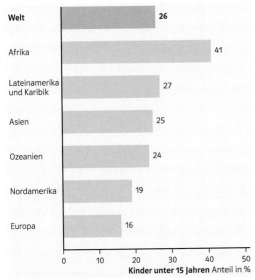

3 Anteil der Kinder unter 15 Jahren an der Bevölkerung 2014 in %

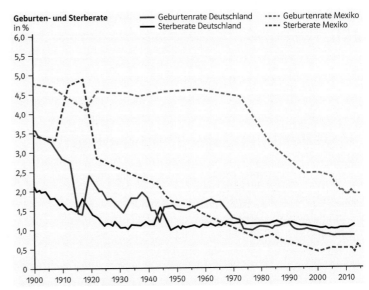

4 Entwicklung der Geburten- und Sterberate in Deutschland und Mexiko

es nicht, denn durch die niedrigere Geburtenrate und die höhere Lebenserwartung nimmt der Anteil der älteren Menschen zu. Es kommt zu einer **Überalterung** der Gesellschaft. Immer weniger Menschen zahlen Beiträge für die Sozialversicherungen. Das soziale Sicherungssystem droht zusammenzubrechen. Um diese negativen Entwicklungen abzumildern, werden beispielsweise Sozialleistungen für Familien (Kindergeld, Elterngeld usw.) ausgebaut und Investitionen in Kinderbetreuungsangebote verstärkt.

In den Entwicklungsländern hingegen führten das starke **Bevölkerungswachstum** und die häufige **Überbevölkerung** zu ganz anderen Problemen: So mangelt es an Schulen und Ausbildungsplätzen und es wird immer schwieriger, die Bevölkerung mit Nahrungsmitteln zu versorgen. Aufklärungsprogramme und die Bereitstellung kostenloser Verhütungsmittel sind Ansätze, die einige Staaten zur Regulierung gewählt haben.

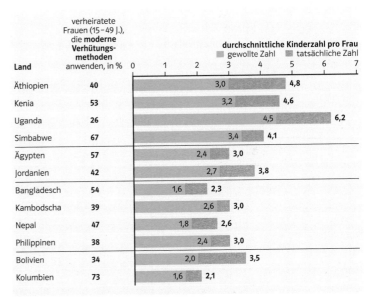

5 Verhütung und Kinderzahlen in Entwicklungsländern

1 Beschreibe die Unterschiede der Familien in Afrika und Deutschland auf den Fotos 1 und 2. ○

2 Im Text ist nur eine Auswahl an Gründen für viele bzw. wenige Kinder genannt. Erläutere weitere Gründe. ◕

3 Staaten versuchen auf verschiedene Weise, Einfluss auf die Familienplanung zu nehmen.
a) Beschreibe mögliche Maßnahmen zur Steigerung oder zur Senkung der Geburtenrate. ◕
b) Diskutiert die Frage, ob wir Entwicklungsländern Geburtenbeschränkung empfehlen dürfen. ●

4 Arbeitet mit den Diagrammen 3 und 4.
a) Erläutert den unterschiedlichen Anteil an Kindern nach Kontinenten. ◕
b) Vergleicht die Entwicklung von Geburten- und Sterberate in Deutschland und Mexiko. ◕

5 Beurteile mithilfe von Diagramm 5 die Aussage: „Die Bildung der Frauen führt zu einer Reduzierung des Bevölkerungswachstums". ● ⚭

Nie zuvor gab es so viele Menschen auf der Erde wie heute. Nach wie vor wächst die Weltbevölkerung rasant: Bis zum Jahr 2050 werden es voraussichtlich mehr als neun Milliarden Menschen sein. Doch wie verteilt sich die Menschheit heute und schätzungsweise 2050 über die Erde?

Verteilung der Weltbevölkerung

Die Weltbevölkerung betrug im Jahr 2015 etwa 7,3 Milliarden Menschen. Ihre Verteilung ist sehr ungleichmäßig. Der bevölkerungsreichste Kontinent ist Asien mit 4,4 Milliarden Menschen, gefolgt von Afrika mit 1,2 Milliarden, Amerika mit 987 Millionen und Europa einschließlich Russland mit 742 Millionen Menschen. Australien/Ozeanien wird von 40 Millionen Menschen besiedelt.

Für 2050 wird ein Anwachsen der Weltbevölkerung auf 9,7 Milliarden vorhergesagt. Wie sähe deren Verteilung aus?

Der bevölkerungsreichste Kontinent wäre nach wie vor Asien mit rund 5,3 Milliarden Menschen, gefolgt von Afrika mit 2,5 Milliarden und Amerika mit 1,2 Milliarden. In Europa leben dann 726 Millionen Menschen. In Australien/Ozeanien steigt die Einwohnerzahl auf 66 Millionen. Diese Zahlen beruhen auf Schätzungen. Aufgrund aktueller Daten und momentaner Entwicklungen entsteht daraus eine sogenannte **Bevölkerungsprognose**.

Am 11. Juli 1987 überschritt die Weltbevölkerung die Zahl von fünf Milliarden Menschen. Um auf die damit verbundenen Probleme aufmerksam zu machen, wurde seit 1989 der 11. Juli eines jeden Jahres zum Internationalen Weltbevölkerungstag erklärt. Wichtig in diesem Zusammenhang ist aber auch die **Bevölkerungsdichte**. Sie ist der Quotient aus der Bevölkerungszahl und der Fläche im jeweils gleichen Raum. Doch heißt nun bevölkerungsreich auch bevölkerungsdicht?

Die bevölkerungsreichsten Staaten der Welt 2015 und ihre Bevölkerungsentwicklung 1950 bis 2050

	Staaten	Einwohner (gerundet auf Millionen)				Jahr des Bev.-Max.	Bevölke-rungsdichte (2015)
		1950	2000	2015	2050		
	Welt	2 529	6 115	7 324	9 550	nach 2050	50
1.	China	543	1 280	1 401	1 385	nach 2030	149
2.	Indien	376	1 042	1 282	1 620	nach 2050	431
3.	USA	158	285	325	401	nach 2050	36
4.	Indonesien	73	209	256	321	nach 2050	141
5.	Brasilien	54	175	204	231	nach 2050	24
6.	Pakistan	38	144	188	271	nach 2050	236
7.	Nigeria	38	123	184	440	nach 2050	202
8.	Bangladesch	38	132	160	202	nach 2050	1 231
9.	Russland	103	147	142	121	nach 1995	9
10.	Japan	82	126	127	108	nach 2010	348
...							
16.	Deutschland	70	84	83	73	nach 2005	238

Eigene Zusammenstellung nach United Nations, Population Division (Hrsg.): UN world population prospects: http://esa.un.org/unpd/wpp/unpp/panel_population.htm (19.05.2015)

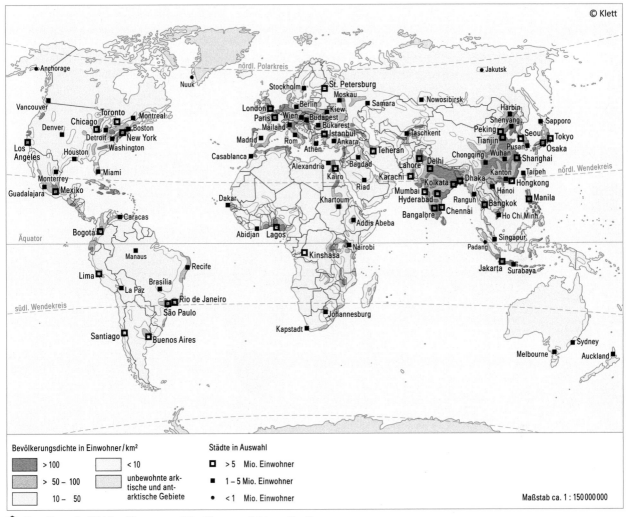

© Klett

Bevölkerungsdichte in Einwohner / km²

	> 100		< 10
	> 50 – 100		unbewohnte ark- tische und ant- arktische Gebiete
	10 – 50		

Städte in Auswahl

◻ > 5 Mio. Einwohner

▪ 1 – 5 Mio. Einwohner

• < 1 Mio. Einwohner

Maßstab ca. 1 : 150 000 000

2 Verteilung der Weltbevölkerung und Bevölkerungsdichte weltweit

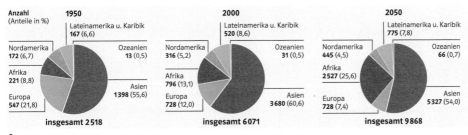

Anzahl (Anteile in %)

1950
Lateinamerika u. Karibik 167 (6,6)
Nordamerika 172 (6,7)
Afrika 221 (8,8)
Europa 547 (21,8)
Ozeanien 13 (0,5)
Asien 1398 (55,6)
insgesamt 2518

2000
Lateinamerika u. Karibik 520 (8,6)
Nordamerika 316 (5,2)
Afrika 796 (13,1)
Europa 728 (12,0)
Ozeanien 31 (0,5)
Asien 3680 (60,6)
insgesamt 6071

2050
Lateinamerika u. Karibik 775 (7,8)
Nordamerika 445 (4,5)
Afrika 2527 (25,6)
Europa 728 (7,4)
Ozeanien 66 (0,7)
Asien 5327 (54,0)
insgesamt 9868

3 Wenn die Welt ein Dorf wäre, dann lebten um ... in ... Mio. Menschen

1 Arbeite mit Karte 2:

a) Beschreibe die Bevölkerungsverteilung auf den einzelnen Kontinenten. ○

b) Beurteile folgende Aussagen: ●
„Die Bevölkerungsverteilung wird durch naturräumliche und sozioökonomische Faktoren beeinflusst."
„Bevölkerungsreiche Staaten sind häufg auch sehr bevölkerungsdicht."

2 Bearbeite drei Länder aus Tabelle 1:

a) Begründe deine Auswahl. ◗

b) Beschreibe deren Bevölkerungsentwick- lung von 1950 bis 2050.

c) Schlage die aktuellen Kenndaten der Bevölkerung nach (Strukturdaten im An- hang) und begründe damit die in a) be- schriebene Entwicklung. ●

3 Kreissektorendiagramme 3:

a) Vergleiche die abgebildeten Kreissekto- rendiagramme miteinander. ◗

b) Beschreibe die Veränderungen von 1950 bis 2050 für die Kontinente. ○

4 Stelle die Entwicklung in einem Linien- diagramm dar. ◗

AFB I: 1a, 2b,   AFB II: 2a, 2c, 3a, 4   AFB III: 1b

TERRA
METHODE

„Ich glaube nur der Statistik, die ich selber gefälscht habe." Diese Aussage hört man immer wieder. Und warum?
Statistische Angaben in Tabellen, Diagrammen oder Karten können beabsichtigt oder unbeabsichtigt Fehler enthalten,

unvollständig oder in einem falschen Raum-, Sach- oder Zeitbezug dargestellt sein. Daher ist es bei allen Statistiken notwendig, diese bezüglich ihres Aussagegehalts kritisch zu prüfen.

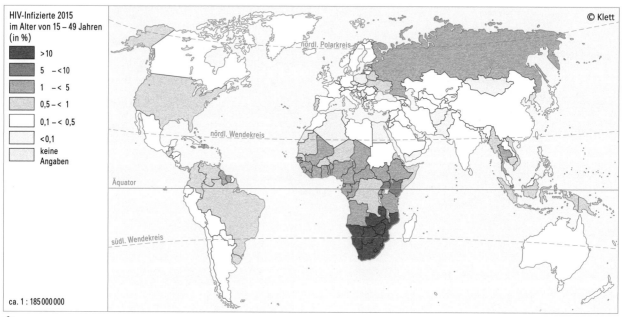

HIV-Infizierte 2015
im Alter von 15 – 49 Jahren
(in %)
- >10
- 5 – <10
- 1 – < 5
- 0,5 – < 1
- 0,1 – < 0,5
- <0,1
- keine Angaben

© Klett

ca. 1 : 185 000 000

1 Aids-Infektionen von Erwachsenen 2015 (insgesamt 37 Millionen)

Statistiken richtig auswerten

Absolute Zahl

Eine absolute Zahl gibt die Größe einer Menge an.
Beispiel: 842 548 HIV-Infizierte.

Relative Zahl

Eine relative Zahl gibt das Verhältnis einer absoluten Zahl zur Gesamtzahl an.
Beispiel: 13 % HIV-Infizierte bedeuten, dass 13 von 100 Einwohnern HIV-Infiziert sind.

Jedes Jahr geben fast alle Länder dieser Erde und wichtige Organisationen wie zum Beispiel die UN oder die OECD Bevölkerungsstatistiken heraus, die Aufschluss über die Entwicklung der Bevölkerung geben. Häufig muss dieses umfangreiche Zahlen- oder Abbildungsmaterial zunächst gesichtet, strukturiert, ausgewertet und bewertet werden, bevor man Aussagen treffen kann.

Eine Statistik richtig auswerten

Die folgenden Arbeitsschritte sollen dir helfen, Statistiken nicht nur auszuwerten, sondern auch kritisch zu betrachten.

1. Schritt: Sich orientieren

Überprüfe die Statistik hinsichtlich formaler Kriterien: Überschrift, Quellenangabe, Aktualität und Plausibilität der Angaben. Erfasse mithilfe der Legende, um welche Indikatoren es sich handelt und wie diese dargestellt werden. Folgende Fragestellungen helfen dir dabei:
- Wie sind die dargestellten Indikatoren definiert?
- Welche Zahlenangaben liegen vor (absolute, relative oder Indexzahlen) und in welchen Größenklassen sind diese gebildet worden?

> **Beispiel**
> Grundlage ist die Gliederung der Erde nach Staaten. Es wird die Ausbreitung der HIV-Infektion bei Erwachsenen in Prozent dargestellt. Die Daten beziehen sich auf das Jahr 2015. Die Legende weist sechs Abstufungen auf.

2. Schritt: Darstellung und Aussagegehalt prüfen

Über wen oder was werden Aussagen gemacht? Z. B.: die globale Verteilung der HIV-Infizierten differenziert nach Regionen.

Erfasse den Inhalt, indem du dich in das Diagramm einliest. Ermittle dann die Maximal- und Minimalwerte, Veränderungen oder Entwicklungen. Vergleiche zwischen einzelnen, räumlichen oder zeitlichen Angaben und stelle eine Beziehung zwischen einzelnen Daten her.

Beispiel

Die höchsten prozentualen Anteile findet man in vielen Staaten des südlichen Afrikas, wie z.B. Botsuana oder Mosambik (>10%). Die niedrigsten Anteile findet man u.a. in Algerien, Ägypten und Pakistan (<0,1%).
Ein Vergleich einzelner Länder ist nur bedingt möglich, da die Abstufung des Indikators sehr ungleichmäßig erfolgt.

3. Schritt: Statistiken beurteilen

Beurteile die Darstellungsform und die Aussagekraft der Statistik vor dem Hintergrund der zu lösenden Aufgabe. Kläre dazu u.a. folgende Fragestellungen:
- Sind die Angaben eindeutig?
- Sind Manipulationen erkennbar (siehe Kasten 3)?

Beispiel

Die Indikatoren stimmen nur bedingt mit der Kartenüberschrift überein. Die Einteilung nach Ländern kann zu Fehlinterpretationen führen, da regionale Unterschiede besonders in großen Ländern nicht erfasst werden. Durch die Angabe der absoluten Einwohnerzahl wäre ein Vergleich noch effektiver.

Beispiele für typische Manipulationen

Bei Tabellen:
- Vermischung verschiedener Inhalte
- manipulierte Mittelwerte
- Prozentanteile darstellen, ohne die Grundgesamtheit (100%) anzugeben.
- Scheinexaktheit der Daten
- die Summe der Prozentanteile ergibt nicht 100%

Bei Diagrammen:
- unangemessene Veränderung der Achsen (Streckung, Stauchung, logarithmische Einteilung, unregelmäßige Einteilung der beiden Achsen, y-Achse nicht bei 0 beginnen lassen)
- bei Zeitreihen wird die x-Achse nicht in gleich große Schritte eingeteilt
- mangelnde Proportionalität zwischen Zahlen und dargestellten Flächen

3

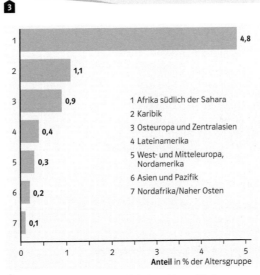

4 Verbreitung von HIV/Aids bei 15- bis 24-Jährigen

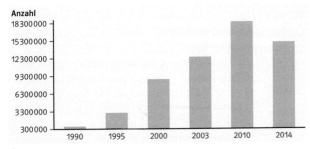

2 Aidswaisen im südlichen Afrika von 1990–2014

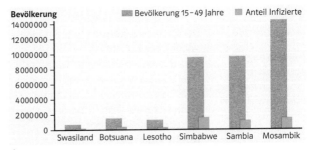

5 Bevölkerungsdaten ausgewählter afrikanischer Staaten

1 Werte das Diagramm 2 mithilfe der Schritte 1–3 aus. 🔊

2 Beurteile die Aussagekraft der Diagramme 3 und 4. 🔊

3 Arbeitet zu zweit mit dem Online-Link: n9x5tk. 🔊

Das Bevölkerungsstrukturdiagramm, meist Bevölkerungspyramide genannt, gibt Auskunft über den Altersaufbau eines Landes zu einem bestimmten Zeitpunkt und nach Geschlecht differenziert. Der Anteil der Altersgruppen wird meistens absolut, manchmal aber auch in Prozentanteilen angegeben.

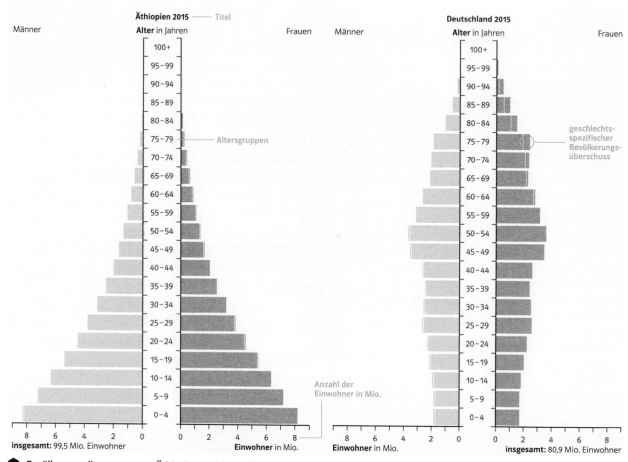

1 Bevölkerungsdiagramme von Äthiopien und Deutschland

Bevölkerungsstrukturdiagramme auswerten

Die altersmäßige Zusammensetzung der Bevölkerung eines Staates bezeichnet man als **Altersstruktur** eines Staates.

Die Bevölkerungsstrukturdiagramme sind das Ergebnis einer langfristigen Bevölkerungsentwicklung und lassen sich in vier Grundformen einteilen: Die Pyramidenform kennzeichnet eine wachsende Bevölkerung. Von Jahr zu Jahr nimmt die Anzahl der Geborenen zu. Dem steht eine früh einsetzende Sterblichkeit gegenüber. Dadurch nimmt die Bevölkerung insgesamt nur langsam zu.

Bei der Bienenkorbform bleibt die jährliche Geburtenrate über mehrere Jahre gleich. Sie steht für eine stagnierende Bevölkerung. Insgesamt sind die Geburten gegenüber der Pyramidenform gesunken. Gleichfalls ist die Sterberate gesunken, sie nimmt erst im Alter zu, weswegen die Lebenserwartung steigt.

Die Glockenform ist charakteristisch für eine Bevölkerung, die nach längerer Zeit mit niedrigen Geburten- und Sterberaten wieder mit einer steigenden Geburtenhäufigkeit konfrontiert wird

Die Urnenform kennzeichnet eine überalterte und schrumpfende Bevölkerung. Die Urnenform ergibt sich, wenn jeder neugeborene Jahrgang kleiner als der vorhergehende ist.

Diese Grundformen berücksichtigen keine außergewöhnlichen Ereignisse wie Kriege, Hungersnöte oder Migrationsströme.

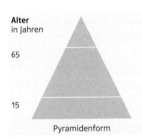  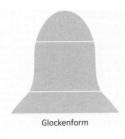 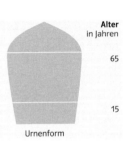

Alter
in Jahren

65

15

Pyramidenform   Bienenkorbform   Glockenform   Urnenform

Alter
in Jahren

65

15

2 **Grundformen von Bevölkerungsdiagrammen**

---

1. Schritt: Sich orientieren

Stelle fest, für welches Land und für welches Jahr die Angaben gemacht werden. Bestimme die Einteilung der Achsen. Überprüfe, ob die Bevölkerungsanteile in absoluten oder in relativen Zahlen angegeben werden.

> *Das rechte Bevölkerungsdiagramm zeigt den Alters-*
> *aufbau Deutschlands im Jahre 2015. Die Gesamt-*
> *bevölkerung betrug ca. 81 Millionen. Die x–Achse*
> *stellt absolute Werte dar. Die y–Achse ...*

2. Schritt: Beschreiben und zuordnen

Lies die geschlechtsspezifischen Anteile in den Altersgruppen ab. Gib die Gesamtanteile für folgende Bevölkerungsgruppen an:
– Kinder und Jugendliche (0 – 14 Jahre)
– erwerbsfähige Personen (15 – 64 Jahre)
– nicht mehr erwerbsfähige Personen (> 64 Jahre)
Beschreibe den Altersaufbau der Bevölkerung. Gibt es Auffälligkeiten bzw. Unregelmäßigkeiten? Ordne das Diagramm einem der vier Grundmodelle zu.

> *Ca. 11 Mio. (13 %) der Deutschen sind Kinder und*
> *Jugendliche, 22 Mio. (27 %) sind über 64 Jahre*
> *alt. 49 Mio (60 %) der Bevölkerung sind somit er-*
> *werbsfähig. Im Ganzen ähnelt das deutsche Be-*
> *völkerungsdiagramm einer Urne, da die Anzahl der*
> *jungen Menschen sehr gering ist. Eine Besonderheit*
> *ist die relativ geringe Zahl an 65–69–Jährigen...*

3. Schritt: Erklären

Sammle Hintergrundinformationen, die die Auffälligkeiten im Altersaufbau erklären.

> *Deutschland ist ein wohlhabendes Industrieland mit*
> *einer niedrigen Geburtenrate. Seit der Verbreitung*
> *der Antibabypille ...*

4. Schritt: Eine Prognose erstellen

Beurteile mithilfe der Grundformen die zukünftige Bevölkerungsentwicklung des Landes (steigend, stagnierend oder fallend). Formuliere dann auch Aussagen zur Auswirkung der Altersstruktur auf die Gesellschaft.

> *Angesichts des Altersaufbaus Deutschlands ist*
> *mit einem Rückgang der Gesamtbevölkerung zu*
> *rechnen. Immer weniger junge Menschen kommen*
> *in das gebärfähige Alter, was den Trend verstär-*
> *ken wird. Andererseits kann Zuwanderung den Trend*
> *verlangsamen und die negativen Folgen verringern. ...*

0 – 14-Jährige	15 – 60- bzw. 65-Jährige	61- bzw. 66-Jährige oder älter
Säuglinge, Kleinkinder und schulpflichtige Kinder	Jugendliche und Bevölkerung im arbeitstätigen Alter	Alte/Rentner

3 **Bevölkerungsgruppen eines Landes**

---

1 Arbeite mit den Bevölkerungsstrukturdiagrammen:
a) Vervollständige die Auswertung zu Deutschland. ◔
b) Werte gemäß den Schritten das Diagramm von Äthiopien aus. ◔
c) Vergleiche die beiden Diagramme 1. ◔
d) Nenne mögliche Folgen, die sich in beiden Ländern aus der Alterstruktur für Arbeitsmarkt, Nahrung, Bildung und Wohnung ergeben könnten. ◔

2 Ordne folgende Aussagen begründet einem der beiden Diagramme 1 zu: ●
– Geburtenstarke Jahrgänge drängen auf den gesättigten Arbeitsmarkt.
– Grundschulen werden geschlossen.
– Fahrdienste für für Senioren erfreuen sich einer immer größeren Beliebtheit.

3 Arbeite mit dem Online-Code:
a) Zeichne das Bevölkerungsstrukturdiagramm eines Staates deiner Wahl. ◔
b) Werte das Diagramm gemäß den Schritten aus. ◔
c) Verlebendige das Diagramm, indem du dazu Aussagen wie bei Schritt 2 entwickelst. ●
d) Präsentiere die Ergebnisse deinen Mitschülern. ◔

9

TERRA TRAINING

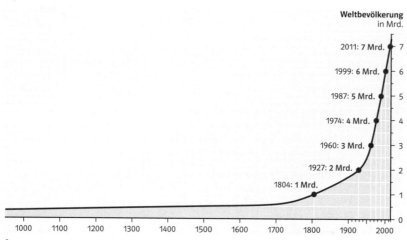

Weltbevölkerung
in Mrd.

2011: 7 Mrd. 7
1999: 6 Mrd. 6
1987: 5 Mrd. 5
1974: 4 Mrd. 4
1960: 3 Mrd. 3
1927: 2 Mrd. 2
1804: 1 Mrd. 1
0

1000 1100 1200 1300 1400 1500 1600 1700 1800 1900 2000

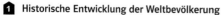

1 Historische Entwicklung der Weltbevölkerung

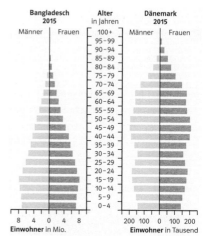

Bangladesch 2015 / Alter in Jahren / Dänemark 2015
Männer | Frauen
100+ 95–99 90–94 85–89 80–84 75–79 70–74 65–69 60–64 55–59 50–54 45–49 40–44 35–39 30–34 25–29 20–24 15–19 10–14 5–9 0–4

8 4 0 4 8
Einwohner in Mio.

200 100 0 100 200
Einwohner in Tausend

2 Bevölkerungsdiagramme von zwei
Staaten im Jahr 2015

Sich orientieren

1 **Karte 3 und Strukturdaten** ○
a) Nenne die Staaten, die eine Wachstumsrate von drei Prozent und mehr
haben.
b) Nenne die bevölkerungsreichste
und die bevölkerungsärmste Region.
c) Beschreibe die Situation in Europa.

Kennen und verstehen

2 **Begriffe gesucht** ○
a) Durchschnittszahl an Kindern, die
eine Frau in ihrem Leben zur Welt
bringt
b) Gesamtzusammensetzung einer
Bevölkerung nach Kriterien wie
Alter und Geschlecht
c) Verursacht große Probleme für die
Sozialversicherungen vieler Industrieländer

3 **Richtig oder falsch?** ●
Überprüfe auch mithilfe der Karten 3
und 5 die folgenden Aussagen.
Verbessere die falschen Aussagen und
begründe deine Verbesserungen:
a) China wird immer das Land mit der
höchsten Einwohnerzahl sein.
b) Mit Bevölkerungsstrukturdiagrammen kann man keine Aussagen zur
zukünftigen Entwicklung eines Landes treffen.
c) Die absolut höchsten Bevölkerungs-
zuwächse gibt es in Afrika.
d) Das Bevölkerungswachstum in
Europa stagniert.

4 **Geburten- und Sterberaten** ◒
Erläutere das Diagramm 4.

Fachmethoden anwenden

5 **Bevölkerungsstrukturdiagramme
interpretieren** ◒
a) Werte die Bevölkerungsstrukturdiagramme 2 aus.
b) Beschreibe jeweils Auswirkungen
auf das Wachstum der Bevölkerung,
die sich aus dem Altersaufbau ergeben.

6 **Statistiken auswerten** ◒
Vergleiche das Diagramm 1 mit dem
Diagramm 1 auf Seite 140. Achte auf
die Achsen.

Beurteilen und bewerten

7 **Kartendarstellungen beurteilen** ◒
Vergleiche die Karte 3 mit der Karte 5.
a) Analysiere, welche gemeinsamen
bzw. unterschiedlichen Aussagen
hier getroffen werden.
a) Begründe, welche Kartendarstellung du aussagekräftiger findest.

 **Material**
Bogen zur Selbsteinschätzung
z86zr9

 **Material**
Kompetenzcheck
z86zr9

 **Lernen im Netz**
Interaktive Übung
z86zr9

Geburtenrate   Überbevölkerung
Sterberate   Wachstumsrate
Überalterung

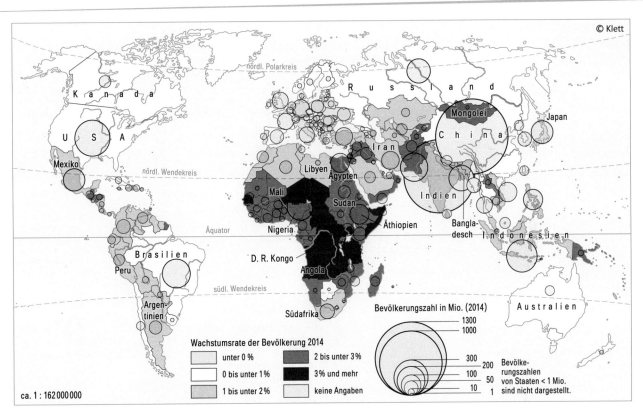

© Klett

Wachstumsrate der Bevölkerung 2014

- unter 0 %
- 0 bis unter 1 %
- 1 bis unter 2 %
- 2 bis unter 3 %
- 3% und mehr
- keine Angaben

ca. 1 : 162 000 000

Bevölkerungszahl in Mio. (2014)
1300 / 1000 / 300 / 200 / 100 / 50 / 10 / 1

Bevölkerungszahlen von Staaten < 1 Mio. sind nicht dargestellt.

3 Verteilung der Weltbevölkerung und Wachstumsrate der Bevölkerung

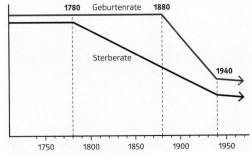

4 Dänemark: Geburten- und Sterberate

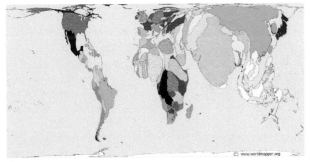

© www.worldmapper.org

5 Prognose zur Verteilung der Weltbevölkerung 2050. Die Darstellung der Größe eines Landes resultiert aus der jeweiligen Bevölkerungszahl.

Am Ende kannst du ...

- die Bevölkerungsentwicklung weltweit sowie von einzelnen Ländern und Regionen untersuchen,

- Überalterung und Überbevölkerung von Staaten erkennen,

- die Ursachen und Folgen der Bevölkerungsentwicklung für Mensch und Region abschätzen,

- Bevölkerungsstrukturdiagramme auswerten,

- Maßnahmen zur Einflussnahme auf die Bevölkerungsentwicklung und ihre Auswirkungen bewerten.

TERRA FÜR DICH

Auf dieser Seite sicherst du deine Kompetenzen zur Bevölkerungsentwicklung an zwei konkreten Beispielen. Die Materialien helfen dir, Zusammenhänge zu verstehen, um gesellschaftliche Aufgaben abzuleiten.

Werde sicher!

1 Ordne die Aussagen der einzelnen Sprechblasen den richtigen Stellen im Bevölkerungsstrukturdiagramm von Ruanda zu. ◓

2 Formuliere weitere Aussagen für das Bevölkerungsstrukturdiagramm von Italien und ordne diese ebenfalls zu. ◓

3 Beschreibe gesellschaftliche Aufgaben, die die beiden Länder in rund zwanzig Jahren zu erwarten haben. ●

4 Werte ein Bevölkerungsstrukturdiagramm deiner Wahl aus. Nutze dazu den Online-Link df4d6p. ◓

> *Geburtenstarke Jahrgänge drängen auf den Arbeitsmarkt.*

> *Eine schlechte medizinische Versorgung lässt die Menschen in Ruanda nicht sehr alt werden.*

> *Diese Achse gibt das Alter in Jahren an. Diese Achse gibt die Einwohnerzahl in 1000 an.*

> *Dieser Balken gibt die Anzahl der 15- bis 19-Jährigen Männer an.*

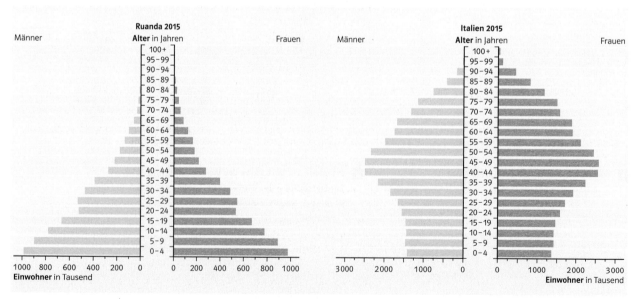

1 Bevölkerungsstrukturdiagramme von Ruanda und Italien (Stand 2015)

Szenarien entwerfen mögliche Bilder der Zukunft und dienen als Ausgangspunkt für Lösungsstrategien. Auf dieser Seite lernst du diese Methode kennen und erweiterst durch eigene Anwendung deine Kompetenzen zur Tragfähigkeit der Erde.

---

1 Verdeutliche den Unterschied zwischen der Tragfähigkeit der Erde und der Ernährungssituation. Nutze dazu das Szenario zur Welternährungssituation. ●

2 Erstelle ein Szenario zur Tragfähigkeit der Erde: ●

a) Analysiere wesentliche Fragestellungen: Welche aktuellen Entwicklungen sind zu beobachten? Wie verändert sich die Weltgetreideproduktion im Vergleich zur Weltbevölkerung?

b) Erarbeite wichtige Faktoren, die Einfluss auf das Thema haben (politische, gesellschaftliche, ökonomische, ökologische).

c) Ordne die Einflussfaktoren in einer Mindmap. Stelle Vermutungen zur Entwicklung an.

d) Entwirf je ein Positiv-, Trend- und Negativszenario. Zeige die jeweiligen Folgen auf.

e) Präsentiere deine Szenarien und diskutiere deren Glaubhaftigkeit.

3 Bewerte die Eignung der Methode, um Handlungsoptionen und Lösungsansätze zu erarbeiten. ●

 Fordere dich!

Szenariotrichter

Der Szenariotrichter veranschaulicht die Ausrichtung der verschiedenen Szenarien. Dabei wird auch deutlich, dass die Aussagen ungenauer werden, je weiter sie zeitlich vom Ausgangspunkt entfernt sind. Die Zusammenhänge verschiedener Aspekte sind sehr komplex, die Veränderung eines Faktors verändert auch die Wirkung anderer Faktoren. Daher ist es wichtig, alle möglichen Entwicklungen in den Blick zu nehmen, um entsprechende Handlungsoptionen abwägen zu können.

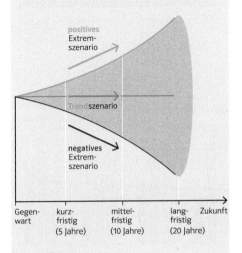

1

Beispiel: Szenarien zur Welternährungssituation 2052
Positivszenario (Best-Case-Scenario)

– Auf der Erde leben 7,5 Milliarden Menschen. Die Zahl ist nun rückläufig.
– Die globale mittlere Temperatur bleibt auf dem Stand von 2012.
– Die landwirtschaftliche Produktion erhöht sich durch Investitionen und neue Technologien (Gentechnik, Düngemittel). Die Intensivierung der Landwirtschaft im Zusammenspiel mit der Ausbreitung der Nutzfläche ergibt eine größere Produktivität bei gleichzeitiger Umweltschonung.

Trendszenario (aktueller Zustand auch in der Zukunft)

– Die Weltbevölkerung erreicht 2040 mit 8,1 Milliarden Menschen ihren vorläufigen Höhepunkt und ist seitdem rückläufig.
– Die globale mittlere Temperatur steigt um mehr als 2 Grad Celsius an. Durch den Klimawandel gibt es mehr extreme Wetterphänomene, sodass sich die landwirtschaftliche Nutzfläche reduziert.
– Die Nahrungsmittelproduktion dehnt sich durch Investitionen und neue Technologien (Entsalzung, Gentechnik, Düngemittel) aus, es gibt höhere Erträge in eigentlich ungeeigneten Gebieten.
– Der Pro-Kopf-Verbrauch von Nahrungsmitteln steigt. Dennoch bleiben die ungleiche Verteilung und damit der Hunger bestehen.

Negativszenario (Worst-Case-Scenario)

– Auf der Erde leben mehr als elf Milliarden Menschen.
– Die globale mittlere Temperatur steigt um mehr als 4 Grad Celsius an. Durch den Klimawandel gibt es extreme Wetterphänomene, sodass sich die landwirtschaftliche Nutzfläche stark reduziert hat.
– Die Nahrungsmittelproduktion kann den Bedarf nicht decken.
– Die Nahrungsmittelversorgung ist auf dem niedrigsten Stand seit den 1980er-Jahren. Die ungleiche Verteilung hat sich noch verstärkt, der Hunger in der Welt breitet sich aus.

2

TERRA FÜR DICH

Menschen leben meist nicht alleine, sondern in Familien zusammen. Das können Großfamilien, aber auch kinderlose Ehepaare sein. Viele Einflüsse wirken ein, sodass sich auch die traditionellen Strukturen auflösen können.

Wähle aus!

Wähle mindestens eines der Beispiele (1, 2 oder 3) aus, das dich besonders interessiert.

1 Beschreibe die Familienstruktur, indem du übergeordnete Kriterien entwickelst (z. B. Bildung, Stellung der Frau, Tradition). ○

2 Vergleiche die vorgestellte Familienstruktur mit typischen Familienstrukturen in Deutschland. ◑

Gemeinsame Aufgabe

3 Arbeitet in einer Gruppe: ●
a) Vergleicht eure Ergebnisse.
b) Präsentiert die Ergebnisse auf einem Plakat.
c) „Die afrikanische Familie gibt es nicht." Beurteilt diese Aussage und diskutiert.

„Die" afrikanische Familie gibt es nicht.

Beispiel Äthiopien

Die in der Subsistenzwirtschaft körperlich hart arbeitenden Frauen unterstehen dem Mann als Familienoberhaupt. Verheiratet werden oft minderjährige Mädchen, weil ihre Eltern dann nicht mehr für sie sorgen müssen.

B

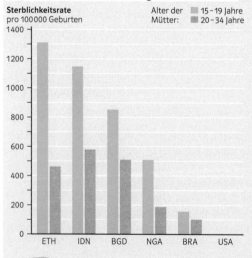
A Müttersterblichkeit in ausgewählten Ländern

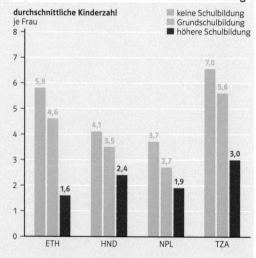
C Durchschnittliche Kinderzahl und Schulbildung

1

Beispiel Kenia

Festgelegte Geschlechterrollen bestimmen das Leben: Das Ansehen eines Mannes steigt mit der Zahl der Kinder und Frauen. Aufgabenteilung und soziale Verantwortung charakterisieren das Leben, für Kinder und Alte wird besonders gesorgt. Schulbildung ist nach wie vor nicht selbstverständlich.

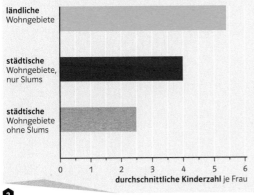

A Durchschnittliche Kinderzahl in Kenia (pro Frau nach Wohngebieten, 2004)

- ländliche Wohngebiete
- städtische Wohngebiete, nur Slums
- städtische Wohngebiete ohne Slums

durchschnittliche Kinderzahl je Frau

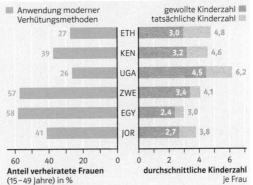

C Verhütung und Kinderzahlen in Entwicklungsländern

■ Anwendung moderner Verhütungsmethoden   gewollte Kinderzahl ■ tatsächliche Kinderzahl ▨

	Anteil verheiratete Frauen	gewollte	tatsächliche
ETH	27	3,0	4,8
KEN	39	3,2	4,6
UGA	26	4,5	6,2
ZWE	57	3,4	4,1
EGY	58	2,4	3,0
JOR	41	2,7	3,8

Anteil verheiratete Frauen (15–49 Jahre) in %

durchschnittliche Kinderzahl je Frau

Statistik Deutschland 2013

durchschnittliche Kinderzahl: 1,38

Schulbildung:
Hauptschule: 36 %
Realschule: 22 %
Gymnasium: 27 %
ohne Schulabschluss: 4 %

Müttersterblichkeit: 5–7 (auf 100 000 Geburten)

unterernährte Menschen: ca. 2,5 %

2

Beispiel Ägypten

Eine junge Gesellschaft ist kennzeichnend für die ägyptische Bevölkerung.
In der gebildeten Mittelschicht sind Doppelverdiener und zurückgehende Kinderzahlen üblich. Die unteren Schichten verdienen ihr Geld, das sie für Trinkwasser, Nahrung, Wohnraum und Schulgeld benötigen, meist im informellen Sektor.

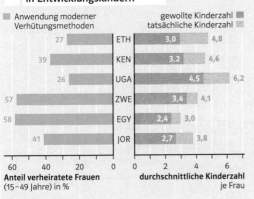

A Verhütung und Kinderzahlen in Entwicklungsländern

■ Anwendung moderner Verhütungsmethoden   gewollte Kinderzahl ■ tatsächliche Kinderzahl ▨

	Anteil verheiratete Frauen	gewollte	tatsächliche
ETH	27	3,0	4,8
KEN	39	3,2	4,6
UGA	26	4,5	6,2
ZWE	57	3,4	4,1
EGY	58	2,4	3,0
JOR	41	2,7	3,8

Anteil verheiratete Frauen (15–49 Jahre) in %

durchschnittliche Kinderzahl je Frau

C Ägypten und Deutschland im Vergleich

	Ägypten (2013)	Deutschland (2013)
HDI-Rang (von 187 Staaten)	110	6
Bevölkerungswachstum	1,64 %	0,29 %
Grundschüler pro Lehrer/in	27,7 (2010)	11,8 (2011)
Lebenserwartung in Jahren	71,1	81,1
unterernährte Menschen	5 %	k. A.
BNE pro Kopf und Jahr	3 140 US-$	47 250 US-$

Bundesministerium für Entwicklung und Zusammenarbeit (Hrsg.): Ägypten: www.bmz.de/de/was_wir_machen/laender_regionen/naher_osten_nordafrika/aegypten/profil.html (19.05.2015)

Länderlegende

BGD = Bangladesch
BRA = Brasilien
EGY = Ägypten
ETH = Äthiopien
HND = Honduras
IDN = Indien
JOR = Jordanien
KEN = Kenia
NGA = Nigeria
NPL = Nepal
TZA = Tansania
UGA = Uganda
ZWE = Simbabwe

3

10

Globale Verstädterung

1 Megacity Tokio – Blick vom neuen Fernsehturm (Skytree) zum 100 km entfernten Berg Fuji

Heute lebt bereits über die Hälfte der Weltbevölkerung in Städten. Nach Schätzungen der UNO werden es im Jahr 2025 zwei Drittel sein. Die globale Verstädterung schreitet also unaufhaltsam voran. Dabei nimmt auch die Zahl der Megastädte zu, das heißt der Städte mit mehr als 10 Millionen Einwohnern.
Was sind die Ursachen für diese Entwicklung und welche Folgen sind damit verbunden? Überwiegen die Risiken oder die Chancen?

10

TERRA ORIENTIERUNG

Die städtische Bevölkerung wächst jährlich um etwa 60 Millionen Menschen. Doch bei diesem Wachstum gibt es große räumliche Unterschiede. So gibt es Regionen auf der Erde mit einem besonders rasanten Wachstum. Verstädterung bedeutet aber mehr als nur das Wachstum der städtischen Bevölkerung.

Globale Verstädterung

Um 1900 lebten nur 10 Prozent der Weltbevölkerung in Städten. Mitte des 20. Jahrhunderts waren es knapp 30 Prozent und im Jahr 2007 lebten zum ersten Mal mehr als die Hälfte der Menschen in Städten. Experten gehen davon aus, dass dieser Prozentsatz bis 2050 auf etwa 70 Prozent ansteigen wird. Mit dieser Entwicklung sind zahlreiche Konflikte und Pro-bleme, aber auch Chancen für eine nachhaltige Entwicklung verbunden.

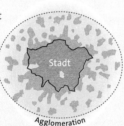

Als **Stadt** bezeichnet man eine administrative, d.h. verwaltungsrechtlich bestimmte Siedlungseinheit, die durch die Stadtgrenze definiert ist.

Agglomeration nennt man die räumliche Verdichtung von Bevölkerung, Wirtschaft und Infrastruktur über die Stadtgrenzen einer Großstadt hinaus. In manchen Gegenden spricht man auch von einer **Metropolregion**.

1

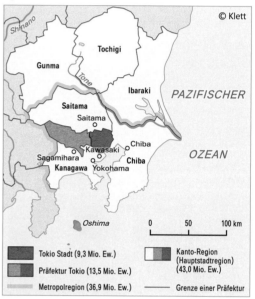

3 Gliederung Tokios

Die größten Agglomerationen der Welt

Einwohner in Mio. 1990		Einwohner in Mio. 2016	
1. Tokio	32,5	1. Tokio	38,1
2. Osaka	18,4	2. Delhi	26,4
3. New York	16,1	3. Shanghai	24,4
4. Mexiko-Stadt	15,6	4. Mumbai	21,3
5. São Paulo	14,8	5. São Paulo	21,2
6. Mumbai	12,4	6. Beijing	21,2
7. Kolkata	10,9	7. Mexiko-Stadt	21,1
8. Los Angeles	10,9	8. Osaka	20,3
9. Seoul	10,5	9. Kairo	19,1
10. Buenos Aires	10,5	10. New York	18,6
11. Kairo	9,9	11. Dhaka	18,2
12. Delhi	9,7	12. Karachi	17,1

WUP, 2014, S. 93

2

Verstädterung und Metropolisierung

2016 gab es weltweit 36 **Megacitys**, das sind **Agglomerationen** mit mehr als 10 Mio. Einwohnern. Die räumliche Ausdehnung von Städten oder das Wachstum der Einwohnerzahl bezeichnet man als **Verstädterung**. Als Maß dient der Verstädterungsgrad. Dieser gibt den Anteil der Stadtbevölkerung an der Gesamtbevölkerung eines Landes an.

Eine besondere Form der Verstädterung ist die Metropolisierung. So nennt man das starke Wachstum von einer einzigen Großstadt eines Landes. Diese Metropolen überragen die anderen Städte des Landes hinsichtlich ihrer Bevölkerungszahl sowie der politischen, wirtschaftlichen und kulturellen Bedeutung. Es gibt aber auch Länder mit mehreren Metropolen, z. B. Brasilien oder Indien.

Tokio – noch eine Stadt?

Mit rund 37 Millionen Einwohnern gilt Tokio heute als größte Megacity der Erde. Die Einwohnerzahl der japanischen Hauptstadt wird in den kommenden Jahren zwar leicht sinken, allerdings wird Tokio

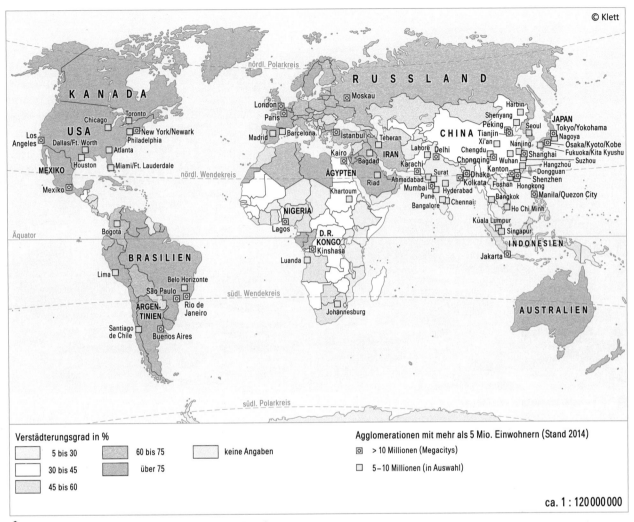

© Klett

Verstädterungsgrad in %

☐	5 bis 30
☐	30 bis 45
☐	45 bis 60

☐	60 bis 75
☐	über 75

☐ keine Angaben

Agglomerationen mit mehr als 5 Mio. Einwohnern (Stand 2014)

⊡ > 10 Millionen (Megacitys)

☐ 5–10 Millionen (in Auswahl)

ca. 1 : 120 000 000

4 **Verstädterungsgrad und Städte mit über 5 Mio. Einwohnern**

auch 2030 noch die weltweit größte Agglomeration sein. Damit hat die Megacity etwa so viel Einwohner wie ganz Polen.

Mit der Definition und Abgrenzung von Städten sind mehrere Probleme verbunden. In vielen Entwicklungsländern beruhen die Daten auf Schätzungen, da es hier keine statistischen Ämter wie in den Industrieländern gibt.

Außerdem gibt es unterschiedliche Abgrenzungskriterien für die städtischen Agglomerationsräume. Die Metropolregion Tokio ist ein Ballungsraum, der sich über etwa 13 500 km² erstreckt und 27 Städte mit jeweils mehr als 200 000 Einwohnern, darunter die zweitgrößte Stadt Japans Yokohama mit 3,7 Mio. Einwohnern, umfasst.

1 Erläutere die Begriffe Verstädterung und Verstädterungsgrad. ◓

2 Arbeite mit Karte 4:
a) Nenne jeweils fünf Länder, in denen der Anteil der Menschen, die noch auf dem Land leben, besonders hoch und besonders niedrig ist. ○

b) Beschreibe räumliche Unterschiede des globalen Verstädterungsprozesses. ◓
✂

3 Städtische Agglomerationen
a) Für die Einwohnerzahl von Städten gibt es in den Medien oft sehr unterschiedliche Angaben. Erkläre die Ursachen dafür. ◓

b) Ordne den Agglomerationen in Tabelle 2 die Staaten und Kontinente zu. ○

4 Wien oder Budapest haben weniger als 3 Mio. Einwohner und gelten dennoch als Metropole. Erkläre. ◓

AFB I: 2, 3b   AFB II: 1, 3a, 4

1 Historische Innenstadt von Mexiko

Ciudad de México – Magnet oder ...?

Die Hauptstadt Mexikos wurde im 20. Jahrhundert zum Symbol einer immer schneller wachsenden Megastadt mit all den damit verbundenen Problemen. Inzwischen zeigen andere Städt stärkere Wachstumsraten. Was begünstigte das schnelle Wachstum der Stadt und was begrenzt heute die Entwicklung?

Mexiko-Stadt liegt auf einer abflusslosen Hochebene in einer Höhe von 2 300 Meter. Hier gründeten die Azteken auf einer Insel des Texcoco-Sees um 1345 die Siedlung Tenochtitlán. Sie nutzten den Hochlandsee zum Fischfang und betrieben an seinen Ufern hoch entwickelten Gartenbau. Noch heute verdeutlichen die schwimmenden Gärten von Xochimilco im Süden der Stadt die weit entwickelte Kultur der Indianer. Mit über 60 000 Einwohnern war sie im Vergleich zu den damaligen Städten in Europa eine Riesenstadt. 521 verwüsteten die Spanier die Stadt. Auf den Ruinen der Indianerstadt errichteten sie die Hauptstadt ihres neuen Reiches, Mexiko-Stadt. Nun begann man den See, die einstige Lebensgrundlage, trockenzulegen.

Ziel war es, die Gefahr von Überschwemmungen in der Regenzeit zu bannen und die Siedlungs- und Agrarflächen zu erweitern. Auf dem Grund des trockengelegten Texcoco-Sees dehnt sich heute die Millionenstadt Nezahualcóyotl aus. Noch 1910 war Mexiko-Stadt eine ziemlich ruhige Hauptstadt, umgeben von kleinen Indianerdörfern und etwa 550 000 Einwohnern. Doch im Zeitraum von 1930 bis 2000 stieg die Einwohnerzahl von 1,2 auf über 18 Mio. an. Damit war ein wachsender **Flächenbedarf** verbunden und die Stadt wuchs weit über die Stadtgrenze hinaus. Zusammen mit vielen Vororten ist sie das Zentrum der Agglomeration „Zona Metropolitana del Valle de México". Dazu gehören neben dem Distrito Federal (= Stadt Mexiko) 58 Gemeinden des Bundesstaates México und 28 Gemeinden des Bundesstaates Hidalgo.

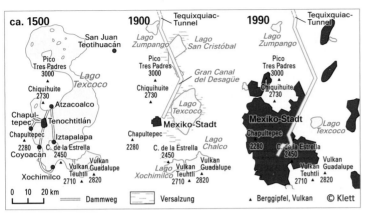

3 Flächenentwicklung von Mexiko-Stadt und Schrumpfen der Seenflächen

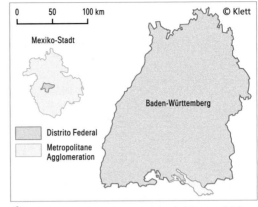

6 Agglomeration Mexiko-Stadt im Größenvergleich

Ursachen des Wachstums

Als im 20. Jahrhundert die Industrialisierung begann, setzte eine starke **Landflucht** bzw. **Land-Stadt-Wanderung** ein. Immer mehr Menschen zog es in die Städte, weil dort neue Arbeitsplätze entstanden. Viele wollten ihre Lebensbedingungen verbessern. Solche Wanderungsbewegungen werden mithilfe von Push- und Pull-Faktoren erklärt. **Push-Faktoren** sind dabei abstoßende Kräfte, die die Menschen vom Land in die Städte drängen. **Pull-Faktoren** sind anziehende Kräfte, die Menschen in die Städte ziehen. Darüber hinaus verstärkt auch das natürliche Bevölkerungswachstum die Verstädterung.

Legende zur Gründung von Tenochtitlan

Auf der Suche nach einem Siedlungsplatz für ihre Hauptstadt folgten die Azteken einer Vision ihres Gottes Huitzilopochtli, der ihnen aufgetragen hatte nach einem Adler Ausschau zu halten, der auf einem Kaktus inmitten eines Sees eine Schlange verschlingt.

5

?!

Kaum zu glauben

Die Mexikaner verwenden drei Bezeichnungen, wenn sie von ihrer Hauptstadt reden. Sie sagen: „México" (gesprochen Me-hi-ko) statt der amtlichen Bezeichnung „Ciudad de México". Oftmals wird die Stadt auch „Distrito Federal (D. F.)" (gesprochen de-effe) genannt.

→

Landflucht
Seite 166/167

Magnet Mexiko-Stadt

Benito wurde in Cidad, einem Dorf ca. 150 Kilometer entfernt von Mexiko-Stadt, geboren. Als Sohn eines Kleinbauern wuchs er unter ärmsten Verhältnissen auf. Das wenige Geld reichte kaum für Nahrung und Kleidung.

Kurz vor seinem 18. Geburtstag war sein Cousin nach Mexiko-Stadt gezogen, um Arbeit zu finden. Denn durch Trockenheit und Ernteausfälle wurde das Überleben für die Familie immer schwieriger. Als er nach einem halben Jahr seine Eltern im Heimatdorf besuchte, berichtete er vom reichen Angebot in der Stadt, dem Wasserhahn in der Wohnung, den vielen Schulen, Arbeitsmöglichkeiten und dem Lichterglanz in der Nacht. Seitdem wollte Benito nur noch eines: Dort musste er auch leben. So machte sich Benito einige Tag später auf den Weg nach Mexiko-Stadt.

Er staunte über die Häuser und vielen Reklameschilder. In diesem Getümmel von Menschen war sein Cousin nicht zu finden. Er hatte weder Geld noch eine Unterkunft. Deshalb schlief er einige Tage auf dem Gehsteig. Eine geregelte Arbeit fand er nicht sofort, da er nichts gelernt hatte. Aber er verdiente als Schuhputzer und Zigarettenverkäufer mehr Geld als früher in seinem Dorf. Auf der Straße lente er Juanita kennen und heiratete sie. Am Stadtrand suchten sie illegal Land, besetzten es und bauten eine Hütte. Die Familie wuchs schnell. Nach zwei Jahren fand Benito eine feste Anstellung als Lkw-Fahrer. Doch der Verdienst reichte nicht, um die nach fünf Jahren siebenköpfige Familie zu ernähren. So müssen auch die Kinder als Schuhputzer, Tellerwäscher und Blumenverkäufer zum Unterhalt beitragen.

4

7 Marginalsiedlung

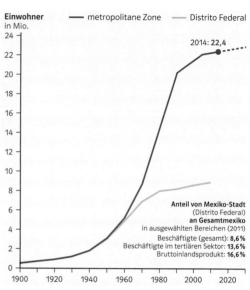

9 Bevölkerungswachstum in Mexiko-Stadt

Im Diagramm: Einwohner in Mio. — metropolitane Zone — Distrito Federal

2014: 22,4

Anteil von Mexiko-Stadt (Distrito Federal) **an Gesamtmexiko** in ausgewählten Bereichen (2011) Beschäftigte (gesamt): **8,6%** Beschäftigte im tertiären Sektor: **13,6%** Bruttoinlandsprodukt: **16,6%**

Informeller Wirtschaftssektor

Die Städte sind meist nicht in der Lage, der großen Zahl der Zuwanderer eine Arbeit zu bieten. Deshalb suchen sich viele Menschen eine Beschäftigung im **informellen Sektor**. So nennt man die wirtschaftlichen Tätigkeiten, die nicht staatlich registriert und kontrolliert sind. Beispiele dafür sind: Straßenverkauf, Transport, Durchführung von Kleinreparaturen, Autowäsche, Herstellung und Verkauf eigener Produkte und kleine Dienstleistungen wie Schuhputzen. Alle diese Tätigkeiten sind gekennzeichnet durch die Nutzung einfacher Technologien, eine geringe Qualifikation der Beschäftigten sowie niedrige Einkommen. Hier werden keine Steuern gezahlt und ohne Lizenzen Raubkopien angefertigt.

Wie viele Menschen in diesem Sektor arbeiten, lässt sich meist nicht genau ermitteln. Einige informelle Tätigkeiten sind nämlich zum Teil mit dem formellen Sektor verflochten. In Mexiko-Stadt wird der Anteil der Menschen, die im informellen Sektor arbeiten, auf etwa 25 Prozent geschätzt.

Im informellen Sektor ist meist die ganze Familie eingebunden. Das bedeutet, dass oft auch Kinder als Verkäufer, Autowäscher oder Schuhputzer arbeiten. Dabei müssen aber gesetzlichen Regelungen eingehalten werden, z.B. dass Kinder mindestens 14 Jahre alt sein müssen, eine Genehmigung benötigen und nur eine beschränkte Anzahl von Stunden in der Woche arbeiten dürfen. Das ist notwendig, damit sie ihre schulische Ausbildung fortführen können.

8 Infomeller Sektor: Schuhputzer

Slums und Villenviertel

Die Zuwanderer vom Land lassen sich häufig in illegalen Hüttensiedlungen nieder, die sich am Stadtrand befinden. Hier gibt es weder einen Wasser- und Stromanschluss, noch sind Schulen und Krankenhäuser vorhanden. Solche **Armutsviertel**, die als **Slum** bezeichnet werden, gibt es nicht nur am Stadtrand, sondern auch innerhalb der Stadt. Sie befinden sich meist auf dem Gelände ehemaliger Fabriken, in der Nähe von Schlachthöfen, Eisenbahnanlagen oder Autobahnen.

Die Bewohner der Slums sind überwiegend im informellen Sektor tätig oder arbeitslos und verfügen über nur sehr geringe und unsichere Einkommen.

Viele Slums sind von der Stadtverwaltung inzwischen saniert. Straßen wurden befestigt, Schulen gebaut und anstelle der Hütten gibt es Häuser aus festen Baumaterialien.

Die ehemaligen Häuser der Oberschicht im Stadtzentrum werden meist bettenweise an die vielen Zuwanderer vermietet. Die einst attraktiven Wohnviertel entwickeln sich so immer mehr zu heruntergekommenen Stadtteilen.

Neben diesen Armutsvierteln gibt es Stadtviertel, in denen die bessergestellten sozialen Schichten wohnen. Hier gibt es auch alle Versorgungseinrichtungen vom Wasseranschluss bis zu Krankenhäusern, aber auch viele **Gated Communities**. Das sind gesicherte Wohnanlagen mit hohen Zäunen und Mauern, Wachdiensten und Zutrittsverbot.

Mexiko-Stadt gleicht heute einem Flickenteppich aus Wohngebieten der reichen und armen Bevölkerung, die oft unmittelbar aneinandergrenzen.

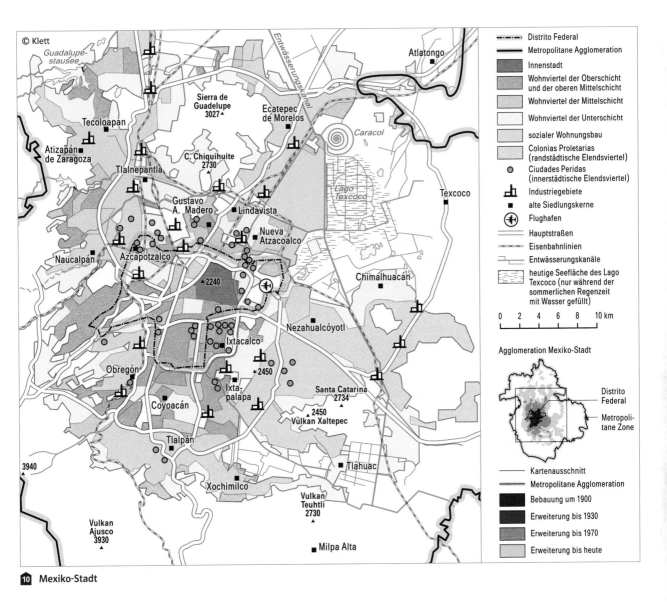

© Klett

Legende:
- – · – · – Distrito Federal
- ─── Metropolitane Agglomeration
- Innenstadt
- Wohnviertel der Oberschicht und der oberen Mittelschicht
- Wohnviertel der Mittelschicht
- Wohnviertel der Unterschicht
- sozialer Wohnungsbau
- Colonias Proletarias (randstädtische Elendsviertel)
- ○ Ciudades Peridas (innerstädtische Elendsviertel)
- ⚒ Industriegebiete
- ■ alte Siedlungskerne
- ✈ Flughafen
- ─── Hauptstraßen
- Eisenbahnlinien
- Entwässerungskanäle
- heutige Seefläche des Lago Texcoco (nur während der sommerlichen Regenzeit mit Wasser gefüllt)

0 2 4 6 8 10 km

Agglomeration Mexiko-Stadt
- Distrito Federal
- Metropolitane Zone
- ─── Kartenausschnitt
- ─── Metropolitane Agglomeration
- Bebauung um 1900
- Erweiterung bis 1930
- Erweiterung bis 1970
- Erweiterung bis heute

10 Mexiko-Stadt

Rückgang des Wachstums

Heute wächst die Stadt nicht mehr so schnell, weil es durch Familienprogramme gelungen ist, die Geburtenrate zu verringern. Sie ist jetzt deutlich niedriger als in anderen Landesteilen. Seit einigen Jahren ist das Bevölkerungswachstum deshalb zurückgegangen. Durch die Verlagerung von Industrien und Ministerien in andere Städte ist es gelungen, die Zuwanderung nach Mexiko-Stadt zu reduzieren. Die Stadt beginnt sich sogar zu einer Abwanderungsregion zu entwickeln, weil viele Menschen wegen der Umweltverschmutzung und Verkehrsüberlastung wegziehen.

→
Gated Community
Seite 171

1 Erstelle mithilfe einer Atlaskarte eine Lageskizze von Mexiko-Stadt. ◐

2 Arbeite aus dem Text 4, Seite 161 die Push- und Pull-Faktoren heraus, die Benito veranlasst haben, sein Heimatdorf zu verlassen. ◐

3 Erläutere Ursachen für die Entwicklung von Mexiko-Stadt zur Metropole. ●

4 Vergleiche die Entwicklung der Bevölkerungszahlen des Distrito Federal und der metropolitanen Zone (Diagramm 9). ◐

5 Beschreibe die soziale Gliederung sowie die Lage der Armenviertel von Mexiko-Stadt (Karte 10). ◐

6 Erläutere Merkmale und Bedeutung des informellen Sektors. ◐

AFB I: 5   AFB II: 1, 2, 3, 4, 6

11 Smog über Mexiko-Stadt

12 Auswirkungen von Bodenabsenkungen

Luftbelastung

Straßenkinder

In ganz Latein-
amerika leben Milli-
onen von Kindern
auf der Straße ohne
den Schutz der
Familie. Die meisten
haben keine Schul-
und Berufsaus-
bildung. Um über-
leben zu können,
sind sie auf schlecht
bezahlte Gelegen-
heitsjobs angewie-
sen, stehlen oder
verüben andere
Straftaten. Viele
sind drogenab-
hängig.

Die Lage der mexikanischen Hauptstadt in einer
Höhe von etwa 2 300 Meter und umgeben von Bergen verhindert einen beständigen Luftaustausch
durch Windströmungen. Dabei fällt das Atmen wegen der extremen Höhenlage der Stadt ohnehin
schon schwer. Die Luft enthält circa 23 Prozent weniger Sauerstoff, als auf Höhe des Meeresspiegels.
Um genug Sauerstoff zu bekommen, müssen die
Stadtbewohner also noch mehr verschmutzte Luft
einatmen. Besonders gefährdet sind die Einwohner
der Stadt in den ariden Monaten Dezember bis Februar. In dieser Zeit kommt es häufig zu **Smog**. So
bezeichnet man den Zustand einer stark überhöh-
ten Luftbelastung. Dabei kommt es durch Abgase
des Kfz-Verkehrs zu chemischen Reaktionen zwischen Stickoxiden und Kohlenwasserstoffen mit
den Bestandteilen der Luft. Insgesamt werden an
über 300 Tagen in der City von Mexiko Ozonwerte
gemessen, die bei uns einen sofortigen Alarm
auslösen würden. Bei vielen Menschen werden
Herz-Kreislauf- und Atemwegserkrankungen festgestellt. Die Ursachen dafür sind die täglich anfal-
lenden großen Mengen an Schmutz und Schad-
stoffen, z. B. entstehen pro Tag über 80 000 Tonnen
Müll in der Stadt. Der größte Teil landet auf Halden
oder türmt sich in den Straßen.

Die Stadt weist insgesamt eine hohe **Umweltbelastung** auf, das heißt die Menschen haben die natürliche Umwelt negativ verändert.

Wasserknappheit

Ein großes Problem ist die Wasserversorgung.
Durchschnittlich 280 Liter Wasser verbraucht jeder Einwohner der Stadt pro Tag. In Deutschland
liegt dieser Wert bei 122 Liter. Der hohe Verbrauch
in Mexiko-Stadt kommt vor allem durch defekte
Rohrsysteme zustande. Fast jeder dritte Liter an
Trinkwasser versickert ungenutzt. Experten war-
nen schon lange, dass es nicht möglich sei, eine
derart gigantische Stadt dauerhaft und umweltver-
träglich mit Wasser zu versorgen. Bei Mexiko-Stadt
kommen geographische Besonderheiten hinzu:
Die Metropole liegt fernab jeden Gewässers und
zudem auf einer Hochebene. Fast zwei Drittel des
Wassers, das in der Megacity verbraucht wird, müssen mit mehr als 2 500 Pumpen aus Tiefbrunnen
hochgepumpt werden. Ein weiteres Drittel wird
über das Stausystem Cutzamala im Bundesstaat
Mexiko über mehrere Bergketten aus mehr als
150 Kilometern Entfernung in die Stadt geschafft.
Nur knapp zehn Prozent des Wassers werden aus
Oberflächenwasser wie Flüssen, Regenwasser und
Ähnlichem gedeckt.

Im Stadtzentrum kann man Gebäude sehen, die
teilweise über 5 Meter tief im Boden eingesunken
sind. Ursache ist der durch ständige Entnahme von
Grundwasser ausgehöhlte Untergrund. Als Folge
der Absenkung treten Brüche in den Wasser- und
den Abwasserleitungen auf, die wiederum das
Wasser verunreinigen.

 Metrobus

14 **Bepflanzte Wand in einem Restaurant**

Hoffnung für Mexiko-Stadt

Mit der Verlagerung von Universitäten, Ministerien und Industriebetrieben in andere Städte des Landes ging seit den 1990er-Jahren die wirtschaftliche Bedeutung von Mexiko-Stadt zurück. Seitdem stabilisierte sich die Situation und es kam zu Verbesserungen der **Infrastruktur** und Umweltsituation. So entwickelte die Stadt 2008 den Plan Verde. Mit verschiedenen Maßnahmen in den Bereichen Bodenschutz, Wohnen und öffentlicher Raum, Wasser, Mobilität, Luft, Abfall, Klimawandel und Energie sollen die Ressourcen der Stadt besser genutzt werden. Gleichzeitig will man aber auch Verhaltensänderungen bei den Einwohnern erreichen. Zur Verbesserung des öffentlichen Verkehrs investiert die Stadt in den weiteren Ausbau des U-Bahn-Systems und in ein Netz neuer Stadtbuslinien. Auf gesonderten Fahrspuren fahren Metrobusse an den endlosen Autoschlangen vorbei. 2013 gab es bereits vier Linien, auf denen Hunderte der feuerroten Gelenkbusse quer durch die Stadt fahren. Sie befördern dabei täglich über eine halbe Million Menschen. Weitere Maßnahmen sind wechselnde eintägige Fahrverbote für Privatfahrzeuge, um deren Anzahl in den Problemzeiten zu reduzieren.

Das Fahrverbot „Hoy no circula" („Heute fährt man nicht") bestimmt, an welchem Tag Fahrzeuge in der Stadt nicht fahren dürfen, je nach entsprechender farbiger Plakette. Das Fahrverbot gilt für die gesamte Metropolregion. Aber auch der Einsatz von blei- und schwefelarmen Kraftstoffen und Katalysatoren soll eine Verbesserung der Luft herbeiführen. Mit dem Projekt „Ecobici" wird das Fahrrad gefördert. Nach seiner Einführung im Jahr 2010 stieg die Nachfrage rasant an. Inzwischen gibt es über 440 Ecobici-Fahrrad-Stationen mit insgesamt über 6000 Fahrrädern.

Auch das Thema **Recycling** wird seit 2011 stärker diskutiert, um die täglich anfallende Menge Abfall von über 12000 Tonnen zu entsorgen. Entlang der besonders stark befahrenen Metrobus-Linie 1 können PET-Flaschen eingeworfen und direkt gegen Fahrkarten eingetauscht werden

Im Bereich der Wasserversorgung erarbeitet eine Kommission ein nachhaltiges Konzept zur Sicherung der Wasserversorgung ohne Risiko für die künftigen Generationen. Dazu gehören eine neue Preisgestaltung, die Erneuerung des Leitungsnetzes sowie der Bau eines großen Abwasserkanals.

15 **Logo des plan verde**

7 Stelle unter Einbeziehung der natürlichen Bedingungen Ursachen und Auswirkungen der enormen Luftbelastung sowie der Wasserknappheit in Mexiko-Stadt dar. ◗

8 Erläutere Maßnahmen der Stadt zur Verbesserung der Umweltsituation. ◗

9 „Mexiko-Stadt befindet sich im Dilemma eines sinkenden Schiffs. Wenn man es nicht repariert, ist seine Zukunft sehr unsicher, und wenn man es repariert, steigen noch mehr Leute zu und es sinkt noch schneller." Beurteile diese Aussage. ●

TERRA
METHODE

Um ein Thema oder Problem als Ganzes zu verstehen, muss man das Zusammenwirken der verschiedenen Einflußgrößen beachten. Meist ist es schwierig, solche Ursache-Wirkungszusammenhänge nur mit Worten darzustellen. Viele Faktoren beeinflussen sich gegenseitig. Um alle Beziehungen und Prozesse veranschaulichen zu können, ist die Darstellung in einem Wirkungsgefüge hilfreich.

❶

Ein Wirkungsgefüge erstellen

Jana sitzt zu Hause in ihrem Zimmer und will einen Kurzvortrag über die Auswirkungen der Metropolisierung vorbereiten.

Die Seite in ihrem Schulbuch steckt voller Informationen. Den Text hat sie schon mehrfach gelesen und eine Menge Ideen im Kopf. Trotzdem fällt es ihr schwer, einen Anfang zu finden. Vielleicht ist es dir auch schon einmal so ergangen.

Mit einem **Wirkungsgefüge** kannst du hier schnell zum Ziel kommen.

Im Unterschied zu einer Concept Map lassen sich damit Ursache-Folge-Beziehungen darstellen. Der Vorteil: Du kannst am Beispiel der Metropolisierung sich verstärkende oder abschwächende Einflussgrößen und ihr Zusammenwirken aufzeigen. Versuch es doch einmal!

←
Concept-Map
Seite 76/77

Beispielaufgabe
Erstelle ein Wirkungsgefüge zu den Einflussfaktoren der Landflucht in Lateinamerika (Push-Faktoren).

1. Schritt: Zielsetzung klären

Lies die Aufgabe genau durch und erfasse die Problemstellung. Achte darauf, welche Zusammenhänge im Wirkungsgefüge dargestellt werden sollen.

Zielsetzung der Aufgabe
In dem Wirkungsgefüge sind die Zusammenhänge zwischen den Ursachen des Wegzuges der Menschen aus dem ländlichen Raum darzustellen.

2. Schritt: Stichwörter sammeln

Sammle ausgehend vom Problem alle Stichwörter, die dir in diesem Zusammenhang einfallen. Notiere sie auf Kärtchen (2).

> z.B.: *Arbeitslosigkeit, geringes Einkommen, fehlende Arbeitsplätze, kaum Bildung, schlechte Wohnbedingungen, etc.*

3. Schritt: Stichwörter ordnen

Wähle geeignete Stichwörter aus. Sortiere die Kärtchen nach über- und untergeordneten Begriffen. Finde zunächst den Begriff, der die wesentlichsten Merkmale einer Sache umfasst. Ordne dem weitere Begriffe zu. Ergänze weitere untergeordnete Begriffe auf neuen Kärtchen.

4. Schritt: Zusammenhänge durch Pfeile verdeutlichen

Welche Zusammenhänge bestehen zwischen den einzelnen Begriffen? Achte auf Ursachen und Auswirkungen. Verschiebe die Kärtchen so, dass du möglichst viele Begriffe mit Pfeilen verbindest (Abbildung 3).

5. Schritt: Zusammenhänge erklären

Begründe ausgewählte Zusammenhänge, die von dir durch Pfeile markiert wurden. Wenn du in der Gruppe gearbeitet hast, kannst du die möglichen Alternativen mit den Mitschülern diskutieren und das gemeinsame Ergebnis vergleichen.

> *Weil die Menschen auf dem Lande kaum über Eigentum verfügen und Arbeitsplätze fehlen, haben sie nur ein geringes Einkommen oder sind arbeitslos. Sie können sich kaum eine Ausbildung leisten.*

6. Schritt: Überschrift formulieren

Ergänze das Wirkungsgefüge durch eine Überschrift. Beachte, dass ein Wirkungsgefüge immer nur eine Vereinfachung der Wirklichkeit darstellt. Das Wirkungsgefüge (4) kann zum Beispiel durch weitere Eintragungen ergänzt werden.

2

3

4

1 Erstelle ein Wirkungsgefüge zu den Pull-Faktoren. Nutze dazu die folgenden Begriffe: höhere Löhne, Wohnmöglichkeiten, viele Jobangebote, Sicherheit, Bildungsmöglichkeiten, informeller Sektor in der Stadt, Gesundheitssystem, Kultur- und Freizeitangebot, Möglichkeit des Familiennachzugs, Aufstiegschancen. ●

10

TERRA
TRAINING

Wichtige Begriffe	**Flächenbedarf**	**Infrastruktur**	**Push- und**
Agglomeration	Gated Community	Landflucht	Pull-Faktoren
Armutsviertel	informeller Sektor	Megacity	Slum

1 São Paulo – Gegensätze auf engstem Raum

Sich orientieren

1 Staaten gesucht ○

a) Ordne die folgenden Metropolen jeweils den Staaten zu, in denen diese liegen:
Dhaka, Karachi, Lagos, Kinshasa, Guangzhou, Buenos Aires, Manila, Istanbul, Tianjin, Bogota.

b) Nenne die unter a) genannten Metropolen, die in Asien liegen.

c) Nenne für folgende Staaten mindestens zwei große Metropolen: Brasilien, Indien, USA.

Kennen und verstehen

2 Landflucht ○

Ordne die folgenden Begriffe jeweils den Push- oder Pull-Faktoren zu. Doch Vorsicht: Nicht alle der genannten Faktoren sind für die Eintragung geeignet. Ergänze noch weitere Punkte.
Natur, saubere Luft, Schulen, Krankenhäuser, soziale Enge, Arbeitsmöglichkeiten, Straßenbau, Licht, Wasser, schlechte Versorgung, schlechte Verdienstmöglichkeiten, Maschineneinsatz in der Landwirtschaft.

3 Finde die Begriffe ◖

a) Immer mehr Menschen leben in Städten.

b) Zahl, welche den Anteil der Menschen eines Landes angibt, die in Städten leben

c) randstädtisches Auffanglager mit geringer Infrastruktur

4 Richtig oder falsch ◖

Verbessere die falschen Aussagen und schreibe sie richtig:

a) Push-Faktoren sind Gründe, die die Attraktivität von Städten anzeigen.

b) Zum informellen Sektor gehören Menschen, die in Großbetrieben tätig sind.

c) Noch heute sind die Zeugnisse der Azteken in Mexiko-Stadt zu erkennen.

d) Der Verstädterungsgrad bezeichnet den Bevölkerungsanteil der Millionenstädte an der Gesamtbevölkerung.

5 Megacitys ◖

Erkläre Ursachen für das Wachstum einiger Städte zu Megacitys.

6 Folgen der Verstädterung ◖

Nenne negative und positive Auswirkungen der globalen Verstädterung.

7 Verstädterung und informeller Sektor ●

Erkläre Zusammenhänge zwischen der Verstädterung in den Entwicklungsländern und dem informellen Sektor.

2 Helikopterlandeplätze auf den Hochhäusern in São Paulo

Material
Bogen zur Selbsteinschätzung
u4t6q3

Material
Kompetenzcheck
u4t6q3

Lernen im Netz
Interaktive Übung
u4t6q3

Smog   Verstädterung
Umweltbelastung   Verstädterungsgrad

3 Beide bei der Arbeit?

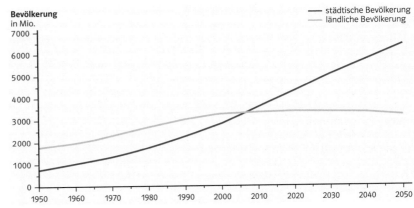

5 Städtische und ländliche Bevölkerung der Welt, 1950–2050

— städtische Bevölkerung
— ländliche Bevölkerung

4 Händler am Strand

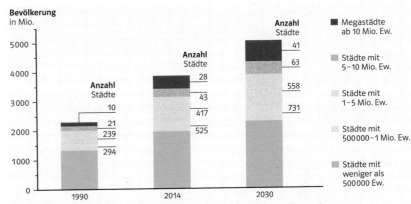

Die Angaben zu den Städten beziehen sich jeweils auf die städtische Agglomeration.

6 Wachstum der städtischen Bevölkerung nach Stadtgrößenklassen

Megastädte ab 10 Mio. Ew.
Städte mit 5–10 Mio. Ew.
Städte mit 1–5 Mio. Ew.
Städte mit 500 000–1 Mio. Ew.
Städte mit weniger als 500 000 Ew.

Methoden anwenden

8 Bildauswertung
a) Beschreibe mithilfe des Fotos 1 die unterschiedlichen Lebensbedingungen der Einwohner São Paulos. ○
b) Erläutere Probleme, die sich aus dem Zusammenleben unterschiedlicher Lebenswelten ergeben. ◐

9 Diagramme auswerten
Arbeite mit den Diagrammen 5 und 6.
a) Beschreibe die jeweils erkennbaren Entwicklungen. ◐
b) Erkläre die unterschiedliche Entwicklung der Land- und Stadtbevölkerung in Diagramm 5. ◐
c) Erkläre Ursachen für die Veränderung der Stadtbevölkerung in Diagramm 6. ●

Beurteilen und bewerten

10 Entscheidung gefragt ◐
Überprüfe, inwieweit die Motive für die Landflucht in Entwicklungsländern auch für die Industrieländer zutreffen.

11 Informeller Sektor ●
Sollte man den informellen Sektor legalisieren oder verbieten?
Begründe deine Meinung aus der Sicht der Betroffenen in den Fotos 3 und 4.

Am Ende kannst du ...
– das weltweite Phänomen der Verstädterung darstellen,
– an einem Beispiel Ursachen und Folgen der Verstädterung darstellen,
– ausgewählte Megastädte nennen und den jeweiligen Staaten zuordnen.

AFB I: 1, 6   AFB II: 2, 3, 4, 5, 7, 8, 9a, 9b   AFB III: 9c, 10, 11

TERRA
FÜR DICH

Auf dieser Seite stärkst du deine Kompetenz die Push- und Pull-Faktoren zu erklären.

Die Materialien helfen dir, die Faktoren zuzuordnen und verschiedene Perspektiven einzunehmen.

Werde sicher!

1 Push- und Pull-Faktoren
a) Sortiere die unten stehenden Kästchen nach Push- und Pull-Faktoren. ○
b) Begründe jeweils deine Zuordnung. ◖
c) Bringe die Faktoren nach Wichtigkeit in eine Reihenfolge. Erkläre.

2 Erläutere Aufgaben, die sich aufgrund starker Landflucht für Großstädte ergeben. ◖

3 Verfasse einen Leserbrief aus der Perspektive eines Menschen, der aus einer ländlichen Region in eine Großstadt umsiedelt.
a) Erläutere dessen Motive und Hoffnungen. ◖
b) Entwirf zwei verschiedene Varianten seines Lebens in der Großstadt und beziehe dich dabei auf die zuvor geschilderten Motive und Hoffnungen. ●

Das Push-Pull-Modell

Das Modell versucht Faktoren, die Migration auslösen können, zu benennen und in Zusammenhang zu bringen. Dabei werden abstoßende Faktoren, die Push-Faktoren, von jenen unterschieden, die anziehend wirken und als Pull-Faktoren bezeichnet werden. Wie bei jedem Modell handelt es sich um eine starke Vereinfachung komplexer Zusammenhänge, sodass die verschiedenen Faktoren immer in einem Wirkungsgeflecht verstanden werden müssen. Dennoch können mit dem Push-Pull-Modell Erklärungsansätze für die Sogwirkung von großen Städten und die Landflucht gegeben werden.

1

fehlende oder mangelhafte öffentliche Infrastruktur (Schule, Krankenhaus etc.)	Bevölkerungsdruck	Umweltprobleme	Konsumangebote
Freizeitangebote	gute medizinische Versorgung	Arbeitsplätze und wirtschaftliche Abhängigkeit	mangelhafte medizinische Versorgung
Wohnmöglichkeiten	größere persönliche Freiheit	Bildungs- und Aufstiegschancen	erstarrte Sozialstrukturen
fehlende Bildungs- und Ausbildungsmöglichkeiten	geringe Teilhabemöglichkeit an Gütern und Dienstleistungen	soziale Versorgung	freie Arbeitsplätze

2 Push- und Pull-Faktoren

AFB I: 1a, AFB II: 2, 3a AFB III: 1b, 1c, 3b

Auf dieser Seite setzt du dich mit dem Konzept der Gated Communities auseinander. Indem du die Perspektive eines Bewohners einer solchen einnimmst, erweiterst du deine Kompetenzen zum Thema Verstädterung.

Fordere dich!

1 Konzept der Gated Communities
a) Beschreibe das Konzept der Gated Communities. ◗
b) Diskutiere das Konzept anschließend, indem du Pro- und Kontra-Argumente darstellst. ◗

2 Erläutere, warum Gated Communities als städtisches Phänomen gelten können und hauptsächlich in Stadtrandlagen zu finden sind. ◗

3 Verfasse einen Leserbrief, in dem du die Perspektive eines Bewohners einer Gated Community einnimmst:
a) Erläutere dessen Motive und Hoffnungen. ◗
b) Entwirf zwei verschiedene Varianten seiner Wahrnehmung des Lebens in der Gated Community und beziehe dich dabei auf die zuvor geschilderten Motive und Hoffnungen. ●

Definition Gated Communities

Enklave des gehobenen Lebensstils, die sozialräumlich deutlich von den anderen Wohngebieten abgegrenzt ist. Gated Communities entstanden bzw. entstehen durch die Abwanderung der oberen Einkommensgruppen aus den Innenstädten und ihre Ansiedlung in landschaftlich bevorzugten Stadtrandlagen; der Zugang zu diesen Wohnvierteln ist in der Regel nur den Bewohnern (mit elektronischer Kennkarte) möglich.

1

3 Gated Community in Florida (USA)

Unterschiedliche Typen der Gated Communities

Gated Communities entstehen als Folge sozialer Gegensätze in Städten und damit nicht zuletzt in Räumen mit gesteigerten Kriminalitätsraten. Geschützt werden die Anlagen durch Wachpersonal, gesicherte und videoüberwachte Umfriedungen sowie Sicherheitsanlagen mit direkter Verbindung zur Polizei. Aber auch der Anspruch an exklusive Lebensverhältnisse kann als Ursache für die Entstehung solcher Wohnanlagen verstanden werden. Folgende Haupttypen werden unterschieden:

– Lifestyle-Communities: Hier finden sich bestimmte soziale Schichten zusammen, die nicht selten auch im gleichen Alter sind. Davon verspricht man sich ähnliche Interessen und Erwartungen an die Gestaltung der Wohnanlage und das Leben in dieser. Beispiele sind Seniorensiedlungen, Golf-Communities oder Anlagen für junge Familien.
– Elite- oder Prestige-Communities: Wohnanlagen für wohlhabende Menschen, die „unter sich" sein wollen und ein erhöhtes Sicherheitsbedürf-

nis mit ihrem Reichtum verbinden. Außerdem kann der Reichtum hier offen vertreten werden. Der Wunsch nach erhöhter Exklusivität und Sicherheit kann hier als Motivation verstanden werden, in einer solchen Community zu leben.
– Safety-Zone-Communities: Aus Angst vor erhöhter Kriminalität geschaffene Wohnanlagen, in denen der Schutz der eigenen Person und des eigenen Besitzes im Fokus stehen.

2
AFB I: 1a,   AFB II: 2, 3a   AFB III: 1b, 1c, 3b

11

Welthandel

In jedem Supermarkt findest du Produkte, die nicht hier in Deutschland erzeugt wurden. Sie werden bei uns eingeführt bzw. importiert. Andererseits werden in Deutschland hergestellte Waren weltweit angeboten und verkauft. Sie werden ausgeführt bzw. exportiert.

Einfuhren oder Ausfuhren über Grenzen hinweg sind Teil des Welthandels, der auch Dienstleistungen und den Kapitalverkehr umfasst.
Ist Welthandel notwendig und sinnvoll? Haben alle Beteiligten am Welthandel die gleichen Chancen? Lässt sich der Welthandel gerecht gestalten?

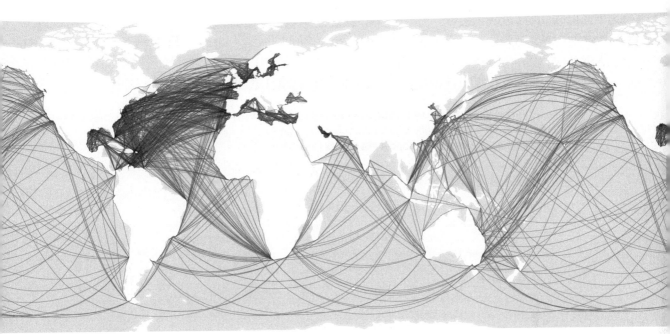

2 Schiffsrouten weltweit

3 Im Technikmarkt

1 Erzeuger in Ghana

3 Konsument in Deutschland

Anteile in %

35 Verkauf (Supermärkte u.a.)

33 Hersteller von Schokoladenprodukten

14 Kakaomühlen und Zwischenhandel

12 Steuern und Zölle

6 Kakaoanbauer

4 Zusammensetzung des Verkaufpreises (Schokolade)

Partner im Welthandel – das Beispiel Kakao

Welthandel fördert Wachstum, sichert Arbeitsplätze und senkt die Preise – so die Theorie. Ein Blick auf die geographischen Zusammenhänge am Beispiel Kakao wirft aber die Frage auf, ob im Welthandel alle profitieren.

Kakao aus deutschem Anbau?

Du kennst dich ja bereits mit der Einteilung der Welt in verschiedene Klima- und Landschaftszonen aus. Kakao ist ein Agrarprodukt, die Nutzpflanze ist der Kakaobaum, der bestimmte Ansprüche an Klima und Boden stellt. Der Anbauboden muss feucht und tonig sein, sodass die Pfahlwurzeln des Kakaobaumes etwa einen Meter tief in den Boden eindringen können. Die Temperaturen sollten für einen optimalen Ertrag im Jahresmittel etwa 25 °C betragen. Der Kakaobaum ist sehr empfindlich gegenüber starken Temperaturschwankungen. Diese Voraussetzungen sind bei uns in den gemäßigten Breiten nicht gegeben. Damit wir trotzdem Produkte aus Kakao bei uns verzehren können, muss der Anbau in tropischen Ländern erfolgen und die

Produktion

Transport

Verarbeitung

Entkernen

Gären

Waschen

Troc

Aufbereitung der Bohnen

2 Von der Bohne bis in den Laden

1 Beschreibe die Klimaanforderungen des Kakaobaumes. ○

2 Beschreibe den Weg des Kakaos mithilfe des Schemas 2 „Von der Pflanzung bis in den Laden". ○

3 Du kaufst eine Tafel Schokolade für 80 Cent. Arbeite heraus, wieviel Cent an den Kleinbauern gehen. (Grafik 4)? ◐

AFB I: 1, 2, 5   AFB II: 3, 4   AFB III: 6

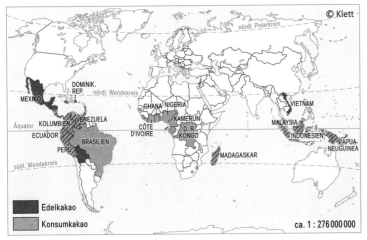

5 Rohkakaoanbau weltweit

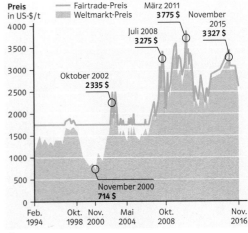

6 Weltmarktpreis für Rohkakao

aus der Frucht gewonnenen Kakaobohnen müssen zu uns transportiert werden. Wir leben in Deutschland in einem Industrieland und bezahlen die Bauern in den Entwicklungsländern durch den Kauf von Landwirtschaftsgütern wie z. B. Kakao. Dieses Beispiel zeigt eine einfache Handelsbeziehung auf. Das **Welthandelsgut** Kakao wird in verschiedenen Staaten der Erde erzeugt und im Austausch mit Geld kommen wir somit stets in den Genuss dieser Produkte, die bei uns nicht wachsen. Auch mit dem Anbau von Kaffee, Bananen oder Baumwolle und dem Export dieser Güter können die Bauern Verkaufserlöse erzielen.

Für den Weltmarkt anbauen – ein Risiko?

Der Anbau von Kakaobäumen ist besonders für die Kleinbauern mit einem hohen Risiko verbunden, da die Preise, die sie auf dem Weltmarkt erzielen, starken Schwankungen unterworfen sind. In manchen Jahren reicht der erzielte Erlös nicht zur Versorgung ihrer Familien aus und sie müssen sich verschulden. Abhilfe will hier die Handelsorganisation Fair Trade schaffen. Sie legt einen Mindestpreis fest, den sie ihren Partnern in den Erzeugerländern garantiert. Auf diese Weise haben die Kakaobauern ein gesichertes Einkommen.

→
Kakaohandel
Seite 120

Transport **Handel** **Weiterverarbeitung** **Verkauf**

4 Kleinbauern, die Kakaofrüchte erzeugen, haben ein unsicheres Einkommen. Erläutere. (Diagramm 6)

5 Abhilfe mit Fairtrade?
a) Beschreibe die Entwicklung des Weltmarktpreises mithilfe des Diagramms 6. ○

b) Welche Vorteile bietet Fairtrade den Kleinbauern?

6 Beurteile, inwieweit von „Partnern im Welthandel" gesprochen werden kann. ●

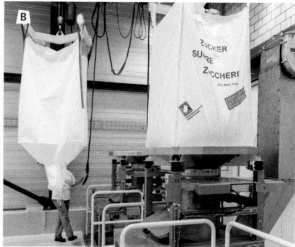

1 100 g Schokolade enthalten etwa 50 g Zucker. Zuckerzugabe in einer Schokoladenkooperative (A) und einer Schokoladenfabrik (B)

Ohne Zucker keine Schokolade

Neben Kakao ist Zucker ein wichtiger Rohstoff bei der Herstellung von Schokolade. Zucker wird in vielen Teilen der Welt gewonnen. Lange Zeit wurde bei uns vor allem aus Zuckerrüben gewonnener Zucker aus europäischer Produktion verarbeitet. Heute ist in den meisten Süßigkeiten auf dem Weltmarkt gehandelter Rohrzucker enthalten. Was verursachte diesen Wandel?

In der EU waren Frankreich und Deutschland die führenden Anbauländer für Zuckerrüben. Auf fruchtbaren Böden konnten gute Erträge und Gewinne erzielt werden. Teure Erntemaschinen ermöglichten mit geringem Arbeitskräfteeinsatz eine rasche Ernte der Rüben. Der Einsatz von Kunstdüngern war, wenn überhaupt, nur in sehr geringen Mengen notwendig, weil durch Fruchtwechsel im Anbau die natürliche Bodenfruchtbarkeit erhalten wurde. Der Anbau war für die Landwirte besonders lohnend, weil die EU bis 2005 eine feste Abnahmemenge und einen festen Preis garantierte sowie den importierten Rohrzucker durch Zölle verteuerte.

2 „Zuckerbauer" in Deutschland ...

Subventionierung = Unterstützung

Brasilien und andere Anbauländer von Zuckerrohr protestierten 2005 gegen die Subventionierung der europäischen Rübenbauern und klagten gegen Handelsbeschränkungen für ihren Zucker durch die erhobenen Einfuhrzölle. Mit dem schrittweisen Wegfall der Subventionen stehen die Landwirte in der EU nun vor dem Problem, dass sie nicht mehr kostendeckend produzieren können. Rübenzucker ist in der Herstellung fast dreimal so teuer wie Rohrzucker, schmeckt aber nicht süßer. Für die Zukunft wird erwartet, dass viele Landwirte in Europa auf den Anbau von Zuckerrüben verzichten und auf Mais und andere Getreidesorten umstellen.

3 ... oder in Brasilien

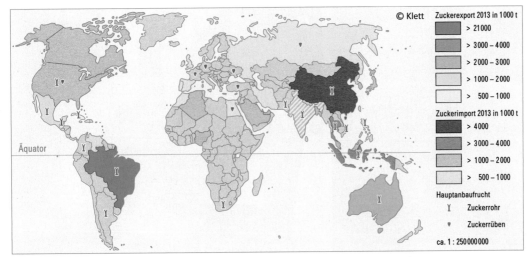

4 Produktionsländer von Rübenzucker/Rohrzucker sowie Zuckerexport und -import, 2013)

Mehr Zuckerrohr – mehr Umweltprobleme?

Zuckerrohr wird in Brasilien auf riesigen Plantagen und meist über sieben Jahre am selben Standort angebaut. Bei der Ernte und Verarbeitung kommen noch vergleichsweise viele Arbeitskräfte zum Einsatz, die einen Tageslohn von ca. 10 Euro erhalten. Die Besitzer der Plantagen und Zuckerfabriken können zu niedrigen Kosten herstellen, da sie kaum Umwelt- und Sozialstandards erfüllen müssen. Somit ist der Anbau von Zuckerrohr auch noch bei niedrigen Weltmarktpreisen lukrativ. Die Gewinne aus der Vergangenheit werden investiert: Überall, wo die Bedingungen es zulassen, sollen künftig statt Feldarbeitern Erntemaschinen, die so hoch wie ein Haus sind, die Arbeit machen und sich das gesamte Rohr samt Blattwerk einverleiben. 1 000 Tonnen am Tag schafft eine Maschine. Ein Drittel der fast vier Meter hoch wachsenden Zuckerrohrpflanze wird dabei zu Zucker, ein weiteres Drittel bleibt als Laub übrig, das meist zur Energiegewinnung verbrannt wird. Aus dem letzten Drittel könnte künftig mit neuen Verfahren auch Biosprit erzeugt werden.

nach: Marianne Falck, in: Wirtschaftswoche, 10.03.2015

5

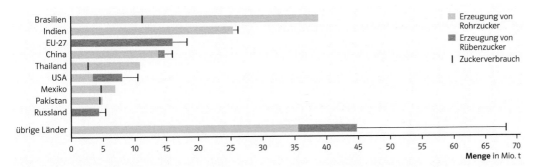

6 Zuckerimport und Export und Verbrauch 2014

1 Nenne drei Länder, in denen Rohr- bzw. Rübenzucker angebaut wird. (Karte 4) ○

2 Arbeite heraus, auf welche Landschaftszonen sich der Anbau von Rohrzucker beschränkt. (Karte 4) ◗

3 Ermittle die drei wichtigsten Erzeuger-, Export- und Verbraucherländer von Zucker mithilfe von Diagramm 6. ◗ ∾

4 Beurteile die Zukunftsfähigkeit des Rohrzuckers unter den Kriterien der Nachhaltigkeit (Text 5). ●

1 Eine Jeans geht durch viele Hände ... A: Stonewashed in Indien und B: Verkauf in Deutschland

Der weite Weg der Jeans

**Bis du deine Jeans anziehst, ist sie weltweit durch viele Hände gegangen.
Der weltweit getragene Modeartikel ist ein Produkt internationaler Arbeitsteilung.
Dabei wird der Arbeitsprozess ohne Rücksicht auf nationale Grenzen weltweit in
Teilprozesse zerlegt und diese werden an Standorten mit den günstigsten Bedingungen ausgeführt. Flexible und billige Arbeitskräfte, leichter Zugang zu Rohstof-
fen und Transportwegen sowie niedrige Umweltstandards sind die ausschlagge-
benden Standortfaktoren. Der weite Weg der Jeans – ein fairer Weg?**

Outsourcing =
Herauslösen/Verla-
gerung von Arbeits-
prozessen, z. B. das
Nähen einer Jeans
an ein anderes
Unternehmen

Der Produktionsprozess einer Jeans kann in einzelne Phasen zerlegt werden, die an unterschiedlichen Standorten dieser Welt stattfinden; dort, wo
die Arbeitskräfte am billigsten sind, wird produziert.
Hoch qualifizierte Arbeiten verbleiben meist in den
Industrieländern. Man spricht von einer arbeitsteiligen Produktion. Dieses Outsourcing wirkt sich in
Schwellenländern durchaus positiv aus, indem hier
neue Industrien entstehen. In Entwicklungsländern
allerdings werden die Produktionsstätten kaum in
den Binnenmarkt integriert, die Menschen bleiben
arm. In den Industrieländern gibt es auch Veränderungen: Zum einen ist ein hoher Arbeitsplatz-
verlust gerade im Billiglohnsektor zu verzeichnen,
zum anderen steigt auch der Druck auf die anderen
Arbeitsplätze. Mehr Flexibilität und höherer Einsatz
sind gefordert, sodass eine sogenannte arbeitsteilige Dienstleistungsgesellschaft entsteht.

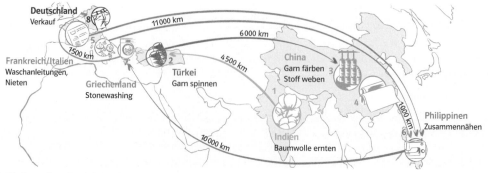

2 Die komplexe Produktionskette von Kleidung

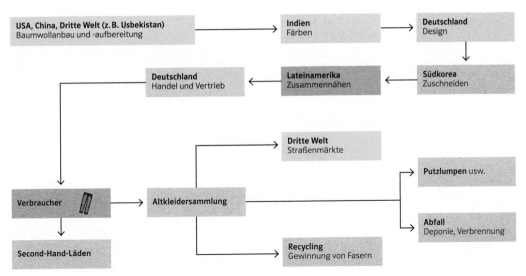

| USA, China, Dritte Welt (z. B. Usbekistan)
Baumwollanbau und -aufbereitung | → | **Indien**
Färben | → | **Deutschland**
Design |

3 Globalisierte Produktion und Vermarktung: Lebenswege einer Jeans

Nähen für den Weltmarkt

Sabrina, Näherin in Bangladesch:

„Ich fange morgens um acht Uhr an und arbeite dann den ganzen Tag. Eigentlich endet die Arbeitszeit um halb fünf, doch wir müssen fast immer Überstunden machen. Bezahlt werden aber immer nur acht Stunden, selbst wenn wir neun oder zehn Stunden schuften. Manchmal müssen wir auch nachts arbeiten, das geht dann bis drei Uhr morgens. Ich nähe T-Shirts, Hemden oder Hosen, die in Europa oder den USA verkauft werden. Fertigtextilien wie bei uns sind mit fast 75 Prozent das wichtigste Exportgut von Bangladesch. In mehr als 4 000 Kleiderfabriken arbeiten in unserem Land fast zwei Millionen Menschen, 85 Prozent davon sind Frauen wie ich selbst. Von sozialen Mindeststandards können wir Näherinnen nur träumen. In vielen Fällen bekommen wir nicht einmal Krankenurlaub … Dennoch bin ich zufrieden: Ich habe Arbeit trotz fehlender Ausbildung und verdiene mein eigenes Geld, mit dem ich meine Familie versorgen kann. Sonst müsste ich Feldarbeit auf dem Land verrichten – für mich keine Alternative!"

4

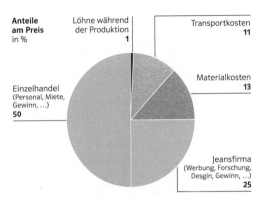

5 Anteile am Verkaufspreis einer Jeans

Textilindustrie sucht Made-in-Africa

„Afrika ist der letzte weiße Fleck im globalen Bekleidungsgeschäft, der letzte fast noch unangetastete Kontinent mit billigen und zahlreichen Arbeitskräften. Im äthiopischen Textilsektor z. B. gibt es keinen Mindestlohn. In Bangladesch dagegen, dem bisherigen El Dorado der Textilfertigung, werden im Monat mindestens 67 Dollar gezahlt, teilt die Gewerkschaft International Labor Organization (ILO) auf Anfrage mit. Textilarbeiter in Äthiopien verdienten im vergangenen Jahr ab 21 Dollar pro Monat, sagt die äthiopische Regierung."

http://www.n-tv.de (Abruf 02.3.2017)

6

---

1 Stelle auf einer Weltkarte den Weg dar, den eine Jeans während ihrer Produktion zurücklegt (Grafik 3). ○

2 Zeige die globalen Verflechtungen der Jeansproduktion und deren Folgen auf. Berücksichtige wirtschaftliche, soziale und ökologische Aspekte. (Materialien 2, 4, 5) ◓ ✂

3 Diskutiert am Beispiel der Jeansproduktion die Frage, wer Gewinner oder Verlierer der Globalisierung ist. ●

TERRA
ORIENTIERUNG

Die ganze Welt ist ein riesiges Kaufhaus. Waren werden weltweit produziert, verkauft und über den ganzen Erdball bewegt. Transport und Logistik setzen kaum Grenzen und fast alle Waren können an jeden Ort der Welt transportiert werden. Internationale Handelsbündnisse vereinfachen den Warenaustausch und festigen damit die Wirtschaftsbeziehungen zwischen den Partnerländern.

Welthandelsströme und wirtschaftliche Zusammenschlüsse

Die **globalen Warenströme** sind ständig im Wandel, abhängig von Wirtschaftskrisen oder wirtschaftlichem Aufschwung. Die Ex- und Importe konzentrieren sich auf die drei großen Wirtschaftsregionen der Erde: Asien, Nordamerika und Europa (**Triadisierung**). Gerade Asiens Wirtschaftszentren in Indien und China zeigen in jüngster Vergangenheit die größte Dynamik im Handelsaufkommen. Deutschland war zwischen 2003 und 2008 noch globaler Exportweltmeister, wird mittlerweile aber von anderen Nationen wie China verdrängt.

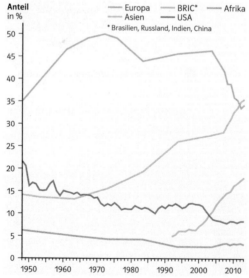

1 Anteile einzelner Regionen am gesamten Welthandel seit 1948

Wirtschaftliche Zusammenschlüsse

Um ihre wirtschaftliche Macht zu stärken und das Handelsvolumen zu vergrößern, bilden Staaten Zusammenschlüsse und schließen Handelsabkommen miteinander. Die Mitgliedsstaaten einer Freihandelszone erheben untereinander keine Zölle oder andere Handelshemmnisse. Gegenüber außenstehenden Staaten kann jedoch jedes Mitglied selbstständig Zölle festlegen. Die EU bildet eine Ausnahme, da ihre Mitgliedsstaaten nicht nur wirtschaftlich zusammenarbeiten, sondern darüber hinaus hinaus auch auf politischer Ebene.

Die wirtschaftlichen Zusammenschlüsse führen allerdings zu einem globalen Ungleichgewicht im Welthandel. Die Partner innerhalb eines Handelsbündnisses profitieren vom zollfreien Handel, während außenstehende Staaten, wie die meisten Entwicklungsländer, weiterhin für ihre exportierten Waren Zölle zahlen müssen.

Transatlantisches Freihandelsabkommen

Die Bedingungen des Transatlantischen Freihandelsabkommens (TTIP für Transatlantic Trade and Investment Partnership) zwischen der EU und den USA werden seit 2013 ausgehandelt.

Deutsche Unternehmen erhoffen sich erleichterte Exporte nach und Importe aus den USA. So könnten z. B. deutsche Automobilhersteller mehr Fahrzeuge in den USA absetzen. Kritiker befürchten jedoch, dass Produkte aus den USA auf den europäischen Markt drängen, welche unter anderem nicht den gängigen Gesundheits- und Umweltvorschriften in der EU entsprechen.

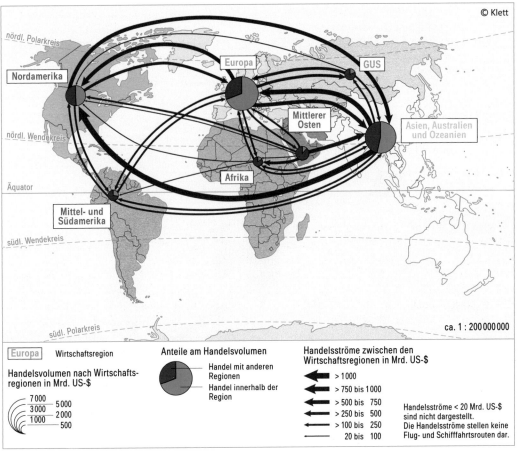

© Klett

ca. 1 : 200 000 000

Europa   Wirtschaftsregion

Handelsvolumen nach Wirtschaftsregionen in Mrd. US-$

7 000
3 000 — 5 000
1 000 — 2 000
500

Anteile am Handelsvolumen

Handel mit anderen Regionen
Handel innerhalb der Region

Handelsströme zwischen den Wirtschaftsregionen in Mrd. US-$

> 1 000
> 750 bis 1 000
> 500 bis 750
> 250 bis 500
> 100 bis 250
20 bis 100

Handelsströme < 20 Mrd. US-$ sind nicht dargestellt.
Die Handelsströme stellen keine Flug- und Schifffahrtsrouten dar.

2 Handelsströme zwischen den Weltregionen

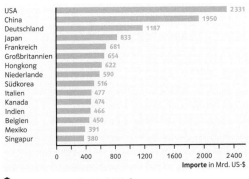

USA	2331
China	1950
Deutschland	1187
Japan	833
Frankreich	681
Großbritannien	654
Hongkong	622
Niederlande	590
Südkorea	516
Italien	477
Kanada	474
Indien	466
Belgien	450
Mexiko	391
Singapur	380

Importe in Mrd. US-$

3 Importe 2013 in Mrd. US-$

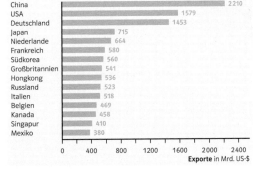

China	2210
USA	1579
Deutschland	1453
Japan	715
Niederlande	664
Frankreich	580
Südkorea	560
Großbritannien	541
Hongkong	536
Russland	523
Italien	518
Belgien	469
Kanada	458
Singapur	410
Mexiko	380

Exporte in Mrd. US-$

4 Exporte 2013 in Mrd. US-$

1 Erläutere die in Diagramm 1 gezeigte Entwicklung der Anteile einzelner Regionen am gesamten Welthandel. ◗

2 Beschreibe die Warenströme des Welthandels (Karte 2). ◗

3 Vergleiche in den drei großen Weltwirtschaftszentren den Handel innerhalb der Regionen mit dem Handel anderer Regionen (Karte 2). ◗

4 Die Differenz aus Export und Import ergibt die Handelsbilanz eines Staates. Vergleiche mithilfe der Diagramme 3 und 4 die Handelsbilanz von China, Deutschland, Japan und den USA und stelle das Ergebnis in einer Tabelle dar. ● ✂

5 Der Welthandel kennt nur Gewinner. Nimm zu dieser Aussage Stellung. ●

AFB I: 2   AFB II: 1, 3, 4   AFB III: 5

TERRA
METHODE

Ein Kartogramm ist die Darstellung von statistischem Zahlenmaterial und grafischen Symbolen auf der Grundlage einer einfachen Karte.

Ein Kartogramm ist sinnvoll, wenn Informationen über mehrere Länder bzw. Regionen verglichen und lokalisiert werden sollen.

Ein Kartogramm auswerten und erstellen

1

Ein Kartogramm auswerten

1. Schritt: Überblick verschaffen

Verschaffe dir einen Überblick über den Raum, das Thema, die Art der Zahlenangaben und ihre Darstellungsform.

> Die Karte hat den Titel „Kakaoproduktion" und zeigt, in welchen Ländern Kakao angebaut wird und wieviel Kakao in den Ländern produziert wird.

2. Schritt: Beschreiben

Beschreibe die sachlichen Aussagen, wie Maximal- oder Minimalwerte, Zu- oder Abnahmen bzw. Abweichungen von Durchschnittswerten.

> Die Länder, in denen Kakao produziert wird, sind auf einer Weltkarte farblich deutlich hervorgehoben. Durch Kreise verschiedener Größe wird die Produktionsmenge der sieben größten Produzenten angezeigt, zusätzlich sind noch Kreise für die Weltproduktion und die Produktion der übrigen Länder eingezeichnet. Ergänzt wird die grafische Darstellung durch Zahlenangaben über die Produktionsmenge.

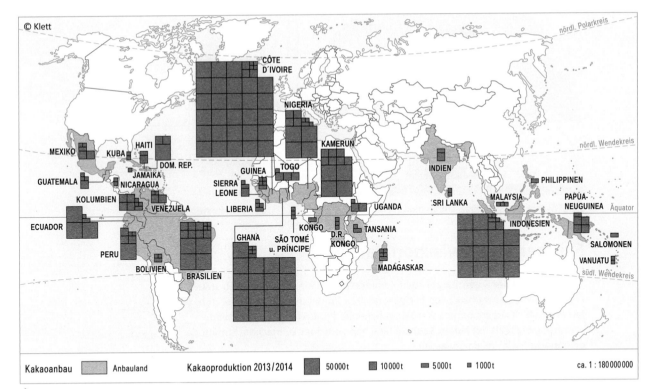

Kakaoanbau ▨ Anbauland   Kakaoproduktion 2013/2014 ■ 50 000 t ■ 10 000 t ▬ 5 000 t ▪ 1 000 t   ca. 1 : 180 000 000

2 **Kakaoproduktion weltweit**

3. Schritt: Auswerten

Wo und wieviel Kakao angebaut wird und wieviel im jeweiligen Land oder Teil der Welt produziert wird, muss man aus den Legendensymbolen ablesen.

> z.B.: Alle Anbauländer von Kakao liegen in den Tropen. Elfenbeinküste ist mit Abstand der größte Produzent von Kakao. In sieben Ländern werden 90% der weltweiten Kakaoproduktion angebaut.

4. Schritt: Gesamtaussage bewerten

Bewerte das Kartogramm hinsichtlich der Überschrift und der Übersichtlichkeit. Formuliere einen Abschlusssatz mit der zentralen Aussage.

> z.B.: Durch das Diagramm wird deutlich, dass der Kakaoanbau auf wenige Länder in den Tropen beschränkt ist.

Die zehn größten Teeproduzenten

Land	Tonnen
China	1 924 500
Vietnam	1 200 400
Kenia	436 300
Sri Lanka	343 100
Türkei	227 000
Vietnam	185 000
Japan	84 700
Argentinien	78 900
Bangladesch	66 200
Uganda	58 300
restliche Welt	590 000

http://www.fao.org/3/a-i4480e.pdf/
Download: World Tea Produktion and Trade, 2015, S. 4

3

1 Werte das Kartogramm S. 186 entsprechend der hier vorgeschlagenen Schrittfolge aus. ◗

2 Erstelle auf der Grundlage der Tabelle 3 ein Kartogramm für die weltweite Teeproduktion. ◗

2 „Fairphone: buy a phone, start a movement"

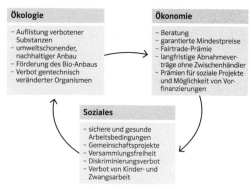

Ökologie

– Auflistung verbotener Substanzen
– umweltschonender, nachhaltiger Anbau
– Förderung des Bio-Anbaus
– Verbot gentechnisch veränderter Organismen

Ökonomie

– Beratung
– garantierte Mindestpreise
– Fairtrade-Prämie
– langfristige Abnahmeverträge ohne Zwischenhändler
– Prämien für soziale Projekte und Möglichkeit von Vorfinanzierungen

Soziales

– sichere und gesunde Arbeitsbedingungen
– Gemeinschaftsprojekte
– Versammlungsfreiheit
– Diskriminierungsverbot
– Verbot von Kinder- und Zwangsarbeit

4 Grundprinzipien des Fairen Handels

Fair handeln zwischen Partnern

In den Regalen der Supermärkte stehen immer mehr Waren mit dem „Fair trade" Zeichen. Der Gesamtumsatz von fair gehandelten Produkten hat in den letzten Jahren deutlich zugenommen. Wer fair gehandelte Produkte kauft, dem wird vermittelt, die Welt mit jedem Kauf ein bisschen gerechter zu machen. Stimmt das oder machen wir uns da etwas vor?

1 Das Siegel bestätigt, dass bei der Herstellung der Produkte die internationalen Kriterien des fairen Handels eingehalten werden.

Schokolade aus Ghana, T-Shirts aus Bangladesch, Bananen aus Ecuador, Rosen aus Kenia: Oft landen solche Produkte in unseren Einkaufskörben, ohne dass wir darauf achten, wie diese Produkte hergestellt werden. Als „fair" gehandelt und verkauft gelten sie nur, wenn sie mit den anerkannten Siegeln des fairen Handels versehen sind. Hinter diesen Zeichen stehen Organisationen, die sich an die international vereinbarten Grundsätze des fairen Handels halten. Gekauft werden können diese Produkte nicht nur in Supermärkten, auch in Kantinen, Cafés, Mensen und Hotels werden zunehmend fair gehandelte Waren angeboten.

Damit gibt es für jeden von uns eine einfache und wirkungsvolle Möglichkeit, durch ein geändertes Einkaufsverhalten einen Beitrag zu mehr Gerechtigkeit und größerer Nachhaltigkeit zu leisten.

Es gibt jedoch kritische Stimmen, die z. B. Transfair vorwerfen, die Bedingungen für das Siegel den eigenen Bedürfnissen anzupassen, um den Umsatz zu steigern. So wird das Siegel auch für Mischprodukte vergeben, die teilweise nur zu 20 Prozent aus fair gehandelten Inhaltsstoffen bestehen. Dies wird damit begründet, nur so auf dem Markt konkurrenzfähig bleiben zu können.

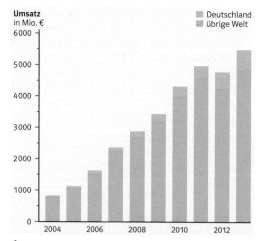

3 Umsatz mit Fairtrade-Produkten

5 http://jugendhandeltfair.de/ und
http://www.fair4you-online.de

Fairphone – das Smartphone fürs gute Gewissen

„Ein paar Gramm zu viel auf den Plastikhüften, ein grob auflösendes Display, das ultraschnelle mobile Internet LTE wird nicht unterstützt – technologisch bleibt das Fairphone eher blass. Einzigartig ist hingegen der Herstellungsprozess: Die Rohstoffe Zinn und Tantal, ein selten vorkommendes Metall, das vorwiegend in Kondensatoren eingesetzt wird, stammen aus Minen im Kongo, die laut OECD-Richtlinie als konfliktfrei gelten. Für Gold, was beispielsweise für die SIM-Kontakte benötigt wird, arbeiten die Amsterdamer mit der Initiative Fairgold zusammen, die die Herkunft und Arbeitsbedingungen des Edelmetalls unter die Lupe nimmt. Da in jedem Smartphone rund 30 verschiedene Stoffe zum Einsatz kommen, ist es unwahrscheinlich, dass jedes Element aus Nicht-Krisenregionen stammt. Um dennoch möglichst transparent zu sein, soll im Internet eine Liste aller Materiallieferanten veröffentlicht werden.

Zusammengebaut wird das Fairphone wie viele andere High-Tech-Gadgets in China – allerdings unter wesentlich besseren Bedingungen, versprechen die Macher. ‚Für die Produktion in Europa hätten wir eine komplette Produktionsstrecke von China hierher umziehen müssen‘, heißt es in einem Blogbeitrag des Fairphone-Teams. Viele Bestandteile des Handys kämen aus Asien und würden bei einer europäischen Produktion das Ökosystem aufgrund der längeren Lieferkette stärker belasten."

Christoph Fröhlich: Fairphone – das Smartphone fürs gute Gewissen; stern.de, 8.7.2013; www.stern.de

6

Faire Textilien – es bringt nichts nur eine Liste abzuhaken

„Fairtrade will ein neues Label für Textilien entwickeln. […]. Künftig soll die gesamte Produktionskette dem fairen Standard entsprechen. In drei Jahren könnten die ersten Fairtrade-zertifizierten Hemden und Hosen zu kaufen sein, sagt Maren Sartory von Fairtrade […].

Frau Sartory, beeinflusst Fairtrade den Textilmarkt positiv oder fristet entsprechende Kleidung noch ein Nischendasein?

Der Marktanteil ist leider noch sehr gering […]. Aber von einem Nischendasein würde ich nicht sprechen. Das mediale Interesse an fair produzierter Kleidung ist sehr groß, auch Konsumenten wünschen sich mehr davon. Aber wer faire Kleidung kaufen will, der muss momentan danach suchen.

Warum eigentlich?

Die meisten Unternehmen kaufen irgendwo fertige Stoffe, T-Shirts oder Hosen und kennen ihre Lieferkette nicht. Die meisten Konsumenten wiederum wollen zwar keine Kleidung aus Kinderarbeit, aber ein Schnäppchen. Beim Kaffee greifen sie häufiger zu Fairtrade, bei Textilien kaufen sie aber mit einer ganz anderen Intention ein: Sie wollen primär Kleidung, die ihnen steht. Das Einkaufsverhalten ist ein komplett anderes. Deshalb sind hier weniger die Konsumenten und mehr die Firmen in der Verantwortung. Die müssen dafür sorgen, dass ihre Lieferketten fair sind.

Momentan ist bei Fairtrade-Kleidung nur die Baumwolle fair, nicht die gesamte Lieferkette.

Richtig, bisher gibt es tatsächlich keinen Standard, der das von Anfang bis Ende komplett garantiert. Der […] Global Organic Textile Standard, bezieht sich nur auf den Bio-Bereich, der macht aber am Markt nur einen kleinen Anteil aus. Bei Fairtrade ist die Baumwolle fair, weil sich die Standards nur auf den Anbau beziehen. Jetzt wollen wir aber die gesamte Lieferkette zertifizieren.

Warum ist es so schwer, die gesamte Lieferkette zu zertifizieren?

Beispielsweise müssen die Fabriken nachweisen, dass sich die Einkommen nach oben entwickeln. Wir wollen auch, dass die Mitarbeiter geschult und qualifiziert werden. Allgemein arbeiten wir […] mit einem Netzwerk an Beratern zusammen. Sie helfen […] wie die Fairtrade-Gelder investiert werden, weil die Arbeiter, die darüber entscheiden, oft keinen höheren Schulabschluss haben. Das alles muss sich erst etablieren.

Wird die Kleidung dann teurer?

Das muss nicht sein. Wir haben in Indien Fabriken gesehen, da kommen das billige T-Shirt und das Designer-T-Shirt aus der gleichen Produktionslinie. Die Lohnkosten fallen bei Textilien ohnehin kaum ins Gewicht. Faire Rohstoffe sind auf jeden Fall genug da: Wir haben Bauern, die verkaufen 80 Prozent ihrer Fairtrade-zertifizierten Baumwolle zum normalen Preis, weil die Nachfrage nach fairer Produktion so gering ist."

http://www.nachhaltigkeitsrat.de/aktuelles/news-nachhaltigkeit-archiv/2014/2014-01-16/faire-textilien-es-bringt-nichts-nur-eine-liste-abzuhaken-interview-mit-maren-sartory-von-fairtrade-deutschland/ (Abruf 03.02.2017)

7

---

1 Beschreibe die Entwicklung fair gehandelter Produkte (Diagramm 3). ○

2 Erläutere, was unter Fairem Handel zu verstehen ist. ◐ ⚭

3 Begründe, ob du ein Fairphone kaufen würdest. Nutze dazu auch den Text 6. ◐

4 Gestalte eine Werbung für ein Fairphone. ◐

5 Frau Sartory vertritt die Meinung, dass bei Fair trade Kleidung die Produzenten eine größere Verantwortung hätten als die Konsumenten. Nimm zu dieser Aussage Stellung. ●

6 „Der Kauf fair gehandelte Produkte dient der Beruhigung des Gewissens." Nimm zu dieser Aussage Stellung. ●

TERRA TRAINING

Wichtige Begriffe
Fairer Handel/Fairtrade
globale Warenströme

Konsument
nachhaltige Produktion
Triadisierung

Welthandel
Welthandelsgut
WTO

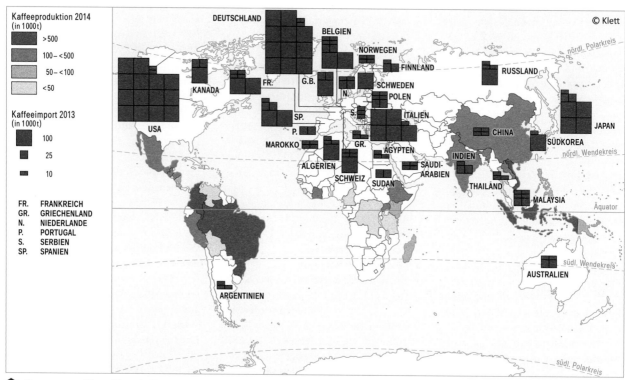

1 Kartogramm: Die größten Kaffeeproduzenten und Verbraucher 2014

Sich orientieren

1 **Wer kennt die Welt?** ○

a) Liste je zwei Länder mit Kakaoanbau in Mittelamerika, Südostasien und Afrika mithilfe eines Lagebezugs auf.

b) Ordne drei Länder, die an der Produktionskette für Jeans beteiligt sind, den Kontinenten zu.

c) Nenne die drei Regionen, die als Eckpunkte der Triade gelten.

d) Nenne je drei Länder in denen Tee, Baumwolle, Blumen, Zucker und Kaffee für Fairtrade angebaut werden.

Kennen und verstehen

2 **Richtig oder falsch?** ○
Verbessere die falschen Aussagen und schreibe sie richtig auf.

a) Nur Waren sind Bestandteile des Welthandels.

b) Weil Kakao überall angebaut werden kann, spielt er im Welthandel keine Rolle.o

c) Handel, der zwischen Staaten stattfindet, gehört zum Welthandel.

d) Am Welthandel sind alle Regionen in gleichem Maß beteiligt.

e) Im Welthandel gibt es nur gleichberechtigte Partner.

f) Der Welthandel wird von den USA, Europa, China und Japan beherscht.

Fachmethoden anwenden

3 **Ein Kartogramm auswerten und erstellen** ◗

a) Beschreibe die in Kartogramm 1 dargestellten möglichen Verflechtungen des Kaffeehandels.

b) Beurteile, ob sich aus dem Kartogramm eine zeitliche Entwicklung ablesen lässt.

c) Erläutere die möglichen globalen Handelsbeziehungen mit Kaffee am Beispiel von Südamerika.

d) Erstelle ein Kartogramm mit den zehn größten Anbauländern für Baumwolle.

e) Begründe die Auswahl deiner Darstellungsform.

Material
Selbsteinschätzungsbogen
sb4d2z

Material
Kompetenzcheck
sb4d2z

Lernen im Netz
Interaktive Übungen
sb4d2z

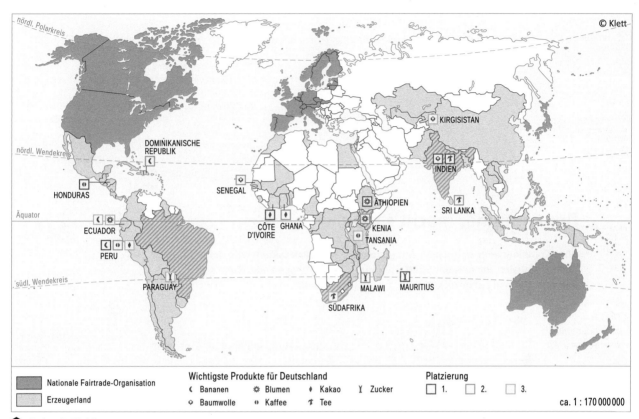

© Klett

Legende:
- Nationale Fairtrade-Organisation
- Erzeugerland

Wichtigste Produkte für Deutschland
- (Bananen
- ✴ Blumen
- ◆ Kakao
- Y Zucker
- ○ Baumwolle
- ◑ Kaffee
- ↑ Tee

Platzierung
- ☐ 1.
- ☐ 2.
- ☐ 3.

ca. 1 : 170 000 000

2 Faritrade-Weltkarte

Die größten Anbauländer von Baumwolle im Jahr 2013	
Land	**Produktion (in t)**
China	6 700
Indien	6 468
USA	2 853
Pakistan	2 026
Brasilien	1 590
Australien	995
Usbekistan	920
Türkei	880
Turkmenistan	311
Afrika gesamt	**1 339**

Quelle: ICAC 2013: Zahlen auf volle Tonnen gefundet

3

Beurteilen und bewerten

4 **Welthandel einschätzen** ●

a) Nimm zu der Aussage Stellung, dass Deutschland vom Welthandel profitiert.

b) Nenne je drei Vorteile und Nachteile, die du persönlich mit dem Welthandel verbindest.

c) Nimm Stellung zu der Aussage: Der Welthandel ist an Afrika vorbeigegangen.

d) Wer im Supermarkt ein T-Shirt für 5 € kauft, hat keinen Grund, über die Folgen des Welthandels zu jammern.

e) Der Anteil der Kaffeesteuer am Verkaufspreis ist höher als das, was Plantagenarbeiter und -besitzer erhalten. Ist das fair? Nimm Stellung.

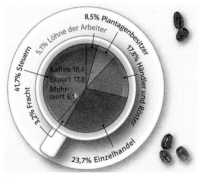

4 **Zusammensetzung des Kaffeepreises im Freihandel**

(Kreisdiagramm: 8,5% Plantagenbesitzer; 5,1% Löhne der Arbeiter; 17,8% Händler und Röster; Kaffee 18,4; Export 17,2; Mehrwert 6,1; 41,7% Steuern; 3,2% Fracht; 23,7% Einzelhandel)

Am Ende kannst du ...
- die Produktion und den Handel eines Welthandelsguts unter dem Aspekt der Nachhaltigkeit darstellen,
- die Triadisierung im Welthandel beschreiben,
- ein Kartogramm auswerten und erstellen,
- den fairen Handel an eibem Welthandelsgut erläutern,
- die eigene Position als Konsument überprüfen.

Wähle aus!

Wähle ein Beispiel aus, welches dich besonders interessiert.

Seehandel

1   Erläutere die Vorteile des Containers. ○

Du interessierst dich für den Seehandel.

2   Arbeite mit der Tabelle in der Randspalte: Beschreibe und begründe die Entwicklung des Containerumschlags weltweit. ◓

3   Arbeite mit Tabelle 2: ◓
a) Trage in eine Weltkarte die acht wichtigsten Containerhäfen ein.
b) Erläutere, warum sich sechs der acht größten Containerhäfen der Welt in der VR China befinden. ∞

4   Seeschifffahrt und Umwelt: Sind Umweltbelastungen der Preis für eine effiziente, globalisierte Wirtschaft? Diskutiere. ●

Der Container macht's möglich

Ohne Container kein Welthandel. Mit genormten Frachtcontainern wird der größte Teil des globalen Handels per Schiff, Flugzeug, Lastkraftwagen oder Bahn schnell und kostengünstig abgewickelt.

Zu Lande, zu Wasser ...

Seit Mitte der 1970er-Jahre ist der Containerverkehr zum unverzichtbaren Bestandteil des Welthandels geworden. Ein **Container** (engl. „Behälter") ist eine Stahlkiste mit genormten Maßen, kann gestapelt werden und wiegt beladen bis zu 30 Tonnen.

Dank der Standardmaße, die für Schiffe, Lkw und Eisenbahnwaggons gelten, kann ein Container schnell von einem Transportmittel auf ein anderes umgeladen werden.

Die im Güterverkehr auf den Weltmeeren eingesetzten Containerschiffe haben in den vergangenen Jahrzehnten immer gigantischere Ausmaße angenommen.

Zeit ist Geld, diese Devise gilt besonders in den großen Containerhäfen der Welt. 48 Stunden Zeit haben die Containerbrückenfahrer, um ein Schiff wie die CSCL Globe komplett zu entladen und neu zu beladen. Jeder Schritt der Transportkette erfolgt computergesteuert und an noch effizienteren Methoden zur Steuerung und Beschleunigung wird gearbeitet.

In Sachen Umweltfreundlichkeit hat die Schifffahrt dringenden Nachholbedarf. Wegen schlechter Wartung lecken jährlich 5 000 Tonnen Öl von Schiffen ins Meer. Mit knapp einer Milliarde Tonnen verursacht der Seeverkehr rund drei Prozent der globalen Kohlendioxidemissionen, dazu kommen Schwefel- und Stickoxide, Feinstaub und Ruß. Gefragt sind neue Treibstoffe wie z. B. Flüssigerdgas (LNG) oder bessere Antriebstechniken.

Containerumschlag weltweit (Mio. TEU)

Jahr	Mio. TEU
2000	236
2002	277
2004	360
2006	442
2008	525
2010	550
2015	730

TEU

Twenty-foot Equivalent Unit = Standardcontainer mit festgelegten Maßen: 5,10 m lang, 2,40 m breit und 2,60 m hoch

CSCL Globe
Länge: 400 m
Breite: 59 m
Tiefgang: max. 16 m
Besatzung: ca. 20 Personen
Ladung: 19 000 TEU-Container

1   Containerschiff CSCL Globe

Containerverkehr in führenden Seehäfen 2014

	Hafen	Land	Containerumschlag in Mio. TEU
1	Shanghai	VR China	33,6
2	Singapur	Singapur	32,6
3	Shenzhen	VR China	23,3
4	Hongkong	VR China	22,3
5	Busan	Rep. Korea	17,7
6	Ningbo	VR China	17,3
7	Qingdao	VR China	15,5
8	Guangzhou	VR China	15,3

https://www.containerbasis.de/blog/branche/groessten-container-hafen/ (6.1.2017)

Lufthandel

1 Arbeite mit Tabelle 1. Trage in eine Weltkarte ein: ○
   a) die vier größten Passagierflughäfen,
   b) die vier größten Frachtflughäfen.

2 Erläutere die Bedeutung des Luftverkehrs für den weltweiten Transport von Passagieren und Gütern. ◓

3 Begründe die folgende Aussage: „Der Luftverkehr profitiert einerseits von der Globalisierung, andererseits treibt er globale arbeitsteilige Produktionsprozesse an." ◓

4 Luftverkehr und Umwelt: Sind Umweltbelastungen der Preis für eine effiziente, globalisierte Wirtschaft? Diskutiere. ●

Du interessierst dich für den Lufthandel.

... und in der Luft

Beim Vergleich zwischen Schiff und Flugzeug zeigt sich, dass bezogen auf die Menge 98 Prozent aller Waren per Schiff transportiert werden. Betrachtet man jedoch den Wert, werden 40 Prozent der Güter per Flugzeug befördert.

Da es in der heutigen arbeitsteiligen Weltwirtschaft auf Schnelligkeit, Sicherheit und Zuverlässigkeit des Transports ankommt, werden vor allem besonders hochwertige oder leicht verderbliche Produkte in Containern als Luftfracht verschickt, auch wenn diese Art des Transports teurer ist.

Typische Luftfrachtgüter sind zum Beispiel Blumen, Obst, Gemüse, Ersatzteile, Arzneimittel, Mobiltelefone, lebende Tiere, Tageszeitungen, Briefe, Pakete, Hilfsgüter bei Katastrophen, wichtige Dokumente oder Modeartikel. Der Weltluftverkehr wächst stetig, mit ihm wachsen jedoch auch Umweltbelastungen durch Emissionen oder Lärm.

2 Luftfracht

Weltluftverkehr 2015

Zahl der Passagiere:	3,14 Milliarden
Anstieg zum Vorjahr:	+5,7 Prozent
Luftfracht:	50,2 Mio. t
Anstieg zum Vorjahr:	+1,8 Prozent

Die größten internationalen Flughäfen 2015

	Flughafen	Passagiere	Veränderung zu 2012 in %
1	Atlanta/Hartsfield	101 491 000	+5,1
2	Beijing	89 939 000	+4,4
3	Dubai	78 014 000	+10,1
4	Tokio/Haneda	76 944 000	+9,8

	Flughafen	Fracht in Tonnen	Veränderung zu 2012 in %
1	Hongkong	4 161 718	+2,3
2	Memphis	4 137 801	+3,0
3	Shanghai/Pudong	2 928 527	−0,3
4	Incheon	2 464 384	+0,3

Der neue Fischer Weltalmanach 2016. Frankfurt a. M.: Fischer Taschenbuch 2015, S.687

1

Rangfolge der vier wichtigsten per Luftfracht transportierten Warengruppen im Außenhandel der Bundesrepublik Deutschland im Jahr 2013 bezogen auf den Warenwert in Milliarden Euro:

Export

elektrische Maschinen	22,0
Maschinen und Apparate	21,8
optische Geräte, Kameras	19,7
pharmazeutische Erzeugnisse	11,3

Import

elektrische Maschinen	22,0
Maschinen und Apparate	14,2
optische Geräte, Kameras	8,7
Perlen, Edelsteine, Edelmetalle, Schmuck	6,1

Martin Harsche und Thomas Braun: Warenstruktur, Entwicklung und Nachfragespezifika des Luftfrachtmarktes in Deutschland. Berlin: Bundesverband der Deutschen Luftverkehrswirtschaft 2014, S. 15, Abb. 8: www.bdl.aero/download/1386/warenstruktur-entwicklung-und-nachfragespezifika-des-luftfrachtmarktes-in-deutschland.pdf

3

12

Der Klimawandel geht uns alle an

Im Jahr 2015 kam der Dokumentarfilm „Thule Tuvalu" in die Kinos. Er handelt von Thule im Norden Grönlands und von Tuvalu, einem kleinen Inselstaat im Pazifik. Beide Orte geraten in die Schlagzeilen: Thule, weil dort das Eis immer schneller abschmilzt und Tuvalu, weil es als eines der ersten Länder im ansteigenden Meer zu versinken droht.

Der Klimawandel bedroht die Existenz der Menschen in beiden Orten. Doch Auswirkungen des Klimawandels können wir auch bei uns beobachten. Sie werden auch unser Leben verändern. Woran liegt das? Welche Folgen werden damit verbunden sein und können wir dagegen etwas tun?

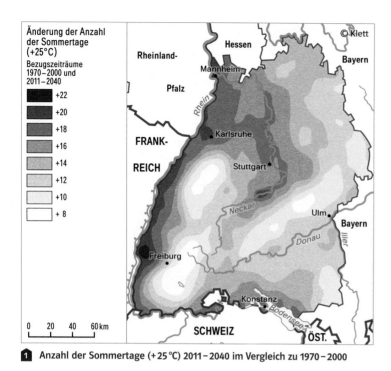

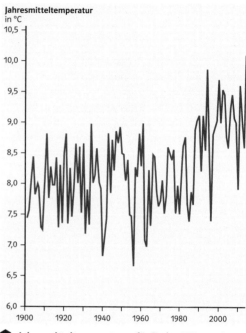

1 Anzahl der Sommertage (+ 25 °C) 2011 – 2040 im Vergleich zu 1970 – 2000

3 Jahresmitteltemperaturen für Baden-Württemberg 1901 – 2014

Klimawandel bei uns

Die Folgen des Klimawandels sind auch in Baden-Württemberg nicht mehr zu über-
sehen. So stellen sich viele Menschen die Frage: Was kommt in Zukunft auf uns zu?

„Der Klimawandel
ist die größte
gemeinsame
Herausforderung
der Menschheit."

UN-Generalsekretär
Ban Ki-Moon

Der Klimawandel ist da

Der Klimawandel ist in Baden-Württemberg in vollem Gange: Die Jahresmitteltemperatur stieg seit
1901 bis heute von rund 8 °C auf über 9 °C an. Der
größte Anstieg erfolgte dabei erst in den letzten
30 Jahren seit 1980. Ein Beispiel verdeutlicht die
Konsequenz dieser scheinbar geringen Änderung:
In Karlsruhe herrschen heute die gleichen Temperaturen wie im französischen Lyon vor 75 Jahren.
Die Höchstniederschläge haben im Winter bis
zu 35 Prozent zugenommen, ebenso die Zahl der
Hochwasserereignisse in den letzten 30 Jahren.
Die Sommer im Land sind dagegen eher trockener
als früher. Die Zahl der Tage mit Schneedecke hat
in tiefer liegenden Gebieten im Mittel um 30 bis
40 Prozent abgenommen.
Ob der Anstieg der Häufigkeit von Unwettern mit
dem Klimawandel zu tun hat, ist noch nicht eindeutig belegt. Allerdings gab es in den letzten
20 Jahren vermehrt schwere Winterstürme, die
auch Baden-Württemberg trafen.

Ministerium für Umwelt, Klima und Energiewirtschaft BW, 2015

2

Der Wald verändert sein Gesicht

Schon jetzt macht sich der Klimawandel im Wald
bemerkbar: Bäume und Kräuter keimen und blühen früher und tragen frühzeitiger Früchte. In
feuchten Lagen führt dies in Wäldern zu einer
Produktionssteigerung, sprich: Es gibt mehr Holz.
An anderen Standorten werden sich Baumarten
zurückziehen müssen, wie die Fichte in warmen
und trockenen Lagen. Seit 2001 haben die Blatt-
und Nadelverluste der Buchen und Fichten deutlich zugenommen. Am stärksten trifft es Fichten-
bestände.
Nirgendwo sonst im Südwesten dürfte auf engem
Raum der Klimawandel so ins Auge fallen wie im
Schwarzwald. Wenn sich die Atmosphäre um
3 °C erwärmen sollte, würden sich die Höhengrenzen der Waldgesellschaften um 300 bis 500 Meter
nach oben verschieben. Noch auf einer Höhe von
1 000 Metern finden sich dann konkurrenzkräftige
Buchen-Eichen-Wälder.

Ministerium für Umwelt, Klima und Energiewirtschaft BW, 2015

4

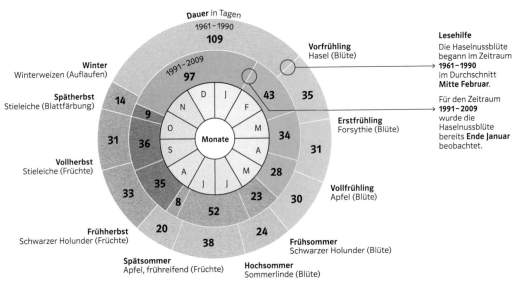

Dauer in Tagen
1961–1990
109

1991–2009
97

Monate

D J
N F
O M
S A
J M
J J

43 **35**

Vorfrühling
Hasel (Blüte)

Lesehilfe
Die Haselnussblüte
begann im Zeitraum
1961–1990
im Durchschnitt
Mitte Februar.

Für den Zeitraum
1991–2009
wurde die
Haselnussblüte
bereits **Ende Januar**
beobachtet.

Winter
Winterweizen (Auflaufen)

Spätherbst
Stieleiche (Blattfärbung)
14
9

31 **36**

Vollherbst
Stieleiche (Früchte)

33 **35**
8
52

20
38

Frühherbst
Schwarzer Holunder (Früchte)

Spätsommer
Apfel, frühreifend (Früchte)

Hochsommer
Sommerlinde (Blüte)

24

Frühsommer
Schwarzer Holunder (Blüte)

23 **30**

Vollfrühling
Apfel (Blüte)

28

31

34

Erstfrühling
Forsythie (Blüte)

5 Phänologische Uhr „Nördliches Oberrheintiefland"

Zugvögel kehren früher zurück

Insgesamt 17 Zugvogelarten wurden von 1970 bis 2003 beobachtet.
Ergebnis: Ihre Ankunft im Frühjahr fand pro Jahrzehnt um durchschnittlich drei bis fünf Tage früher statt. Viele Zugvögel kommen also
heute über zwei Wochen früher nach Baden-Württemberg zurück als
noch 1970. Vermutlich überwintern sie nicht mehr so weit im Süden.

Ministerium für Umwelt, Klima und Energiewirtschaft BW, 2015

6

Längere Vegetationszeit, mehr Schädlinge und Unkräuter

Höhere mittlere Temperaturen bieten Chancen für die hiesige Landwirtschaft: Im Obst-, Gemüse- und Weinbau können wärmebedürftige Arten
und Sorten im Freiland angebaut und
bessere Qualitäten erzielt werden. Im
Ackerbau werden wärmeliebende Feld-
früchte wie Soja, Sorghum und Mais
konkurrenzkräftiger und ihre Anbau-
gebiete weiten sich aus. Bei Getreide
verkürzt sich bei höheren Temperaturen die Kornfüllungsphase. Anstatt
großer Körner bilden sich nur kleine,
minderwertige Körner aus. Damit sinkt
der Ertrag. Bei Gartenbaukulturen ist
im Sommer mit einem erhöhten Kühl-
bedarf unter Glas zu rechnen.

Nach http://www4.lubw.baden-wuerttemberg.de/
servlet/is/244061/ (Zugriff 02.03.2017)

8

KLIMAWANDEL. EINWANDERUNG EXOTISCHER ARTEN WEITET SICH AUS. BAYERISCHER WALD –
ALARMIERENDE BEOBACHTUNGEN

7

1 Wähle aus: Karte 1, Diagramm 3, Grafik 5
oder Karikatur 7. Beschreibe und erkläre jeweils die Aussagen zum Klimawandel. ◐

2 Nenne mithilfe der Texte 2, 4, 6 und 8
weitere Anzeichen für den Klimawandel in
Baden-Württemberg. ◐

3 Erläutere Auswirkungen dieser Ver-
änderungen für die Bereiche Tourismus,
Land- und Forstwirtschaft, Weinbau und die
Rheinschifffahrt. ◐

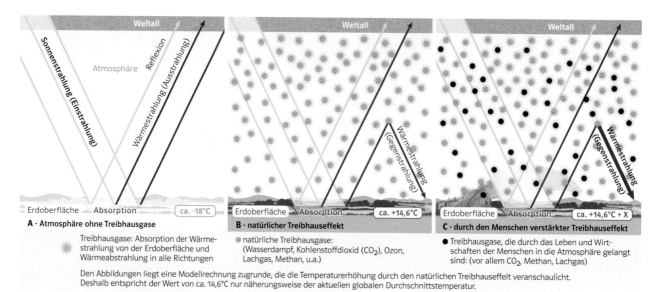

A - Atmosphäre ohne Treibhausgase

Erdoberfläche   Absorption   ca. -18°C

B - natürlicher Treibhauseffekt

Erdoberfläche   Absorption   ca. +14,6°C

C - durch den Menschen verstärkter Treibhauseffekt

Erdoberfläche   Absorption   ca. +14,6°C + X

Treibhausgase: Absorption der Wärme-strahlung von der Erdoberfläche und Wärmeabstrahlung in alle Richtungen

● natürliche Treibhausgase: (Wasserdampf, Kohlenstoffdioxid (CO_2), Ozon, Lachgas, Methan, u.a.)

● Treibhausgase, die durch das Leben und Wirt-schaften der Menschen in die Atmosphäre gelangt sind: (vor allem CO_2, Methan, Lachgas)

Den Abbildungen liegt eine Modellrechnung zugrunde, die die Temperaturerhöhung durch den natürlichen Treibhauseffelt veranschaulicht. Deshalb entspricht der Wert von ca. 14,6°C nur näherungsweise der aktuellen globalen Durchschnittstemperatur.

1 Atmosphäre und Treibhauseffekt

Klimawandel – von wem verursacht?

Um diese Frage beantworten zu können, muss man wissen, wie die Erwärmung unserer Atmosphäre erfolgt. Obwohl das Klima im Verlauf der Erdgeschichte immer wieder schwankte, ist die jüngste Erwärmung etwas anderes: Wir Menschen haben nämlich daran einen großen Anteil. Doch lässt sich das belegen?

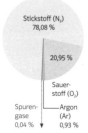

Stickstoff (N_2) 78,08 %

20,95 %

Sauer-stoff (O_2)

Spuren-gase 0,04 %

Argon (Ar) 0,93 %

2 Zusammen-setzung der Atmosphäre

Beachte

Die Temperaturan-gaben in M3 stellen im Gegensatz zu M1 Durchschnitte aus gemessenen Wer-ten dar. So lag die globale Mitteltem-peratur des Jahres 2016 mit 14,8°C um 0,9°C über diesem Wert. Zeile fast 1°C.

Die Erwärmung der Atmosphäre

Ohne Sonne kein Leben – ihr verdanken wir Licht und Wärme. Doch nur etwa die Hälfte der Sonnen-strahlung erreicht die Erdoberfläche. Die anderen Anteile werden von der Atmosphäre, insbesondere von Gasen und Wolken absorbiert, das heißt auf-genommen oder in den Weltraum zurückgestrahlt. Von den Sonnenstrahlen, die die Erdoberfläche er-reichen, wird ebenfalls noch ein Teil von der Erd-oberfläche reflektiert und in den Weltraum zurück-

gestrahlt. Wie groß diese Menge ist, hängt von der Beschaffenheit der Erdoberfläche ab. So reflektie-ren helle, mit Schnee bedeckte Flächen viel mehr Strahlung als dunklere Waldflächen.

Der verbleibende Teil der Sonnenstrahlung wird von der Erdoberfläche aufgenommen und in Wärme umgewandelt. Die Festlands- und Meeresflächen strahlen diese Wärme aus, sodass sich die darüber liegenden Luftschichten erwärmen.

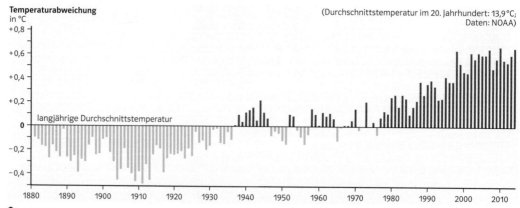

Temperaturabweichung in °C

(Durchschnittstemperatur im 20. Jahrhundert: 13,9°C; Daten: NOAA)

langjährige Durchschnittstemperatur

3 Abweichung der jährlichen Durchschnittstemperatur von der langjährigen Durchschnittstemperatur in °C

Die zehn wärmsten Jahre in Deutschland zwischen 1881 und 2014

Rang	Jahr	°C
1.	2014	10,3
2.	2000	9,9
3.	2007	9,9
4.	1994	9,7
5.	1934	9,6
6.	2002	9,6
7.	2011	9,6
8.	1989	9,5
9.	1990	9,5
10.	1999	9,5
	Ø 1881–2014	8,3
	Ø 2001–2014	9,2
	Ø 1761–2014	8,0

4

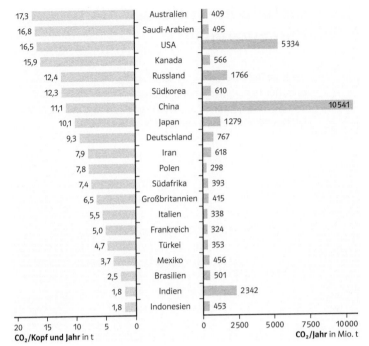

5 Verursacher von CO_2-Emissionen 2014

Der anthropogene Treibhauseffekt

Einige Gase in der Atmosphäre nehmen einen Teil der Wärmestrahlung der Erdoberfläche auf und strahlen diese wieder zurück. Diese Erscheinung nennt man Treibhauseffekt und die verantwortlichen Gase Treibhausgase. In den letzten 150 Jahren hat der Anteil vieler **Treibhausgase** in der Atmosphäre stark zugenommen. Ursache dafür sind die wirtschaftlichen Tätigkeiten der Menschen. Vor allem durch die Verbrennung von Kohle, Öl und Gas, die Rodung von Wäldern und den Autoverkehr hat sich der Anteil an **Kohlenstoffdioxid** in der Atmosphäre erhöht. In der Landwirtschaft entstehen bei der Rinderhaltung große Mengen an Methan. Durch den Einsatz von Düngemitteln und die Abholzung von Wäldern stieg der Anteil von Lachgas an. Diese zusätzlichen Treibhausgase haben den **natürlichen Treibhauseffekt** verstärkt. So ist die globale Erwärmung äußerst wahrscheinlich vorwiegend auf menschengemachte Emissionen von Treibhausgasen zurückzuführen.

Beitrag von Wasserdampf und Treibhausgasen zum natürlichen Treibhauseffekt

Treibhausgas		Temperatur-anstieg	Anteil in %
Wasserdampf	H_2O	+20,6 °C	62 %
Kohlenstoffdioxid	CO_2	+7,2 °C	22 %
Lachgas	N_2O	+1,4 °C	4 %
Ozon (bodennah)	O_3	+2,4 °C	7 %
Methan	CH_4	+0,8 °C	2,5 %
Weitere Gase	…	+0,6 °C	2,5 %
alle Treibhausgase		+33 °C	100 %

Ohne den natürlichen Treibhauseffekt wäre ein Leben, wie wir es kennen, auf der Erde nicht möglich.

6

Kleine Mengen – große Wirkung

Wie stark die einzelnen Treibhausgase zur Erwärmung beitragen, hängt davon ab, wie lange sie in der Atmosphäre bleiben: Kohlenstoffdioxid etwa 120, Methan 12 und Lachgas 121 Jahre. Außerdem haben die Gase eine unterschiedliche Treibhauswirkung. Setzt man die von Kohlenstoffdioxid gleich 1, dann hat Methan eine 23 mal und Lachgas eine 296-mal so große Wirkung.

 Beschreibe die Erwärmung der Atmosphäre und den natürlichen Treibhauseffekt. (Grafiken 1 a und 1 b). ◕

2 Ohne den natürlichen Treibhauseffekt wäre das Leben in vielen Regionen der Erde nicht möglich. Begründe diese Aussage. ●

3 Vergleiche den natürlichen (Grafik 1 b) und den vom Menschen verstärkten Treibhauseffekt (Grafik 1 c). ◕

4 Beschreibe die Veränderung der Temperaturen von 1880 bis heute (Diagramm 3). ○

5 „Für den Energiehunger von heute bezahlen wir erst morgen." Beurteile diese Aussage. ● ◌◌

12

Globale Auswirkungen des Klimawandels

Die Erde befindet sich in einem rasanten Wandlungsprozess, der sich immer wieder in Katastrophenmeldungen niederschlägt. Aber ist an deren scheinbarer Häufung in den letzten Jahren wirklich der Klimawandel Schuld?

Global Warming

Das „Intergovernmental Panel on Climate Change" (IPCC), kurz „Weltklimarat" genannt, ist ein zwischenstaatlicher Ausschuss für Klimaänderungen, dem fast alle Staaten der Welt angehören. Er hat aufgrund der jahrzehntelangen Messdaten zum globalen Klima im Jahr 2007 festgestellt, dass sich das Klimasystem der Erde „eindeutig" erwärmt.

Die Auswirkungen der **globalen Erwärmung** zeigen sich bereits vielfältig. Die erhöhte Lufttemperatur bewirkt zum Beispiel eine Erwärmung des Meerwassers. Dieses dehnt sich aus, was zu einer Volumenvergrößerung des Wassers und somit zu einem **Meeresspiegelanstieg** führt.

Verstärkt schmilzt auch das Eis in der Antarktis und auf den Kontinenten ab. Im Südpazifik steigt der Meeresspiegel um 25 mm pro Jahr. In den nächsten 50 Jahren wird der Anstieg mindestens einen Meter betragen. Inselstaaten wie Samoa, Kiribati oder die Marshall-Inseln, die sich knapp über den Meeresspiegel erheben, sind bedroht.

Die Erwärmung der Atmosphäre macht sich auch in allen Hochgebirgen der Erde durch das Schwinden der Gletscher bemerkbar, z. B. in den Alpen und in den Anden.

Weltweit werden zunehmend extreme Wetterereignisse, wie Dürren, Naturkatastrophen und Veränderungen in biologischen Systemen beobachtet, die sich zu 90 Prozent mit den Berechnungen decken, die laut IPCC zu erwarten sind.

Ein einzelnes Extremereignis ist sicherlich kein Beweis für einen Klimawandel. Die vielen einzelnen Beobachtungen können aber als Indizien dafür gewertet werden, dass die menschlichen Tätigkeiten, insbesondere die Freisetzung von Treibhausgasen, das globale Klima und damit auch unsere Welt verändern.

Arktisches Meereis
Seine Ausdehnung nimmt immer weiter ab. Im September 2014 bedeckt es 19% weniger Fläche als im Durchschnitt 1981–2010.

Vor 15 Jahren
noch während
Monaten stab
2012 waren es
noch knapp s
Monate.

Dürre
30% der US-Staatsfläche sind 2014 von einer extremen Dürre betroffen, v.a. Kalifornien und Nevada.

Heftige Niedersch
Südkanada und d
Südosten der USA
erleben 2013 schw
Niederschläge.

Hitzewelle
2012 gibt es im Osten der USA eine Hitzewelle.

Hurrikan
Der Hurrikan „Patricia" richtet im Oktober 2015 schwere Schäden in Mexiko, Guatemala, El Salvador und Nicaragua an.

Dürre
Die schwerste Dürre seit Jahrzehnten tritt 2014 in Guatemala und anderen mittelamerikanischen Staaten auf.

Gletscherschmelze
Die Gletscher in den tropischen Anden haben bis zu 50% ihrer Masse verloren.

Kältewelle
Ganz Südamerika
2010 von einer
Kältewelle betroff
die mindestens 80
Todesopfer forder

1 Weltweite Beispiele für Extremereignisse und Veränderun

---

1 Ordne die Beispiele in Karte 1 in einer Tabelle folgenden Gruppierungen zu: lokaler Temperaturanstieg, Hitze- oder Kälte- welle/Dürre, extreme Niederschläge und/ oder Stürme, Verhaltensänderung von Tieren und Pflanzen. ○

AFB I: 1   AFB II: 2

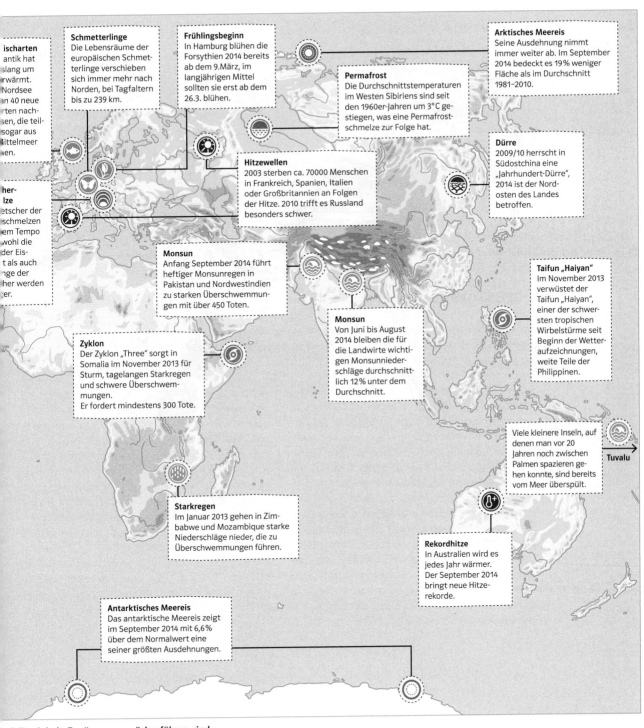

Schmetterlinge
Die Lebensräume der europäischen Schmetterlinge verschieben sich immer mehr nach Norden, bei Tagfaltern bis zu 239 km.

Frühlingsbeginn
In Hamburg blühen die Forsythien 2014 bereits ab dem 9.März, im langjährigen Mittel sollten sie erst ab dem 26.3. blühen.

Arktisches Meereis
Seine Ausdehnung nimmt immer weiter ab. Im September 2014 bedeckt es 19% weniger Fläche als im Durchschnitt 1981–2010.

Permafrost
Die Durchschnittstemperaturen im Westen Sibiriens sind seit den 1960er-Jahren um 3°C gestiegen, was eine Permafrostschmelze zur Folge hat.

Dürre
2009/10 herrscht in Südostchina eine „Jahrhundert-Dürre", 2014 ist der Nordosten des Landes betroffen.

Hitzewellen
2003 sterben ca. 70000 Menschen in Frankreich, Spanien, Italien oder Großbritannien an Folgen der Hitze. 2010 trifft es Russland besonders schwer.

Monsun
Anfang September 2014 führt heftiger Monsunregen in Pakistan und Nordwestindien zu starken Überschwemmungen mit über 450 Toten.

Taifun „Haiyan"
Im November 2013 verwüstet der Taifun „Haiyan", einer der schwersten tropischen Wirbelstürme seit Beginn der Wetteraufzeichnungen, weite Teile der Philippinen.

Zyklon
Der Zyklon „Three" sorgt in Somalia im November 2013 für Sturm, tagelangen Starkregen und schwere Überschwemmungen.
Er fordert mindestens 300 Tote.

Monsun
Von Juni bis August 2014 bleiben die für die Landwirte wichtigen Monsunniederschläge durchschnittlich 12% unter dem Durchschnitt.

Viele kleinere Inseln, auf denen man vor 20 Jahren noch zwischen Palmen spazieren gehen konnte, sind bereits vom Meer überspült.

Tuvalu

Starkregen
Im Januar 2013 gehen in Zimbabwe und Mozambique starke Niederschläge nieder, die zu Überschwemmungen führen.

Rekordhitze
In Australien wird es jedes Jahr wärmer. Der September 2014 bringt neue Hitzerekorde.

Antarktisches Meereis
Das antarktische Meereis zeigt im September 2014 mit 6,6% über dem Normalwert eine seiner größten Ausdehnungen.

...auf die globale Erwärmung zurückzuführen sind

2 Informiere dich im Internet oder mithilfe anderer Quellen wie Bücher oder Zeitungen über weitere, aktuelle Extremereignisse.

Gestaltet in der Klasse eine große Weltkarte mit euren Ergebnissen.

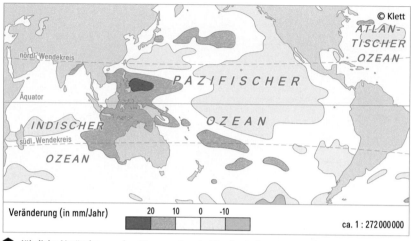

Jährliche Veränderung des Meeresspiegels (Durchschnitt 1993–2012)

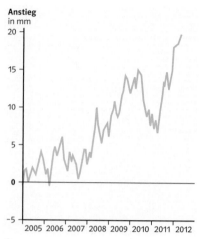

Durchschnittlicher weltweiter Anstieg des Meeresspiegels seit 1994

Der Meeresspiegel steigt

Immer wieder berichten die Zeitungen vom Anstieg des Meeresspiegels.
Doch wie kommt dieser zustande und welche Regionen sind davon besonders bedroht?

Die Erwärmung der Erdatmosphäre hat in den letzten 100 Jahren zu einem Anstieg des Meeresspiegels zwischen 10 und 20 cm geführt. In jüngster Zeit steigt er immer schneller an. Zwei Drittel der größten Städte der Welt sind von einem weiteren Anstieg direkt bedroht. In den gefährdeten Küstenregionen leben heute bereits über 600 Millionen Menschen, die meisten davon in Asien.

Der Hauptgrund für den Anstieg des Meeresspiegels ist die zunehmende Erwärmung des Wassers der Ozeane. Denn wenn Wasser wärmer wird, dehnt es sich aus und dadurch steigt der Meeresspiegel. Eine weitere Ursache ist das verstärkte Abschmelzen von Eis auf den Kontinenten.

Der Meeresspiegel wird aber auch durch das von erdinneren Kräften verursachte Anheben oder Absinken von Landflächen beeinflusst. Ebenso sorgen Änderungen der Wind- und Meeresströmungen dafür, dass es zu regional zu Unterschieden beim **Meeresspiegelanstieg** kommt. Deshalb kann es auch Orte geben, an denen der Meeresspiegel sinkt.

In einzelnen Regionen hat der Mensch Wasservorräte der Erde sehr stark genutzt. So wurden zum Beispiel Flüsse umgelenkt oder Wasser in großen Mengen abgepumpt. Das führte zum Austrocknen von Seen und Flussläufen, die dann ihr Wasser nicht mehr ins Meer abführen.

Bis zum Jahr 2100 soll der Meeresspiegel um 28 bis 98 Zentimeter ansteigen. Etwa 100 Millionen Menschen in Asien wären demnach schon bei einem jährlichen Anstieg um einen bis drei Millimeter von Hochwasser bedroht.

Land	1 m Anstieg	% der Staatsfläche	gefährdete Bevölkerung	5 m Anstieg	% der Staatsfläche	gefährdete Bevölkerung
Niederlande	20 277 km²	48,4	5 139 000	26 611 km²	63,6	7 717 000
Deutschland	13 910 km²	4,0	1 565 000	22 211 km²	6,2	2 866 000
Polen	3 781 km²	1,2	345 000	5 410 km²	1,7	556 000
Dänemark	3 177 km²	7,4	155 000	8 437 km²	19,6	501 000
Großbritannien	2 540 km²	1,0	372 000	8 230 km²	3,4	1 562 000
Belgien	1 148 km²	3,8	262 000	3 209 km²	10,6	1 071 000

Folgen des Meeresspiegelanstiegs in ausgewählten Küstenstaaten Europas

4 Folgen des Meeresspiegelanstiegs in Bangladesch

exponierte Küstenzone, stark gefährdet bei 1 m Meeresspiegelanstieg
—— Bodenversalzung 1967
—— Bodenversalzung 1997

6 Bau von Deichen in Bangladesch

Versuch: Meeresspiegelanstieg

Material:
2 Glasgefäße, 1 Stein, 1 Folienstift, 6 oder 8 Eiswürfel, 1 Wärmelampe (Infrarotlampe)

Durchführung:
Lege den Stein, der einen Festlandssockel darstellen soll, in eines der Glasgefäße. Fülle dann Wasser ein, sodass die Oberfläche des Steins noch aus dem Wasser herausragt. Notiere die eingefüllte Wassermenge. Fülle nun das zweite Glasgefäß mit der gleichen Wassermenge.
Lege jetzt in jedes Gefäß die gleiche Menge Eiswürfel – im ersten Gefäß auf den Stein, im zweiten direkt ins Wasser. Markiere an beiden Gefäßen den Wasserstand mit einem Folienstift.
Stelle über beide Schalen die Wärmelampe, damit die Eiswürfel schneller schmelzen. Beobachte wie sich mit dem Schmelzen der Eiswürfel der Wasserstand verändert. Markiere diesen, wenn die Eiswürfel komplett geschmolzen sind.

Auswertung:
Notiere deine Beobachtungen und erkläre diese.

5

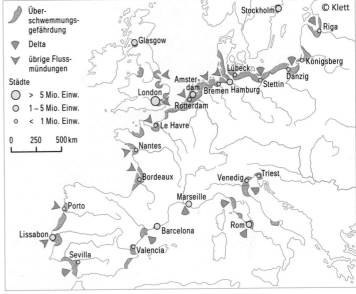

7 Folgen des Klimawandels: überschwemmungsgefährdete Küsten in Europa bei steigendem Meeresspiegel

1 Nenne Regionen der Erde und betroffene Länder, in denen der Meeresspiegel bereits stark angestiegen ist (Karte 1). ◑

2 Erkläre Ursachen für den Anstieg des Meeresspiegels. ◑

3 Erläutere mithilfe der Karte 7 Auswirkungen eines weiteren Meeresspiegelanstiegs. ◑

4 Der Meeresspiegelanstieg hat für Bangladesch (Karte 4) schlimmere Auswirkungen als für die europäischen Küstenregionen. Begründe. ◑ ∞

AFB I: 1,   AFB II: 2, 3   AFB II: 4

TERRA FÜR DICH

Klimawandel in der Arktis

Wähle aus!

1 Stelle die Auswirkungen des Klimawandels in der Arktis dar:
a) in Form eines Kurzvortrages, ◗
b) in Form einer Mindmap, ◗
c) in Form eines Wirkungsgefüges (vgl. S. 166). ●

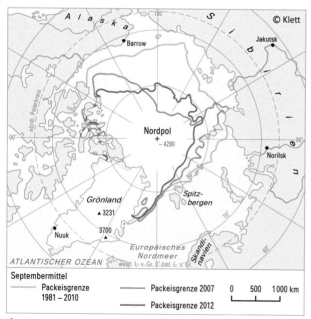

1 Auf dem Polareis im Winter

2 Meereiskonzentration

Jagd auf dem Eis

Der Eisbär braucht das Eis zum Jagen. Deshalb warten in Kanada an der Hudson Bay jedes Jahr Hunderte Eisbären darauf, dass das Polarmeer zufriert. Sie gehen dann auf das Eis, um Robben zu fangen. Dazu warten sie an einem Wasserloch, bis eine Robbe zum Atmen auftaucht. Aber durch die Klimaerwärmung bildet sich jedes Jahr später Eis. Deshalb müssen die Eisbären immer länger warten. Auf dem Land finden sie viel weniger Nahrung. Ohne ihr Jagdrevier auf dem Eis verhungern viele Eisbären. Deswegen sind sie vom Aussterben bedroht.

Die Inuit nennen den Eisbären „Nanuk" – „großer Jäger". Man schätzt, dass es in der Arktis noch etwa 20 000 von ihnen gibt. Durch seinen Körperbau ist der Eisbär (Polarbär) perfekt an das Leben in der **Arktis** angepasst.

Die Polarregionen sind die kältesten Gebiete der Erde. Doch gerade hier wird deutlich, dass sich die Erde aufheizt: Seit einigen Jahren beobachten Forscher, dass die Eismassen in der Arktis schmelzen. Die Folgen lassen sich noch nicht genau abschätzen. Klar ist aber schon jetzt, dass viele Lebensräume durch das Schmelzen bedroht sind.

Die Arktis umfasst das Nordpolarmeer und Teile der angrenzenden Kontinente. Über die Hälfte der Arktis besteht aus Meer. Eine bis zu 3 Meter dicke Eisschicht bildet sich nur um den Nordpol. Das gefrorene Salzwasser wird **Meereis** genannt. Trotz extremer Temperaturen ist die Arktis ein Lebensraum für viele verschiedene Tierarten. Einige Tiere leben nicht auf dem Land oder Eis, sondern unter dem Eis und im Polarmeer. Viele Robbenarten sind hier zu Hause, zum Beispiel Ringelrobben und Walrosse. Aber auch der Eisbär.

Wenn das Eis der Arktis schmilzt, schwindet auch der Lebensraum der Eisbären. Schon jetzt ist der Sommer und das damit verbundene Tauwetter für Eisbären in südlicheren Gebieten schwierig: Sie müssen ihrer Beute hinterher nach Norden wandern und stranden manchmal in eisfreien Regionen, in denen sie schwer Nahrung finden. Zusätzlich machen dem Eisbär Verschmutzungen des Meeres und auch der zunehmende Tourismus zu schaffen. Seit dem Jahr 2006 steht der Eisbär auf der Liste der bedrohten Tierarten. Es gibt bereits relativ wenige Eisbären in freier Wildbahn und Naturschützer rechnen damit, dass der Bestand in den kommenden Jahren noch weiter schrumpfen wird.

3 Permafrost

5 Kartoffelanbau in Grönland

Permafrost taut auf

Permafrostböden erstrecken sich auf der Nordhalbkugel an der Grenze der Arktis über riesige Gebiete. Hauptsächlich sind sie in weiten Teilen Sibiriens und Alaskas zu finden. Ihr Name stammt daher, dass sie das ganze Jahr über gefroren sind – bisher jedenfalls. Weil nicht nur der Boden, sondern auch das darunter liegende Gestein gefroren ist, sprechen Experten nur vom **Permafrost**. Doch die Temperaturen auf der Erde steigen. Seit einigen Jahren erwärmen sich die gefrorenen Böden im hohen Norden, beginnen zu tauen und verwandeln sich in riesige Sümpfe.

Wissenschaftler vermuten, dass der tauende Permafrost den Klimawandel beschleunigen könnte. Denn die Böden enthalten Methan, ein von Mikroorganismen produziertes Gas. Dieses Treibhausgas wirkt auf das Klima ungefähr 20- bis 30-mal so stark wie Kohlenstoffdioxid. Zusätzlich sind im Permafrost große Mengen an Kohlenstoff gespeichert. Mit den steigenden Temperaturen beginnt hier ein teuflischer Kreislauf: Taut durch den Klimawandel der Permafrost auf, gelangen Methan und Kohlendioxid in die Luft. Die Treibhausgase erwärmen die Atmosphäre, die Erde heizt sich weiter auf, das Eis schmilzt – und der Klimawandel verstärkt sich selbst.

Uneinig sind sich die Forscher bisher darüber, wie schnell die Permafrostböden auftauen werden. Auch die Frage, wie viel Treibhausgase dabei tatsächlich frei werden, ist bisher noch ungeklärt.

Gemüseanbau in Grönland

In Grönland herrscht polares und subpolares Klima. Aufgrund der Lage im Atlantik ist es jedoch nicht ganz so extrem wie in anderen Gebieten. Durch die globale Erwärmung hat sich die Wachstumsperiode im Sommer jedoch schon auf 120 Tage verlängert. In Qaqortoq konnte man einen Anstieg der Jahresdurchschnittstemperatur um 1,3 Grad Celsius feststellen. Die Kältegrenze für den Anbau hat sich so verschoben, dass in Grönland mittlerweile dauerhaft landwirtschaftlicher Anbau betrieben werden kann. Die Kehrseite des Klimawandels ist jedoch das schmelzende Eis auf den Fjorden, wodurch die Jagd schwieriger wird.

In den letzten Jahren ist insbesondere der Anbau von Gurken und Brokkoli möglich geworden, wofür es in der traditionellen Sprache der Ureinwohner nur das Wort „Salat" gibt. Auch Kartoffeln gedeihen zum Beispiel in den Buchten der Südspitze seit einigen Jahren und seitdem hat sich die Ernährung der Einwohner langsam gewandelt.

Sogar Erdbeeren wachsen mittlerweile in Grönland, allerdings wird es für sie zeitlich noch oft eng: die Wachstumszeit von April bis Juli sowie die Tatsache, dass die Pflanzen oft einen Winter überdauern müssen, stellt Ansprüche an das Klima. Hier helfen sich die Grönländer noch mit Gewächshäusern und Folien.

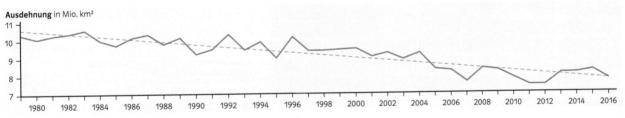

4 Juli-Mittel der Meereisausdehnung in der Arktis von 1979 – 2016

12

TERRA FÜR DICH

Klimawandel in der Antarktis

Wähle aus!

1. Stelle die Auswirkungen des Klimawandels in der Antarktis dar:
   a) in Form eines Kurzvortrages, ◕
   b) in Form einer Mindmap, ◕
   c) in Form eines Wirkungsgefüges (vgl. S. 166). ●

Die Antarktis umfasst den fünftgrößten Kontinent der Erde, die Antarktika, und das ihn umgebende Südpolarmeer. Es muss somit unterschieden werden zwischen dem Kontinent Antarktika und der gesamten Kälteregion der Antarktis. Als Abgrenzung der Antarktis zu den nördlich davon gelegenen Gebieten gilt der 60. Breitenkreis, also 60° Süd.

Spezialisten der Antarktis

Alle Tiere der Antarktis sind ausschließlich auf Nahrung aus dem Meer angewiesen und können deshalb nur im Südpolarmeer und in einem schmalen Küstenstreifen überleben.

Der Kaiserpinguin ist „die Majestät" der Antarktis. Er wird bis zu einem Meter groß, wiegt bis zu 40 kg und ernährt sich von Fischen, Krebsen und Krill. Dazu taucht er im Südpolarmeer bis zu 500 m

tief. Seinen Brutplatz legt er im Innern des Kontinents an, den die Pinguine in wochenlangem Gänsemarsch ansteuern. Krill ist eine Garnelenart von 6 cm Körperlänge und 2 Gramm Gewicht. Er lebt in großen Schwärmen von bis zu 30 000 Tieren und ist Nahrungsquelle für viele Tiere der Antarktis.

Der Kontinent Antarktika ist zu 98 % von **Inlandeis** bedeckt. Dieser größte Eisschild der Erde ist bis zu 4776 m mächtig. Dort, wo sich das Inlandeis vom Festland aufs Meer hinausschiebt, bilden sich riesige, auf dem Meer schwimmende Eisflächen, Schelfeis genannt. Es besteht aus Süßwasser, denn wie im Inlandeis sind auch im Schelfeis die Niederschläge gebunden, die fast ausschließlich als Schnee fallen. Vom Schelfeis abbrechende große Eisstücke driften als Eisberge weit nordwärts.

Wegen der großen Temperaturunterschiede zwischen dem Inlandeis und dem Südpolarmeer entstehen starke, eisige Fallwinde, sodass die antarktischen Küsten als die weltweit windigsten Gebiete gelten.

In den letzten 50 Jahren sind die Temperaturen der antarktischen Halbinsel fünf Mal so schnell gestiegen wie im globalen Durchschnitt. Gleichzeitig hat die Zeit, in der die Küsten von Meereis bedeckt sind, deutlich abgenommen. Als Folge hat sich auch die Artenzusammensetzung in dieser Region verändert. Bisher durch Beobachtungen belegt ist die Verdrängung von Tieren, die auf Meereis angewiesen sind wie Adeliepinguine oder Krill, durch Arten, die eisfreie Regionen bevorzugen wie Kehlstreifpinguine.

1 Kaiserpinguine im Weddelmeer

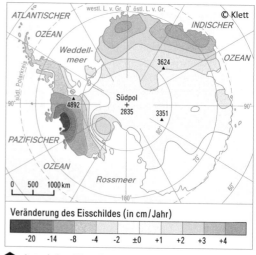

2 Antarktis – Eisverlust 2006–2012

Abwanderung der Pinguine

„Die Tiere verlassen ihre Brutplätze, weil die ungewöhnlich warme Luft dort so viel Schnee fallen lässt, dass sie nicht lange genug auf ihren Nestern sitzen bleiben können. Sie wandern ins Innere der Antarktis, ein Gebiet, das mit bis zu vier Kilometer dickem Eis bedeckt ist. Seitdem die antarktischen Winter milder werden, steigen die Wassertemperaturen und die Eismenge schrumpft. Dadurch, dass eines ihrer Nahrungsmittel, der Krill, sich bei weniger dichten Eisschichten schlechter vermehren kann, geht die Anzahl der Pinguine zurück. Französische Forscher berichten, dass sich die Zahl der Kaiserpinguine in den vergangenen 50 Jahren halbiert hat. Durch die Abwanderung der Pinguine wächst für sie auch noch die Entfernung zwischen Brutplätzen und Nahrung. Das heißt, die Tiere brauchen länger für die Nahrungssuche und müssen ihre Nester über einen größeren Zeitraum verlassen. Das bedeutet wiederum Gefahren für die Eier und Jungtiere – sie können erfrieren, verhungern oder gefressen werden, bis die Elterntiere zurück sind."

Geolino 2016

Unterschiede zwischen West- und Ostantarktis

In der Antarktis gibt es Gebiete, in denen sich das Meereis in den letzten Jahren trotz globaler Erwärmung ausgedehnt hat. Wissenschaftler haben herausgefunden, dass Veränderungen der Meeresströmungen und Winde dafür verantwortlich sind. Sie treiben das Meereis immer weiter auseinander, sodass sich dessen Fläche zeitweise vergrößert hat. Dagegen hat sich das Abschmelzen des Landeises zuletzt jedoch beschleunigt. Hier gibt es aber große Unterschiede zwischen der West- und Ostantarktis. Im Westen sind es vor allem wärmere Ozeanwasser, die dort das Eis zum Schmelzen bringen.
Die Ostantarktis bildet dagegen eine Ausnahme, denn dieses Gebiet hat sich in den letzten Jahren sogar leicht abgekühlt. Wissenschaftler sprechen von einem Sonderfall. Normalerweise wird die Luft mit zunehmender Höhe immer kälter. Doch in der Ostantarktis ist das Inlandeis ist über 3 000 m hoch und die Luft darüber extrem kalt, sodass die Luft in größerer Höhe sogar etwas wärmer ist. Deshalb gibt hier die Luft mehr Wärme an den Weltraum ab.

4 Das Filchner-Ronne-Schelfeis hat eine Fläche von 470 000 km²

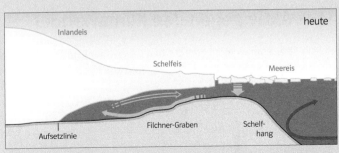

Starke Meereisbildung vor der Schelfeiskante lässt kaltes und salzreiches Schelfwasser (blau) entstehen, das den warmen Küstenstrom (rot) daran hindert, auf den Kontinentalschelf vorzudringen und auf dem landeinwärts geneigten Meeresboden in den Hohlraum unter dem Schelfeis zu fließen.

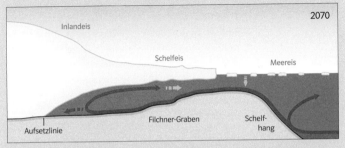

Höhere Lufttemperaturen sorgen für eine dünnere Meereisbedeckung und eine geringere Eisbildung vor der Schelfeiskante. Weniger kaltes und salzreiches Schelfwasser (blau) entsteht. Der warme Küstenstrom (rot) dringt auf den Kontinentalschelf vor und strömt in den Hohlraum unter dem Schelfeis. Das Schelfeis beginnt an der Unterseite zu schmelzen.

5 Heutige Situation und Simulation für das Jahr 2070

Staat	Zielwert	Istwert
Belgien	−7,5%	−8,3%
Deutschland	−21,0%	−21,3%
Frankreich	0%	−5,3%
Großbritannien	−12,5%	−17,3%
Italien	−6,5%	+7,1%
Kanada	−6,0%	+26,2%
Niederlande	−6,0%	−2,1%
Polen	−6,0%	−30,0%

Zielwert = So viel weniger Treibhausgase sollten 2007 im Vergleich zu 1990 ausgestoßen werden.
Istwert = So viel weniger Treibhausgase wurden 2007 tatsächlich ausgestoßen.

1 Jeder kann etwas gegen den Klimawandel tun, wie diese Sieger der Aktion Energiesparmeister

2 Umsetzung des Kyoto-Protokolls: Veränderung der Emissionen von Treibhausgasen 1990–2007

Aktiv gegen den Klimawandel

Der Klimawandel bedroht den Lebensraum vieler Menschen. Was können Bürger, Politiker, Wissenschaftler, die Industrie und wir als Einzelne dagegen tun?

Zum Handeln gezwungen

Kaum zu glauben
In Kopenhagen fahren 36% der Menschen mit dem Fahrrad zur Arbeit.

Extreme, durch den Klimawandel bedingte Wetterereignisse verursachten allein in Deutschland im Jahr 2013 Sachschäden in Höhe von 3,2 Milliarden Euro. Immer mehr Menschen sind bereit, über persönliche Konsequenzen zum Schutz der Umwelt nachzudenken. Jeder einzelne Bürger trägt Verantwortung dafür, die Klimakatastrophe im 21. Jahrhundert zu verhindern. Doch individuelle Bemühungen alleine genügen nicht, um eine umweltschonende Entwicklung in Gang zu setzen. Die Politik muss auf lokaler und nationaler Ebene, in Europa und weltweit Entscheidungen treffen.

Klimakonferenzen

Bereits 1992 haben sich in Rio de Janeiro 189 Staaten verpflichtet, weniger Kohlenstoffdioxid auszustoßen. 1997 wurde auf der Folgekonferenz in der japanischen Stadt Kyoto beschlossen, im Zeitraum von 2008 bis 2012 weltweit den CO_2-Ausstoß um 5,2 Prozent gegenüber dem Niveau von 1990 zu senken. Obwohl die europäischen Staaten ihre Ziele übererfüllten, hatte dies nur einen minimalen Einfluss auf die **Emission** von Treibhausgasen. Dies lag daran, dass die beiden größten Verursacher von Treibhausgasen, China und die USA, nicht daran teilnahmen.

Hoffnung macht die UN-Klimakonferenz von Paris 2015. Auf ihr vereinbarten 195 Länder, den weltweiten Temperaturanstieg auf deutlich weniger als 2 °C gegenüber dem Beginn der Industrialisierung zu begrenzen. Das Abkommen verbindet die Obergrenze mit einer konkreten Handlungsanweisung: In der zweiten Hälfte des 21. Jahrhunderts dürfen weltweit keine zusätzlichen Treibhausgase mehr ausgestoßen werden. Dieses Abkommen tritt 2020 in Kraft. Ob die hochgesteckten, aber notwendigen Ziele erreicht werden, wird sich erst in einigen Jahrzehnten zeigen.

Auf der Klimakonferenz, die 2016 in Marrakesch stattfand, haben 48 Länder angekündigt, bis etwa 2050 bei der Energieerzeugung vollständig auf Kohle, Erdöl und Erdgas zu verzichten. Das ist ein wichtiges Signal auf dem Weg zur Nutzung erneuerbarer Energien.

Was tun gegen den Klimawandel?

In Deutschland ist jeder Mensch für die Produktion von ungefähr 30 kg Kohlenstoffdioxid täglich verantwortlich. Doch davon kannst du einiges einsparen. Beachte dazu die folgenden Tipps:

Im Schlaf Strom sparen! Standby-Geräte ganz ausschalten

Tablets, Spielekonsolen, Fernseher, DVD-Spieler oder auch Küchengeräte kann man häufig nicht ganz abschalten. Sie bleiben im Standby-Modus und verbrauchen somit auch Energie, wenn man sie gar nicht verwendet. In einem durchschnittlichen Haushalt kostet das etwa 70 € im Jahr. Wenn man sich dieses Geld sparen möchte, sollte man entweder den Stecker ziehen oder eine abschaltbare Steckdosenleiste verwenden.

Gekonnt lüften!

Stehen Fenster und Türen länger auf Kipp, entweicht allzu viel Wärmeenergie. Besser ist es, mehrmals am Tag für wenige Minuten das Fenster ganz zu öffnen und gut durchzulüften. Hierbei geht deutlich weniger Energie verloren. Diesen und den nächsten Tipp könnt ihr gut im Klassenraum anwenden.

Nur ein kleiner Dreh: richtig heizen!

Nur 1 °C weniger im Raum senkt den Energieverbrauch um etwa sieben Prozent. Temperaturen zwischen 18 °C im Schlafzimmer und 21 °C in Wohnräumen reichen meistens aus. Nachts und wenn niemand im Haus ist, kann man die Heizung noch weiter drosseln.

Zu viel Fleisch ist Käse! Klimaschonend essen

Alle 40 Sekunden rülpst eine Kuh und befördert auf diese Weise etwa 250 l Methan pro Tag in die Luft. Methan ist ein Treibhausgas, das viel stärker wirkt als Kohlenstoffdioxid. Die Herstellung von 1 kg Rindfleisch ist deshalb so klimaschädlich wie eine Autofahrt von 250 km. Obst und Gemüse werden klimaschonender produziert. Außerdem kannst du Nahrungsmittel aus der Region verbrauchen – damit vermeidest du lange, klimaschädliche Transportwege.

Fuß vom Gas! Gar nicht oder richtig Auto fahren

Wer kein Auto benutzt, sondern zu Fuß geht, das Fahrrad nutzt oder mit Bus und Bahn fährt, verhindert den Ausstoß von zu viel Kohlenstoffdioxid. Lässt sich Autofahren nicht vermeiden, sollte man die Geschwindigkeit dem Verkehrsfluss anpassen. Dann muss man weniger bremsen und seltener beschleunigen. Gleichmäßiges Fahren mit niedriger Drehzahl senkt den Verbrauch von Treibstoff und schont das Klima.

Endlich geht ein Licht auf! Richtig beleuchten

Frühere Glühlampen wandelten nur fünf Prozent der elektrischen Energie in Licht um – der Rest blieb als Wärme ungenutzt. Viele Glühbirnen werden deshalb seit 2009 Schritt für Schritt verboten. Energiesparlampen, die genauso hell sind wie herkömmliche Glühlampen, brauchen etwa 80 Prozent weniger Strom. LED-Lampen brauchen sogar über 90 Prozent weniger Strom. Beide sind zwar in der Anschaffung teurer, halten aber etwa zehnmal so lange wie frühere Glühlampen.

3

---

1 Foto 1: Informiert euch über die Aktion http://www.energiesparmeister.de. ◗

2 Klimakonferenzen
a) Fasse die Ergebnisse der Konferenzen von Kyoto und Paris zusammen. ◗
b) Überprüfe mithilfe von Tabelle 2, welche Staaten ihre Kyoto-Verpflichtungen eingehalten haben. ◗

3 Gestalte ein Plakat zu Abbildung 3. ●
a) Liste auf, wie jeder Treibhausgase einsparen kann.
b) Zeige auf, was du bereit bist zu tun.

4 Entwickle einen Fragebogen, mit dem du in deinem persönlichen Umfeld erfragst, wer bereit ist, sein eigenes Verhalten zu ändern, um den Klimawandel zu bremsen (Abbildung 3). ●

AFB II: 1, 2a   AFB III: 2b, 3, 4

TERRA TRAINING

Wichtige Begriffe
anthropogener Treibhauseffekt
Emission
globale Erwärmung

Inlandeis
Klimakonferenz
Klimawandel
Kohlenstoffdioxid

Meereis
Meeresspiegelanstieg
Treibhausgase
natürlicher Treibhauseffekt

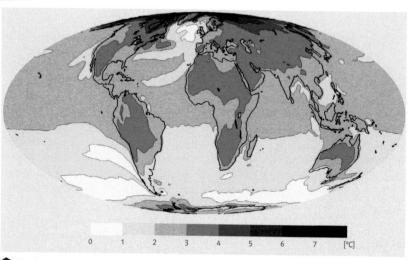

0 1 2 3 4 5 6 7 [°C]

1 Regionale Temperaturveränderungen bis zum Jahr 2100
Die Farbflächen zeigen die Veränderung der jährlichen Mitteltemperatur der Periode 2071–2100 gegenüber der Periode 1961–1990 nach dem Szenario A1B in °C.

A

B

C

2

Sich orientieren

1 Benenne mithilfe der Karte 1 die Regionen, die in besonderem Maße von der globalen Erwärmung betroffen sein werden. ○

2 Benenne mithilfe des Atlas Regionen der Erde, die von einem Meeresspiegelanstieg besonders betroffen sind. ◒

Kennen und verstehen

3 Erläutere, welche Ursachen A bis E auf den Meeresspiegelanstieg zutreffen. ◒
Der Meeresspiegel steigt an, weil …

A … mit der Erwärmung auch die Niederschläge zunehmen;

B … das Wasser sich bei der Erwärmung ausdehnt und sein Volumen vergrößert;

C … die Eispanzer Grönlands und der Antarktis schmelzen;

D … die Gletscher der Gebirge schmelzen;

E … das Eis des Nordpolarmeeres schmilzt.

4 Richtig oder falsch? ○
Verbessere die falschen Aussagen. Schreibe sie richtig auf.

a) Kohlenstoffdioxid ist der Hauptverursacher des natürlichen Treibhauseffekts.

b) Methan wird in erster Linie durch Düngung von Ackerböden freigesetzt.

c) Die langwellige Wärmestrahlung wird größtenteils von den Treibhausgasen absorbiert.

d) Die im Zuge der Erwärmung aufsteigende Luft wird von den Treibhausgasen aufgehalten.

e) Ein starker Sturm in Deutschland ist ein Zeichen für den Klimawandel.

f) Jeder Mensch im Alltag kann etwas für den Klimaschutz tun.

g) Der Klimawandel hat auf Deutschland kaum Auswirkungen.

5 Anstieg des Meeresspiegels ◒

a) Erläutere mithilfe von Abbildung 6, wie es zum Anstieg des Meeresspiegels kommt.

b) Beschreibe mögliche Folgen dieser Entwicklung.

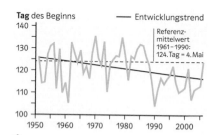

Tag des Beginns — Entwicklungstrend

Referenzmittelwert
1961–1990:
124. Tag = 4. Mai

140
130
120
110
100

1950 1960 1970 1980 1990 2000

3 Beginn der Apfelblüte

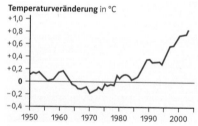

Temperaturveränderung in °C

+1,0
+0,8
+0,6
+0,4
+0,2
0
−0,2
−0,4

1950 1960 1970 1980 1990 2000

4 Temperaturveränderungen auf der Nordhalbkugel 1970–2005

Material
Selbsteinschätzungsbogen
ni329e

Material
Kompetenzcheck
ni329e

Lernen im Netz
Interaktives Üben
ni329e

Plant-for-the-Planet

Pflanzt Bäume für die Welt,
das ist was jetzt zählt;
aber leider noch nicht für jeden,
darüber möchte ich reden.
Viele pflanzen Bäume schon,
und das ganz ohne Lohn,
glaubt mir, es lohnt sich sehr,
doch brauchen wir noch mehr.
Ref.: Pflanzt Bäume für die Welt
(Süden, Osten, Norden, Westen)
ist der Wunsch, der so vielen gefällt.
Die Bäume sind echt wichtig,
das ist wirklich richtig,
das leuchtet allen ein,
die Luft wird wieder rein.
Die Welt wird es schon schaffen,
wenn wir uns jetzt aufraffen.
Ihr werdet schon bald sehn,
viel wird noch geschehn.
Ref.: Pflanzt Bäume für die Welt
(Süden, Osten, Norden, Westen)
ist der Wunsch, der so vielen gefällt.

Liedtext von Niklas Bastian

5

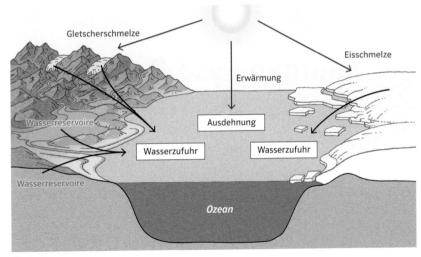

6 Meeresspiegelanstieg

7

6 **Anthropogener Klimawandel** ○
Erläutere, was die Bildinhalte der Fotos
2 mit dem Klimawandel zu tun haben.

Fachmethoden anwenden

7 **Diagramm auswerten**
a) Beschreibe das Diagramm 3. ◕
b) Erläutere, inwieweit die Aussagen
   des Diagramms einen Beweis für
   den Klimawandel darstellen. ●

8 **Karikaturen auswerten**
Vorteile durch den Klimawandel? Werte
die Karikatur 7 aus. ◕

Beurteilen und bewerten

9 Zwei Schüler streiten sich darüber,
welches Land am meisten CO_2-Emis-
sionen verursacht. Paula meint, es ist
China und Anton besteht darauf, dass
es die USA ist. Wie würdest du entscheiden?
Begründe deine Entscheidung. Nutze
dazu das Diagramm 5 auf Seite 195. ●

10 „Vulkanausbrüche, wie der des
Pinatubo im Jahr 1991 wirken der
globalen Erwärmung entgegen".
Beurteile diese Aussage unter
Einbeziehung vom Diagramm 4. ●

11 Beurteile, inwieweit der Song 5
ein Beispiel für eigene Aktivitäten
gegen den Klimawandel sein kann. ◕

**Am Ende
kannst du ...**

– Anzeichen des Klimawandels
in Baden-Württemberg be-
nennen,

– Ursachen und Auswirkungen
der globalen Klimaänderungen
erklären,

– den natürlichen Treibhauseffekt beschreiben,

– den zusätzlichen anthropogenen Treibhauseffekt mit
seinen Ursachen darstellen,

– Auswirkungen der globalen
Erwärmung am Beispiel der
Arktis oder Antarktis erläutern,

– persönliche Maßnahmen zum
Klimaschutz beurteilen.

13

Raumanalyse Botsuana

1 In der Savanne

Unberührte Wildnis, faszinierende Tierwelt und Abenteuer signalisieren die Bilder, mit denen das botsuanische Ministerium für Tourismus auf seiner Internetseite um Gäste aus aller Welt wirbt. Aber Botsuana ist nicht nur eines der „best gehüteten Geheimnisse Afrikas", wie ein anderer Slogan verspricht, sondern auch einer der diamantenreichsten Staaten der Erde.

Worauf soll das Land seine künftige Entwicklung gründen? Auf Diamanten oder auf Gäste aus aller Welt? Im Rahmen einer „fragegeleiteten Raum-analyse" kannst du dir dazu eine Meinung bilden.

2 Diamantenmine

Eine Raumanalyse führen Geographen durch, um einen geographischen Raum, etwa Botsuana, besser verstehen und bewerten zu können. Die Leitfrage hilft dabei, diesen Raum aus einem ganz bestimmten Interesse heraus zu untersuchen. Die Beantwortung der Leitfrage steht daher im Mittelpunkt der Präsentation der Ergebnisse.

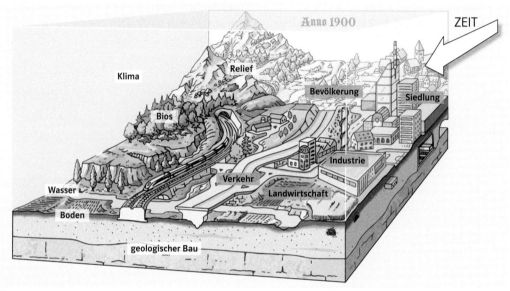

1 Raummodell

Eine fragengeleitete Raumanalyse durchführen

Sieh dir den oben dargestellten Raum genau an. Gibt es Gründe für genau diesen Verlauf der Verkehrswege? Warum wächst nur an einigen Stellen Wald, an anderen nicht? Warum sind die Industriebetriebe genau an dieser und nicht einer anderen Stelle entstanden? Warum bietet dieser Raum gute Voraussetzungen für Landwirtschaft?

Diese oder viele andere Fragen kannst du stellen, um das Besondere eines Raumes zu verstehen. Das gilt weltweit, unabhängig davon, ob es sich um einen sehr kleinen, begrenzten oder aber einen sehr großen Raum handelt. Jeder Raum wird geprägt von bestimmten natürlichen und gesellschaftlichen Faktoren, die ihn einmalig machen und von anderen Räumen unterscheiden. Zu den natürlichen Faktoren zählen die Biosphäre, das Klima, das Wasser, das Gestein, das Relief und der Boden. Zu den gesellschaftlichen Faktoren rechnet man die Bevölkerung, die Wirtschaft mit all ihren Sektoren, die Siedlungen, die Infrastruktur, den Staat sowie die politischen Einflüsse. Zusätzlich muss der zeitliche Aspekt betrachtet werden. Denn jedem aktuellen Zustand eines Raumes ging eine historische Entwicklung voraus, in der Menschen und Naturereignisse den Raum immer wieder verändert haben. Bei einer Raumanalyse müssen jedoch nicht alle Faktoren in die Untersuchung einbezogen werden. Vielmehr werden nur diejenigen erfasst und analysiert, die für diesen speziellen Raum zu einer bestimmten Zeit und unter einer ganz bestimmten Fragestellung prägend sind.

1. Schritt: Untersuchungsraum abgrenzen
Kennzeichne die geographische Lage des Raumes. Grenze ihn z. B. gegen Nachbarstaaten ab, nenne angrenzende Meere oder Gebirge oder gib die Lage im Gradnetz an. Beschreibe dann stichpunktartig die prägenden Merkmale des Raumes.

2. Schritt: Eine Leitfrage formulieren
Formuliere die Leitfrage, die dich bei diesem Raum interessiert. Oft ergibt sich die Fragestellung aus der Beschreibung des Raumes, aus möglichen Wechselwirkungen, Ursachen oder Zusammenhängen verschiedener Faktoren.

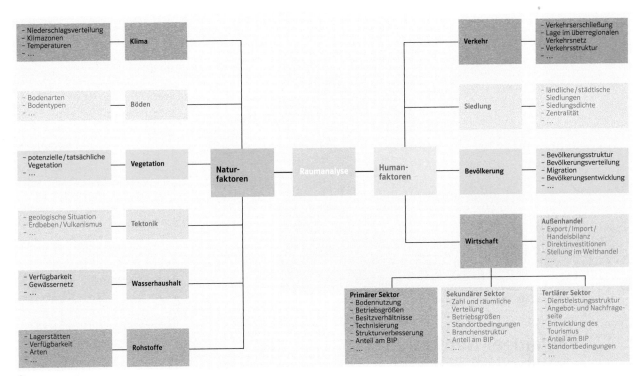

2 **Raumanalyse**

3. Schritt: Arbeitsschritte planen und Material suchen

Plane deine Arbeitsschritte. Berücksichtige dabei vorgegebene Termine, um in der Zeit, die zur Verfügung steht, das Material suchen, ordnen, analysieren, bewerten und darstellen zu können. Hast du einen Arbeitsplan erstellt, kannst du beginnen.

Trage Material zu deinem Raum zusammen. Suche ausgehend von eventuell in deinem Schulbuch vorhandenem Material ergänzende Texte, Statistiken oder Fotos im Internet, in Büchereien, bei Institutionen oder frage deinen Lehrer oder andere Personen nach Informationen bzw. bitte sie um Hilfe.

4. Schritt: Faktoren analysieren

Sortiere das Material danach, ob es zur Beantwortung der Leitfrage beiträgt. Werte nun die relevanten Unterlagen kritisch aus. Notiere die einzelnen Faktoren, die für die Beantwortung der Leitfrage wichtig sind, z. B. Klima, Böden, gesellschaftliche Umbrüche. Falls sich die verschiedenen Materialien widersprechen, musst du diese Widersprüche klären. Denke daran, dass Materialien oft einseitig verfasst sind und bestimmte Interessen verfolgen. Stelle nach der Analyse der Faktoren Zusammenhänge zwischen ihnen her, sofern sie zur Beantwortung der Leitfrage wichtig sind.

5. Schritt: Die Leitfrage beantworten

Nutze deine Ergebnisse, um die Leitfrage zu beantworten. Dazu musst du zunächst die besonderen Merkmale und Strukturen deines Raumes erklären und dann die Ergebnisse der Faktorenanalyse zur Beantwortung zusammenfassen.

6. Schritt: Zusammenhänge darstellen

Präsentiere deine Ergebnisse anschaulich mithilfe von Karten, Texten, Fotos, Diagrammen oder schematischen Darstellungen. Zeige die Zusammenhänge zwischen den Einzelfaktoren, ihre Stellung und ihre Bedeutung im Gesamtgefüge des Raumes auf, z. B. in Form eines Wirkungsschemas.

7. Schritt: Ergebnisse reflektieren und bewerten

Unterziehe mit der Klasse deine Raumanalyse einer kritischen Betrachtung: War die Abgrenzung des Raumes richtig? Waren die verwendeten Methoden und Materialien der Fragestellung und dem Raum angemessen? Sind die Ergebnisse auf andere Räume übertragbar? Was wirst du bei künftigen Raumanalysen anders machen?

Eine mögliche Leitfrage könnte lauten:

Liegt Botsuanas Zukunft im Bergbau oder im Tourismus?

BOTSUANA

NAMIBIA

SIMBABWE

Okavango

Gaborone

SÜDAFRIKA

250 km

1

2 Okavango-Delta

Vielfältiger Naturraum

Botsuana ist ein Binnenland im südwestlichen Afrika. Es liegt im Zentrum eines 1000 Meter hoch gelegenen, weitgespannten Beckens zwischen den südlichen und den zentralen afrikanischen Gebirgszügen. Meeresferne und Höhenlage bestimmen das Klima, im Sommer sengende Hitze, im Winter trocken und relativ kalt. Aus dem Südosten kommende Luftmassen bringen die wenigen Niederschläge. Der größte Teil der Ebene wird von der Halbwüste Kalahari mit ihren sandigen Böden eingenommen, auf denen die typische Gras- und Dornenvegetation gedeiht. Dazwischen liegen in Senken ausgedehnte Salzpfannen. Einmalig ist aber das Okavango-Delta, das größte Binnendelta der Welt, Lebensraum einer ungewöhnlich artenreichen Tier- und Pflanzenwelt.

Bedeutung der Landesflagge (seit der Unabhängigkeit am 25. Januar 1966 eingeführt):
Blau steht für die Sehnsucht des Landes nach Bewässerung und symbolisiert auch den blauen Himmel über dem Land. Schwarz steht für die farbige Mehrheit der Bevölkerung, Weiß für die weiße Minderheit.

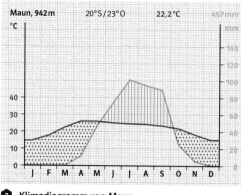

3 Klimadiagramm von Maun

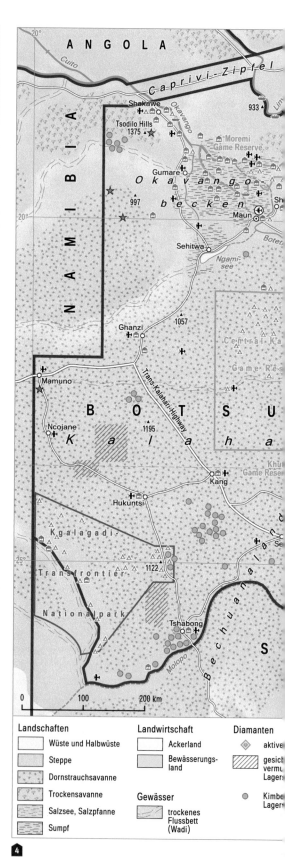

Landschaften

Wüste und Halbwüste

Steppe

Dornstrauchsavanne

Trockensavanne

Salzsee, Salzpfanne

Sumpf

Landwirtschaft

Ackerland

Bewässerungsland

Gewässer

trockenes Flussbett (Wadi)

Diamanten

aktive

gesich...
vermu...
Lager...

Kimbe...
Lager...

4

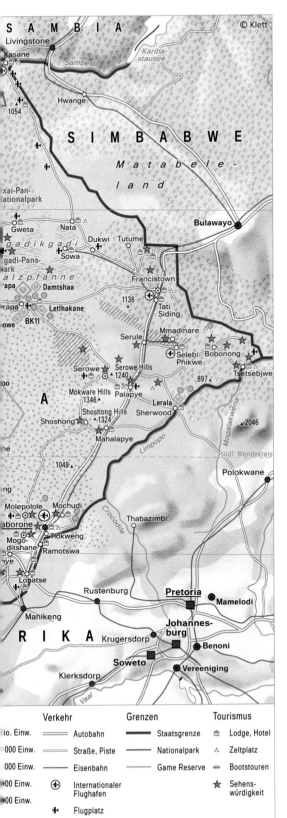

S A M B I A © Klett
Livingstone
Kasane
Kariba-stausee
Sambesi

Hwange
1054

S I M B A B W E
Matabele-land

xai-Pan-ationalpark

Bulawayo

Gweta Nata
gadikgadi
Dukwi Tutume
gadi-Pans-ark
Sowa
alzpfanne
apa Damtshaa
Francistown
rapa
owe BK11 Letlhakane 1136
Tati Siding

Serule Mmadinare
Selebi-Phikwe Bobonong
Serowe Serowe Hills
1240 Tsetsebjwe
897
A Mokware Hills
1346 Palapye
Shoshong Hills Lerala
1324 Sherwood
Shoshong
2046
Mahalapye
Limpopo
1049
südl. Wendekreis
Polokwane

Molepolole Mochudi
Thabazimbi
aborone Crocodile
Mogo-ditshane Tlokweng
ye Ramotswa
Lobatse
Rustenburg Pretoria
Mahikeng Mamelodi
Johannes-burg
R I K A Krugersdorp
Benoni
Soweto Vereeniging
Klerksdorp
Vaal

Verkehr
io. Einw. Autobahn
000 Einw. Straße, Piste
000 Einw. Eisenbahn
00 Einw. ⊕ Internationaler Flughafen
00 Einw. ✚ Flugplatz

Grenzen
Staatsgrenze
Nationalpark
Game Reserve

Tourismus
Lodge, Hotel
△ Zeltplatz
Bootstouren
★ Sehens-würdigkeit

5 In der Dornstrauchsavanne

6 Makgadikgadi-Salzpfanne

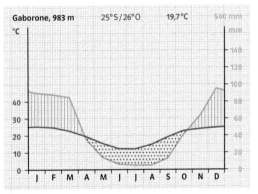

Gaborone, 983 m   25°S / 26°O   19,7 °C   540 mm

7 Klimadiagramm von Gaborone

213

1 Grundlage für Botsuanas Reichtum: Jwaneng-Diamantenmine im Tagebau

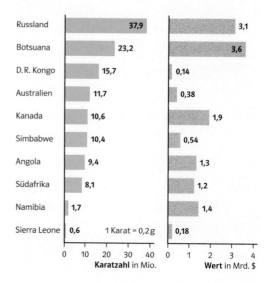

	Karatzahl in Mio.	Wert in Mrd. $
Russland	37,9	3,1
Botsuana	23,2	3,6
D.R. Kongo	15,7	0,14
Australien	11,7	0,38
Kanada	10,6	1,9
Simbabwe	10,4	0,54
Angola	9,4	1,3
Südafrika	8,1	1,2
Namibia	1,7	1,4
Sierra Leone	0,6	0,18

1 Karat = 0,2 g

2 Die größten Förderländer 2013
Daten nach Bloomberg; Kimberley Process Certification Scheme

Reich an und durch Diamanten

Botsuana verdankt seinen Reichtum in erster Linie den Diamanten. Sie wurden kurz nach der Unabhängigkeit des einstigen britischen Protektorats 1966 entdeckt und ermöglichten dem Agrarstaat einen geradezu märchenhaften Aufstieg.

De Beers ist das weltweit größte Unternehmen zur Förderung von und dem Handel mit Diamanten. Ende 2013 verlagerte das seit seiner Gründung im Jahr 1888 in London angesiedelte Unternehmen seinen Firmensitz nach Gaborone. So werden in dem Land Diamanten nicht mehr nur gefördert und geschliffen, sondern seit Ende 2013 findet hier auch die Qualitätsprüfung statt – und auch alle Verkäufe werden nun von Gaborone aus abgewickelt. Damit wird die botsuanische Hauptstadt zum Dreh- und Angelpunkt des internationalen Diamantenhandels. Für Fachleute der Branche war dieser Schritt überfällig:

Die Hälfte der Staatseinnahmen und ein Drittel des Bruttoinlandsprodukts – etwa 3,3 Milliarden US-Dollar – kommen in Botsuana aus dem Diamantenhandel.

Die Regierung ist am Joint Venture Bergbauunternehmen Debswana beteiligt, das die Edelsteine fördert: 50 Prozent der Einnahmen gehören De Beers, 50 Prozent der botsuanischen Regierung. Debswana ist der größte Devisenbringer und Arbeitgeber des Landes. Die Belegschaft besteht zu 95 Prozent aus Botsuanern. Mit den Investitionen werden die Erweiterung und damit der Fortbestand der Mine bis mindestens 2028 gesichert, was auch der Staatskasse viele weitere Millionen Dollar bescheren wird. Immerhin schätzt De Beers die Diamantenvorkommen der Mine auf etwa 95 Millionen Karat überwiegend qualitativ hochwertiger Edelsteine.

Diamantenreserven weltweit 2014 (in Mio. Karat)

Australien	250
D.R.Kongo	150
Botsuana	130
Südafrika	70
Russland	40
andere Länder	90

Zahlen für natürliche Industriediamanten.
Daten nach U.S. Geo-logical Survey; www.usgs.gov

3 Die größten Diamanten-Förderländer

"Die Häuser der Nachbarn haben bereits einen neuen Anstrich. Sie leuchten in hellem Blau und Rosa. Demnächst, hofft Dimakatso Nnume, könnte auch ihr Haus mit der Nummer 08-007 an der Reihe sein. Die stämmige Frau mit den kurzen Locken und der sanften Stimme sitzt hinter einem Tisch im Armenviertel von Gaborone, auf dem sie Kaugummis, Handy-Guthaben und Bananen verkauft.

Nach und nach renoviert die Verwaltung der botsuanischen Hauptstadt die Gebäude des Armenviertels Old Naledi. Das Geld dafür stammt aus den Diamantenminen des Landes. In vielen anderen Ländern Afrikas, etwa im Kongo, heizen die Rohstoffvorkommen Bürgerkriege an. In Botsuana dagegen soll der Reichtum sozialen Frieden bringen – indem die Bevölkerung davon profitiert. Botsuana ist äußerst gut darin, den Reichtum unter der Erde – die Diamanten – in Reichtum über Tage zu investieren.

Zwar fließt auch ein beträchtlicher Teil des Diamantengeldes ins Militär, doch in Botsuana werden mit den Einnahmen unter anderem auch viele Straßen gebaut und Jobs geschaffen."

Benjamin Dürr: Botsuana teilt seine Diamanten. In: evangelisch.de, 8.7.2013; www.evangelisch.de (gekürzt)

5 Diamantenschleiferei in Gaborone

Anteil der Kostenfaktoren an den Betriebskosten einer Diamantenmine im Tagebau

Energiekosten	10 %
Verarbeitung	11 %
Transport	11 %
Entfernung überlagernder Materialien (ohne Felsen)	14 %
Entfernung überlagernder Felsen	19 %
indirekte Kosten	18 %
Produktionskosten	17 %

6

4

Nachhaltige Entwicklung für die Zeit nach den Diamanten

Die Strategie „Mit Diamanten gegen die Armut" zeigt Erfolge: Hatte es 1966 bloß acht Kilometer Asphaltstraßen gegeben, so durchzieht heute ein ausgebautes Straßennetz das gesamte Land. Der Trans-Kalahari-Highway verbindet den namibischen Hochseehafen Walvis Bay mit dem Industriegebiet von Johannesburg und wurde zu einer der wichtigsten Verkehrsadern der Region. Gesundheitssystem und Wasserversorgung wurden in einem solchen Maß ausgebaut, dass heute jeder Einwohner dazu Zugang hat, in Afrika geradezu einmalig. Ebenso wurde in die Bildung investiert. Statt drei weiterführender Schulen wie vor 40 Jahren gibt es nunmehr über 300. Hinzu kommt die Universität von Gaborone. Damit entwickelte sich in Botsuana auch ein beachtliches Potenzial von ausgebildeten Arbeitskräften.

Die Zahl der Menschen unter der Armutsgrenze ist zwischen 2002 und 2014 von 31 Prozent auf 19 Prozent gesunken. Botsuana gilt daher nicht nur wegen seiner politischen Stabilität als Vorbild in Afrika, sondern auch wegen der Fortschritte im Kampf gegen die Armut. In den kommenden Jahren, so ein ehrgeiziger Plan der Regierung, soll Botsuana ein Land mit mittleren Einkommen werden. Mit Investitionen in Bildung und die Köpfe der Menschen will es dabei unabhängiger werden von dem Schatz in seinem Boden. Denn der ist endlich: Schon in ungefähr zwanzig Jahren könnte der letzte Diamant gefördert sein.

Im November 2015 wurde in Botsuana der bisher zweitgrößte Diamant der Welt mit 1111 Karat gefunden. Er ist etwa so groß wie ein Tennisball. „Karat" ist eine Maßeinheit, um das Gewicht von Edelsteinen zu bestimmen. 1 Karat = 0,2 g.

1 Beschreibe die Bedeutung der Diamanten für Botsuana. ○

2 Erläutere den Umgang mit den Einnahmen aus dem Diamantenverkauf. ◒

3 Nimm Stellung zur Strategie „Mit Diamanten gegen die Armut" im Hinblick auf ihre Nachhaltigkeit. ◒

AFB I: 1   AFB II: 2   AFB III: 3

1   Luxuslodge in Botsuana

Luxustourismus als Chance?

Für das Jahr 2013 hat Fodor's, der größte englischsprachige Verlag für Reise- und Tourismusinformationen, Botsuana in seine populäre und jährlich neue Liste der „25 places to go" aufgenommen.

Der Tourismus (v. a. der Hochpreistourismus in den Hauptattraktionen Okavango-Delta und Chobe-Nationalpark) steuert etwa 15 % zum BIP bei und ist vergleichsweise beschäftigungsintensiv.

Die Tourismusbranche Botsuanas soll 2013 einen Umsatz von etwa 600 Mio. US-Dollar erwirtschaftet haben. In zehn Jahren sollen es bei etwa 3,7 Mio. Touristen schon rund 970 Mio. US-Dollar sein.

Beschreibung eines Reiseanbieters

„Wer einmal die Natur Botsuanas erlebt hat, wird sich innerlich verändern." Kaum zu beschreiben ist das Erlebnis mit dem Mokoro – einem Einbaumboot – durch die Flussebenen des Okavango-Deltas zu fahren.

Das glasklare Wasser des Deltas schimmert unter dem Boot, in der Ferne hört man Nilpferde schreien, ein Elefant watet beinahe lautlos durch das Wasser. Nur das Rascheln, das er beim Streifen der Papyrusstauden verursacht, ist zu hören. Die Ruhe und Erhabenheit einer Mokoro-Safari lässt sich mit keinem Safari-Abenteuer der Welt vergleichen, ebenso wenig wie das Delta selbst. Spätestens hier werden Sie begreifen, warum Botsuana als Naturparadies Afrikas gilt, die Perle des südlichen Afrika genannt wird.

Eine Reise nach Botsuana gehört zudem zu den exklusivsten Urlaubsmöglichkeiten dieser Erde. Solcher Service hat natürlich seinen Preis. Botsuana gehört zweifelsohne zu den teuersten Reisezielen der Welt, aber auch zu den einzigartigen."

INTOSOL. Luxury Travel And The Beauty Of Pure Nature; www.intosol.de/reiseziele/Botswana.html

2

Dabei wurden die atemberaubende Natur mit ihrer Artenvielfalt, der hohe Komfort bei den Unterkünften sowie die geringe Touristendichte gelobt. Dieser Beitrag dürfte dem Tourismus, der bereits heute für die Wirtschaft Botsuanas von hoher Bedeutung ist, auch zukünftig weiteren Auftrieb bescheren.

Luxus statt Masse

Dies ist ganz im Interesse der Regierung Botsuanas, die schon seit Jahren den Tourismus fördert, der nach den Diamanten der wichtigste Wirtschaftszweig des Landes ist. Ziel der touristischen Entwicklung ist es, einen Luxustourismus zu etablieren: geringe Besucherzahlen, aber hohe Einnahmen pro Gast. Dieses Vorgehen hat Botsuana bekannt gemacht für Edelsafaris mit Champagnerfrühstück und Luxusresorts mitten in der Wildnis, die nur mit einem Kleinflugzeug zu erreichen sind. Die Versuchung ist groß, Botsuana auch immer mehr für den Massentourismus zu öffnen und dadurch zusätzliche Einnahmen zu generieren. Eine solche Handlungsweise birgt jedoch die Gefahr, die Natur zu stark zu beanspruchen und so das Hauptkapital Botsuanas zugunsten kurzfristiger Gewinne langfristig zu schädigen. Die Regierung will daher weniger die bestehenden Touristenzentren vermarkten, sondern bisher unerschlossene Potenziale im Land erschließen, z. B. die roten Sanddünen in der Kalahari und etliche kulturelle Stätten im Land.

Kampf gegen die Wilderei!

Die Wilderei auf Elefanten und Nashörner hat bedrohliche Ausmaße angenommen: Bis zu 30 000 Elefanten töten Wilderer allein in Afrika pro Jahr. Ohne neue Schutzmaßnahmen könnten afrikanische Elefanten in weniger als 20 Jahren ausgerottet sein. Hauptgrund ist der Verkauf des Elfenbeins nach Asien.

Lebende Elefanten sind für afrikanische Länder viel Geld wert: Botsuana, Südafrika, Tansania und Kenia verdienen mit dem Wildtier-Tourismus Milliarden. Keine oder wenige Elefanten bedeuten weniger Touristen und führen damit zu weniger Einnahmen. Außerdem meiden Touristen Gegenden, in denen Wilderer ihr Unwesen treiben. Das wollen die 37 Elefantenstaaten verhindern. Deswegen haben sie sich in Gaborone getroffen, um zusammen mit den Schmuggel-Transitländern Asiens und den Hauptabnehmerländern Thailand und China zu beraten, wie man das Problem in den Griff bekommt.

Abschlusserklärung des Elefantengipfels

„In der Abschlusserklärung wurden u. a. folgende Sofortmaßnahmen beschlossen:

- Wilderei wird zu einem schweren Verbrechen erklärt. Damit sind höhere Strafen und der Einsatz anderer polizeilicher und militärischer Mittel möglich.
- Engere Zusammenarbeit der verschiedenen innerstaatlichen Behörden und Polizeien. Bekämpfung der Korruption in den eigenen Reihen.
- Personelle und technische Stärkung der Polizeikräfte, die oft machtlos schwer bewaffneten Wildererbanden mit Nachtsichtgeräten, Hubschraubern, Maschinengewehren und Panzerfäusten gegenüberstehen.
- Einbeziehung der umliegenden Dörfer in die Überwachung, die dafür mehr an den Einnahmen des Tourismus beteiligt werden."

Detlef Reepen: Krieg gegen die Wilderei! wdr5, 4.12.2013; www.wdr5.de (gekürzt)

3

4 **Blick aus der Lodge.** Botsuana ist vor allem wegen seiner immensen Elefantenpopulationen bekannt: Allein im Gebiet des Kwandoreservates leben mehr Elefanten als im restlichen südlichen Afrika zusammen.

5 Touristen im Okavango-Delta

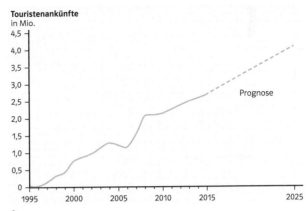

Touristenankünfte in Mio.

6 Tourismusankünfte in Botsuana

---

1 Charakterisiere den bisherigen Tourismus in Botsuana. ○

2 Erörtere Chancen und Risiken der Ausweitung des Tourismus in Botsuana. ◑

3 Beurteile die Wirksamkeit der Abschlusserklärung des Elefantengipfels. ◑

4 Entwickle Maßnahmen zur Reduzierung der Wilderei. ◑

5 Nimm vor dem Hintergrund der Entwicklung in Diagramm 6 Stellung zu der Aussage des Reiseanbieters (Text 2). ●

AFB II: 1   AFB III: 2, 3, 4, 5

14

Arbeitsanhang

In jeder Klimazone entwickeln sich typische Vegetationsformen, da die Pflanzen sich an die bestehenden klimatischen Bedingungen angepasst haben. Dieser Erkenntnis folgend werden Klimadaten und Vegetationsmerkmale so miteinan-

Klima- und Vegetationszonen der Erde

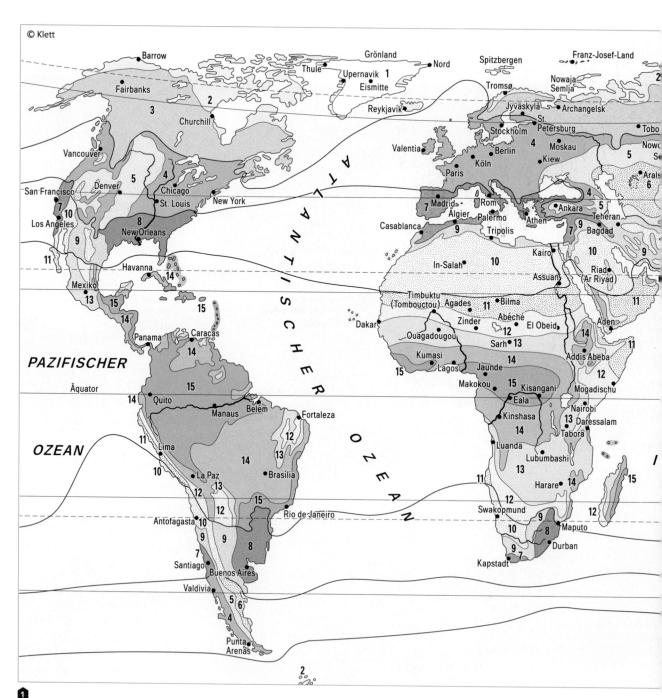

1

der zusammengefasst und in einer Karte dargestellt. Die Karte nach Troll und Paffen ist also eine Kombination von Klimazonen und Vegetationszonen. Diese Karte dient dir immer wieder zur Orientierung und Information.

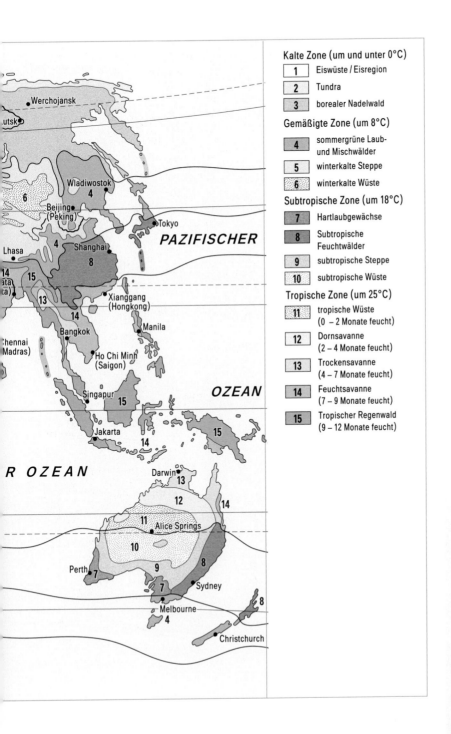

Kalte Zone (um und unter 0 °C)

1	Eiswüste / Eisregion
2	Tundra
3	borealer Nadelwald

Gemäßigte Zone (um 8 °C)

4	sommergrüne Laub- und Mischwälder
5	winterkalte Steppe
6	winterkalte Wüste

Subtropische Zone (um 18 °C)

7	Hartlaubgewächse
8	Subtropische Feuchtwälder
9	subtropische Steppe
10	subtropische Wüste

Tropische Zone (um 25 °C)

11	tropische Wüste (0 – 2 Monate feucht)
12	Dornsavanne (2 – 4 Monate feucht)
13	Trockensavanne (4 – 7 Monate feucht)
14	Feuchtsavanne (7 – 9 Monate feucht)
15	Tropischer Regenwald (9 – 12 Monate feucht)

1 Benenne die Vegetationszonen Europas von Norden nach Süden. ○

2 Hartlaubgewächse finden sich in der subtropischen Zone des Mittelmeeres. Benenne weitere Gebiete mit dieser Vegetation mithilfe des Atlas. ○

2 In allen Klimazonen gibt es Wüsten. Benenne je eine Wüste aus jeder Klimazone mithilfe des Atlas. ○

AFB I: 1, 2, 3

Klimastationen weltweit

		J	F	M	A	M	J	J	A	S	O	N	D	Jahr
Europa														
Berlin, 57 m	°C	−1	0	3	8	13	16	18	17	14	8	4	1	8
	mm	49	33	37	42	49	59	80	57	48	43	42	42	581
Athen, 105 m Griechenland (Küste)	°C	9	10	11	15	19	23	27	26	23	19	14	11	17
	mm	54	46	33	23	20	14	8	14	18	36	79	64	406
Lissabon, 96 m Portugal (Westküste)	°C	10	11	13	14	17	19	21	22	20	17	14	11	16
	mm	86	83	86	78	45	14	4	6	33	61	92	110	698
London, 36 m Großbritannien	°C	3	4	6	9	12	16	17	17	14	10	6	4	10
	mm	50	37	38	40	48	52	62	58	55	70	56	48	614
Reykjavik, 5 m Island (Südwestküste)	°C	−1	−1	−1	2	6	9	11	10	8	4	1	−1	4
	mm	98	84	69	62	48	49	48	51	90	87	95	89	870
Archangelsk, 4 m Russland (Weißes Meer)	°C	−13	−12	−8	−1	6	12	16	13	8	1	−5	−10	−1
	mm	33	28	28	28	39	59	63	57	66	55	44	39	539
Moskau, 144 m Russland (obere Wolga)	°C	−10	−8	−4	4	13	16	19	17	11	4	−2	−7	4
	mm	28	23	31	38	48	51	71	74	56	36	41	38	535
Asien														
Bombay, 11 m, Indien (Westküste, Halbinsel)	°C	24	25	27	29	30	29	28	27	28	29	28	26	28
	mm	1	1	1	2	11	579	703	443	269	56	17	7	2090
Djakarta, 8 m Indonesien (Java)	°C	25	25	26	26	26	26	26	26	26	26	26	26	26
	mm	270	241	175	131	139	105	72	65	146	169	183	185	1881
Hongkong, 33 m China (Südküste)	°C	16	15	17	21	25	27	28	28	27	24	21	17	22
	mm	33	46	69	135	305	401	356	371	246	130	43	28	2163
Hyderabad, 542 m, Indien (Hochland von Dekkan)	°C	22	25	28	32	33	29	27	26	27	26	23	22	77
	mm	6	9	16	17	40	116	155	163	152	97	29	3	803
Irkutsk, 459 m Russland (Baikalsee)	°C	−21	−18	−9	1	8	14	18	15	8	1	−11	−18	−1
	mm	13	10	8	15	33	56	79	71	43	18	15	15	376
Jerusalem, 745 m Israel	°C	8	9	13	16	21	23	24	24	23	21	17	11	18
	mm	104	135	28	25	3	0	0	0	0	5	30	74	404
Peking, 38 m China	°C	−4	−2	6	13	21	24	27	25	21	13	4	−2	12
	mm	3	5	5	15	38	36	211	155	64	18	8	3	561
Shanghai, 7 m, China (Jangtse-Mündung)	°C	3	4	8	13	19	23	27	27	23	17	12	6	15
	mm	48	58	84	94	94	180	147	142	130	71	51	36	1135
Tokyo, 6 m Japan	°C	4	4	7	13	17	20	24	26	22	16	11	6	14
	mm	56	66	112	132	152	163	140	163	226	191	104	56	1561
Werchojansk, 99 m, Russland (Ostsibirien)	°C	−50	−45	−30	−13	2	12	15	11	2	−14	−37	−47	−16
	mm	4	3	3	4	7	22	27	26	13	8	7	4	128
Antarktis														
Südpol, 2800 m US-Station	°C	−29	−40	−54	−59	−57	−57	−59	−59	−59	−51	−39	−28	−49
	mm													
Australien														
Darwin, 31 m Nordküste	°C	29	28	29	29	28	26	25	26	28	29	30	29	28
	mm	389	343	244	104	15	3	3	3	13	51	119	249	1536
Perth, 59 m Südwestküste	°C	23	23	22	19	16	14	13	13	14	16	19	22	18
	mm	8	10	20	43	130	180	170	143	86	56	20	15	881
Sydney, 44 m Südostküste	°C	22	22	21	18	15	13	12	13	15	18	19	21	17
	mm	90	114	122	140	127	121	118	73	71	70	71	70	1187
Afrika														
Addis Abeba, 2450 m Äthiopien	°C	14	16	17	17	17	16	14	14	15	14	14	13	15
	mm	13	38	66	86	86	135	279	300	191	20	15	5	1234
Algier, 59 m Algerien (Nordküste)	°C	12	13	15	16	20	23	26	27	25	21	17	14	19
	mm	110	83	74	41	46	17	2	4	41	80	128	135	762

		J	F	M	A	M	J	J	A	S	O	N	D	Jahr
In Salah, 273 m	°C	13	15	20	24	30	34	37	36	33	27	20	14	25
Algerien (Sahara)	mm	3	2	0	0	0	0	0	0	1	0	4	3	13
Kairo, 33 m	°C	12	13	16	20	24	27	27	27	25	22	18	14	20
Ägypten (Nil-Delta)	mm	5	5	5	3	3	0	0	0	0	3	3	5	32
Kapstadt, 12 m	°C	22	22	21	18	16	14	13	13	14	17	19	21	18
Südafrika	mm	13	15	23	48	94	112	91	84	58	41	28	20	632
Kisangani, 460 m	°C	26	26	26	26	26	25	25	25	25	25	25	25	25
D. R. Kongo	mm	95	115	152	181	167	115	100	186	174	228	177	114	1804
Lagos, 2 m	°C	27	29	29	28	28	27	26	26	26	27	28	28	27
Nigeria (Südküste)	mm	28	41	106	145	268	443	273	63	128	193	75	30	1793
Ouagadougou, 316 m	°C	25	28	31	33	31	29	27	26	27	29	28	26	28
Burkina Faso	mm	0	3	8	19	84	118	193	265	153	37	2	0	882

Nord- und Mittelamerika

		J	F	M	A	M	J	J	A	S	O	N	D	Jahr
Edmonton, 658 m	°C	−14	−11	−5	4	11	14	16	15	10	5	−4	−10	3
Kanada (Alberta)	mm	21	18	19	23	43	80	82	60	34	18	18	19	435
Eismitte, 3012 m	°C	−42	−47	−39	−31	−20	−15	−11	−18	−22	−36	−43	−39	−30
Grönland	mm					keine Angaben								
Fairbanks, 152 m	°C	−25	−18	−12	−2	8	15	16	13	6	−3	−16	−22	−3
USA (Alaska)	mm	19	12	21	7	14	36	47	42	40	19	17	17	291
Los Angeles, 103 m	°C	12	13	14	15	17	19	21	21	20	18	16	13	17
USA (Kalifornien)	mm	78	84	70	26	11	2	0	1	4	17	30	66	389
Miami, 2 m	°C	20	20	22	23	25	27	28	28	27	26	23	21	24
USA (Florida)	mm	64	48	58	86	180	188	135	163	226	229	84	43	1504
New York, 96 m	°C	−1	−1	3	9	16	20	23	23	19	13	7	2	11
USA (Ostküste)	mm	91	105	90	83	81	86	106	108	87	88	76	90	1091
New Orleans, 16 m	°C	12	14	17	20	24	27	27	27	26	21	16	13	20
USA (Mississippi-Delta)	mm	108	116	118	135	115	151	159	144	130	82	81	120	1459
St. Louis, 173 m	°C	−1	1	6	13	19	24	26	25	21	14	7	1	13
USA (mittl. Mississippi)	mm	94	86	93	95	92	98	77	76	74	69	94	84	1032
Havanna, 19 m	°C	2	22	23	24	26	27	28	28	27	26	24	23	25
Kuba (Nordküste)	mm	76	38	43	43	130	142	109	109	127	178	81	61	1137
Mexiko-Stadt, 2282 m	°C	13	15	17	18	19	18	17	17	17	16	15	14	16
Mexiko	mm	6	10	12	18	52	117	110	95	130	36	17	8	611

Südamerika

		J	F	M	A	M	J	J	A	S	O	N	D	Jahr
Antofagasta, 94 m	°C	21	21	20	17	16	14	14	15	15	16	18	20	17
Chile (Atacama-Wüste)	mm	0	0	0	1	0	0	0	0	0	0	0	0	1
Buenos Aires, 25 m	°C	23	23	20	16	13	10	9	11	13	16	19	22	16
Argentinien	mm	78	71	98	122	71	52	54	56	74	85	101	102	964
La Paz, 3570 m	°C	11	11	11	10	9	7	7	8	9	11	12	11	9
Bolivien (Altiplano)	mm	114	107	66	33	13	8	10	13	28	41	48	91	572
Lima, 158 m	°C	23	24	23	21	19	17	16	16	16	17	19	21	19
Peru (Küstensaum)	mm	0	0	1	1	2	6	9	10	10	5	3	1	48
Manáus, 44 m	°C	26	26	26	26	26	26	27	27	28	28	27	27	27
Brasilien (Amazonas)	mm	262	249	274	277	201	112	69	38	61	119	155	226	2043
Quito, 2850 m	°C	13	13	13	13	13	13	13	13	13	13	13	13	13
Ecuador	mm	107	109	132	188	127	38	23	38	76	94	97	97	1126
Santiago, 520 m	°C	20	19	17	14	11	8	8	9	12	14	17	19	14
Chile	mm	2	3	4	14	62	85	76	57	29	15	6	4	357

Strukturdaten ausgewählter Staaten

Land	Internet-Nutzer 2013 je 1000 Einwohner	Einwohner je Arzt 2012	Nahrungsversorgung 2014 in Kilokalorien je Einwohner und Tag	Analphabeten 2012 in %	Energieverbrauch je Einwohner 2012 in kg Öleinheiten	Arbeitslose 2012 in %	Anteil der Dienstleistungen am BIP 2012 in %	Anteil der Industrie am BIP 2012 in %	Erwerbstätige in Dienstleistungen 2012 in % der Erwerbstätigen insgesamt	Erwerbstätige in der Industrie 2012 in % der Erwerbstätigen insgesamt	Wirtschaftsleistung je Einwohner 2013 in US-$	Städtische Bevölkerung 2014 in %	Anteil der Bevölkerung älter als 64 Jahre 2014 in %	Anteil der Bevölkerung jünger als 15 Jahre 2014 in %	Lebenserwartung 2013 in Jahren	Sterberate 2014 in %	Geburtenrate 2014 in %	Natürliches Bevölkerungswachstum 2014 in %	Einwohner 2014 in Millionen	Fläche in 1000 km²
Europa																				
Albanien	601	812	2996	3	768	15	64	14	38	21	10520	54	12	19	77	0,7	1,2	0,5	3,0	27
Belgien	822	348	3810	1	5148	8	77	22	77	22	40280	99	18	17	81	1,0	1,1	0,2	11,2	30
Bosnien-Herzegowina	679	570	3113	2	1848	28	67	25	49	30	9820	46	16	16	76	0,9	0,8	-0,1	3,8	51
Bulgarien	531	254	2888	2	2615	12	63	30	62	31	15200	73	20	14	74	1,4	0,9	-0,5	7,2	109
Dänemark	946	298	3362	1	3048	8	77	22	78	20	44440	87	18	17	80	0,9	1,0	0,1	5,6	42
Deutschland	940	259	3543	1	3822	5	69	31	70	28	44540	73	21	13	80	1,1	0,8	-0,2	80,9	349
Estland	800	297	3257	1	4317	10	67	29	64	31	24230	68	18	16	76	1,2	1,1	-0,1	1,3	42
Finnland	915	358	3311	1	6183	8	71	26	73	23	48480	85	18	16	81	0,9	1,1	0,1	5,5	304
Frankreich	819	318	3517	1	3832	10	79	19	75	17	37580	78	18	18	82	0,9	1,2	0,3	64,1	548
Griechenland	599	229	3409	1	2343	24	80	16	70	19	25630	73	20	15	81	1,1	0,9	-0,1	11,0	129
Großbritannien	898	368	3415	0	3220	8	79	21	79	18	35760	80	17	18	81	0,9	1,2	0,3	64,5	242
Irland	782	369	3599	0	2910	15	71	28	77	28	35090	60	12	22	81	0,7	1,5	0,9	4,6	69
Italien	585	246	3529	2	2664	11	74	24	69	27	34100	68	21	14	82	1,0	0,9	-0,1	61,3	294
Kroatien	667	336	3075	1	1971	16	69	26	59	24	20370	56	19	15	77	1,3	1,0	-0,3	4,2	56
Lettland	752	310	3299	0	2122	15	74	24	68	25	21390	68	19	14	74	1,4	1,0	-0,4	2,0	62
Litauen	685	214	3507	0	2406	13	69	28	66	30	23080	67	18	15	74	1,4	1,0	-0,4	2,9	63
Luxemburg	938	406	3575	0	7684	5	87	13	84	12	59750	83	14	17	82	0,7	1,1	0,4	0,6	3
Montenegro	568	480	3635	0	1900	20	73	18	76	18	14600	64	13	19	74	1,0	1,2	0,3	0,6	14
Niederlande	940	332	3169	2	4668	5	74	24	72	15	43210	67	17	17	81	0,8	1,0	0,2	16,9	34
Norwegen	951	277	3503	1	5942	3	57	42	77	20	66520	80	16	18	82	0,8	1,3	0,4	5,1	365
Österreich	806	209	3805	0	3902	5	70	29	69	26	43810	67	18	14	81	0,9	0,9	0,0	8,5	82
Polen	628	457	3491	1	2505	10	65	32	57	30	22300	61	14	15	77	1,0	0,9	-0,1	38,5	306
Portugal	621	302	3398	6	2087	16	74	22	64	26	25350	61	19	15	80	1,0	0,8	-0,2	10,4	92
Rumänien	498	391	3385	1	1778	7	52	42	42	29	18060	54	16	16	74	1,2	1,0	-0,3	20,0	230
Russland	614	234	3385	0	5113	6	59	37	63	28	23200	74	13	16	71	1,3	1,3	0,0	143,7	16377
Schweden	948	327	3172	1	5134	8	73	25	78	20	44660	84	19	17	82	0,9	1,2	0,2	9,7	407
Schweiz	867	270	3505	1	3189	4	73	27	73	27	53920	74	18	15	83	0,8	1,0	0,2	8,2	40
Serbien	515	341	2717	2	2237	20	62	35	53	38	12020	59	18	14	75	1,4	0,9	-0,5	7,1	87
Slowakei	779	333	2913	0	3084	14	61	31	59	31	24930	54	14	15	76	1,0	1,0	0,1	5,4	48
Slowenien	727	410	3154	0	3472	9	66	26	60	23	27680	50	17	15	80	0,9	1,0	0,1	2,1	20
Spanien	716	269	3155	0	2666	25	72	26	75	23	31850	77	18	15	82	0,8	0,9	0,1	46,5	499
Tschechische Republik	741	275	3298	2	4074	7	60	37	59	38	25530	74	17	15	78	1,0	1,0	0,0	10,5	77
Ukraine	418	270	3206	0	2450	8	62	29	62	21	8960	69	15	15	71	1,5	1,1	-0,4	42,9	579
Ungarn	654	336	2866	1	2369	11	65	31	65	30	20930	69	17	14	75	1,3	0,9	-0,4	9,9	91
Weißrussland	542	265	3214	0	3114	10	44	43	50	34	16940	76	14	15	72	1,3	1,3	-0,1	9,5	203
Amerika																				
Argentinien	599	348	3374	2	1967	7	64	30	75	23	21540	92	10	25	77	0,7	1,9	1,1	42,7	2737
Bolivien	395	2159	2332	6	746	3	48	39	41	27	5750	67	5	35	67	0,7	2,6	1,9	10,3	1083
Brasilien	516	536	3269	9	1371	7	69	26	63	22	14750	85	7	24	75	0,6	1,5	0,9	202,8	8358
Chile	665	1018	2995	2	1874	6	60	36	66	23	21030	87	10	22	79	0,6	1,4	0,9	17,7	744

Ecuador	248	16,0	1,8	2,3	0,5	75	31	7	63	10 310	18	54	40	50	5	849	7	2 465	678	404
Guatemala	107	15,9	2,6	3,1	0,5	72	40	5	50	7 130	20	48	30	59	4	691	22	2 462	1 229	197
Haiti	28	10,8	1,9	2,8	0,9	63	35	4	53	1 710	12	50	20	56	7	320	51	2 043	5 541	106
Honduras	112	8,2	2,0	2,4	0,5	74	35	4	52	4 270	20	45	28	57	5	609	15	2 789	3 060	178
Kanada	9 094	35,5	0,4	1,1	0,7	81	16	15	81	42 590	22	77	28	71	7	7 270	1	3 646	510	858
Kolumbien	1 110	47,7	1,3	1,9	0,6	75	28	7	76	11 890	21	62	38	56	10	640	6	2 774	663	517
Kuba	106	11,2	0,3	1,1	0,8	78	17	13	77	18 520	17	63	21	75	2	992	0	3 448	146	257
Mexiko	1 944	119,7	1,4	1,9	0,6	74	28	6	78	16 110	24	62	36	60	5	1 588	6	3 044	498	435
Peru	1 280	30,8	1,5	2,0	0,5	75	29	6	75	11 360	17	57	37	56	4	695	6	2 721	915	392
USA	9 147	317,7	0,4	1,3	0,8	79	19	14	80	53 960	17	81	20	79	8	6 794	1	3 696	415	842
Venezuela	882	30,2	1,5	2,0	0,5	75	29	6	89	17 890	21	71	52	42	8	2 380	4	2 949	629	549
Afrika																				
Ägypten	995	87,9	2,6	3,2	0,6	71	32	6	43	10 850	24	47	39	46	12	978	26	3 549	390	496
Algerien	2 382	39,1	1,9	2,5	0,6	71	28	6	73	12 990	31	58	49	42	10	1 108	27	3 262	957	165
Äthiopien	1 000	95,9	2,1	2,8	0,8	63	43	3	17	1 350	5	10	10	41	5	381	61	2 132	44 563	19
Burkina Faso	274	17,9	3,1	4,3	1,1	56	46	2	27	1 560		10	26	39	3	36	71	2 746	25 105	44
Ghana	228	27,0	2,5	3,4	0,9	61	38	5	51	3 880	15	43	29	48	4	425	29	3 158	11 613	123
Kenia	569	43,2	2,6	3,4	0,9	62	42	3	24	2 250		25	17	53	9	480	28	2 158	5 723	390
Kongo, Dem. Rep.	2 267	71,2	3,0	4,6	1,6	50	46	3	34	680	k.A.	k.A.	22	33	7	383	39	1 590	12 219	22
Libyen	1 760	6,3	1,7	2,1	0,4	75	29	5	78	28 110	23	59	78	20	9	2 186	10	3 211	525	165
Mali	1 220	15,9	2,9	4,2	1,3	55	48	3	35	1 540		20	23	35	8	15	66	2 844	12 316	23
Marokko	446	33,3	1,5	2,2	0,6	71	28	5	59	7 000	21	39	30	56	9	539	33	3 342	1 610	560
Niger	1 267	18,2	3,9	5,0	1,1	58	50	3	22	910	6	4	20	42	5	31	85	2 506	63 194	17
Nigeria	911	177,5	2,5	3,9	1,3	52	44	3	50	5 600	10	20	24	54	8	721	49	2 655	3 041	380
Ruanda	25	11,1	2,3	3,1	0,8	65	41	3	17	1 430		10	14	53	1	19	34	2 185	19 542	87
Sambia	743	15,1	3,4	4,5	1,1	58	47	3	40	3 070	6	9	38	42	13	621	39	1 937	18 062	154
Südafrika	1 221	53,7	1,0	2,0	1,1	60	29	5	62	12 240	24	63	28	69	25	2 741	6	3 117	1 358	489
Tansania	886	50,8	3,1	4,0	0,9	61	45	3	30	1 750		20	25	47	4	448	32	2 152	169 333	44
Tunesien	155	11,0	1,3	1,9	0,6	75	24	7	66	10 960	34	50	31	60	13	890	20	3 365	846	438
Asien																				
Bangladesch	130	158,5	1,5	2,0	0,6	70	29	5	26	2 810	13	40	29	54	5	205	41	2 471	2 957	65
China, VR	9 425	1 364,1	0,5	1,2	0,7	75	16	10	54	11 850	30	36	45	45	5	2 029	5	3 102	691	458
Indien	2 973	1 296,2	1,5	2,2	0,7	66	31	5	31	5 350	25	28	26	56	3	614	37	2 455	1 467	151
Indonesien	1 812	251,5	1,4	2,0	0,6	71	29	5	50	9 260	22	43	47	39	7	857	7	2 828	5 045	158
Irak	434	35,1	2,6	3,1	0,5	69	40	3	71	15 220	19	60	65	32	15	1 266	21	2 529	1 778	92
Iran	1 629	77,4	1,4	1,9	0,5	74	24	5	71	15 600	34	49	45	45	13	2 813	16	3 244	1 251	314
Israel	22	8,2	1,6	2,1	0,5	82	28	10	91	32 140	18	80	31	66	7	3 044	2	3 553	324	708
Japan	365	127,1	−0,2	0,8	1,0	83	13	26	91	37 630	25	70	26	73	4	3 539	1	2 728	498	863
Kasachstan	2 700	17,3	1,5	2,3	0,8	70	25	7	55	20 570	19	55	40	56	5	4 717	0	3 201	295	359
Korea, Republik	97	50,4	0,3	0,9	0,5	81	15	12	81	33 440	17	76	38	60	3	5 260	2	3 357	484	848
Malaysia	329	30,1	1,3	1,7	0,5	75	26	6	71	22 460	28	59	41	49	3	2 391	7	2 925	913	670
Pakistan	796	194,0	2,0	2,8	0,8	65	38	4	35	4 920	22	33	22	54	5	482	45	2 451	1 339	109
Philippinen	298	100,1	1,8	2,4	0,6	69	34	4	63	7 820	15	53	31	57	7	426	5	2 679	1 066	370
Saudi-Arabien	2 150	30,8	1,8	2,2	0,4	74	30	3	81	53 780	25	71	61	37	6	6 738	6	3 263	1 486	605
Singapur	0,7	5,5	0,5	0,9	0,5	83	16	11	100	76 850	19	80	27	73	3	6 452	4	k.A.	624	730
Syrien	184	22,0	2,1	2,4	0,4	74	35	4	54	k.A.	33	53	31	47	8	910	5	3 106	717	262
Taiwan	36	23,4	0,1	0,8	0,7	80	14	12	73	41 540	36	59	29	69	5	4 818	4	2 730	572	760
Thailand	511	66,4	0,4	1,2	0,8	75	18	10	47	13 510	21	39	44	44	1	1 790	4	2 905	2 530	289
Türkei	770	77,2	1,1	1,6	0,5	75	25	8	77	18 760	26	50	27	64	9	1 564	5	3 717	613	463
Vietnam	310	90,7	1,0	1,7	0,7	73	24	7	32	5 030	21	32	39	42	2	697	6	2 751	881	439
Australien																				
Australien	7 682	23,5	0,7	1,3	0,6	82	19	14	89	42 540	21	75	28	69	5	5 883	1	3 276	318	830
Neuseeland	263	4,3	0,7	1,3	0,7	81	20	14	86	30 750	22	71	24	69	7	4 188	1	3 027	377	828

Quellen (Stand Januar 2015): Stiftung Weltbevölkerung, UNESCO Institute for Statistics, The World Bank, Statistisches Bundesamt, Food and Agriculture Organization of the United Nations, Central Intelligence Agency, World Health Organization

Methoden im Überblick

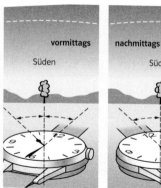

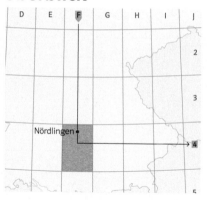

Aufgaben richtig lesen
Band 1 (Seiten 22/23)

1. Schritt: Erkennen, was in der Aufgabe steckt

Lies die Aufgabe zunächst aufmerksam durch und überlege, was in der Aufgabenstellung verlangt wird. Beachte das Aufforderungs- oder das Fragewort.

2. Schritt: Lösungsweg überlegen

Überlege, was bei der Beantwortung der Aufgabe beachtet werden muss, z. B. Begriffe oder Reihenfolge klären.

3. Schritt: Hilfen verwenden

Es ist von der Situation abhängig, ob du zur Lösung der Aufgabe Hilfsmittel benutzen kannst. Vor allem bei Hausaufgaben hast du die Möglichkeit, im Buch noch einmal nachzulesen oder andere Hilfsmittel zu verwenden.

4. Schritt: Antwort formulieren

Formuliere deine Antwort in Sätzen oder Stichpunkten.

5. Schritt: Abschließend prüfen

Vergleiche am Schluss noch einmal deine Antwort mit der Aufgabenstellung. Überprüfe, ob du an alles gedacht hast und ergänze oder korrigiere, wenn du einen Fehler oder eine Lücke bemerkst.

Wie du mit dem Atlas arbeitest
Band 1 (Seiten 36/37)

Geographische Namen auffinden

1. Schritt: Kartenseite und Gradnetzfeld ermitteln

Suche zuerst den Namen im Register. Hinter dem Namen stehen drei Angaben. Die erste Zahl gibt die Kartenseite im Atlas an, die du aufschlagen musst. Die folgenden Zahlen geben ein Planquadrat an, in dem das Objekt zu finden ist.

2. Schritt: Lage auf der Karte bestimmen

Suche dann das angegebene Gradnetzfeld auf. Der Buchstabe steht immer oben und die Zahl immer rechts.

3. Schritt: Gesuchten Ort auf der Karte finden.

Indem du den Anweisungen aus dem Register folgst, findest du in dem entsprechenden Gradnetzfeld das gesuchte Objekt, z. B. den gesuchten Ort.

Bestimmte Karten auffinden

1. Schritt: Karte finden

Schau im Inhaltsverzeichnis oder in der Kartenübersicht nach der gewünschten Karte bzw. nach dem gewünschten Kartenthema.

2. Schritt: Karte prüfen

Schlage die angegebene Seite auf und prüfe, ob die Karte auch die gesuchten Informationen enthält. Wenn die Kartenübersicht mehrere Karten angibt, dann blättere diese nach der gesuchten Karte durch.

Karten lesen – Entfernungen bestimmen Band 1 (Seiten 44/45)

Karten lesen

1. Schritt: In die Karte einlesen

Lies zuerst die Überschrift bzw. das Thema der Karte. Suche dann in der Legende nach den Informationen, die du in der Karte finden willst, z. B. Zeichen für ein Denkmal oder für die Grünfläche.

2. Schritt: Sich in der Karte orientieren

Suche in der Karte nach den entsprechenden Zeichen, Symbolen bzw. Farben. Präge dir die Lage ein.

Triffst du auf neue, unbekannte Zeichen, suche diese in der Legende und merke dir die Bedeutung.

3. Schritt: Die Karte beschreiben

Beschreibe die Lage bzw. Verteilung der gesuchten Objekte oder den gesamten Karteninhalt. Unterscheide dabei zwischen Punkten, Linien und Flächen. Prüfe, ob man bestimmte Anordnungsmuster erkennen kann.

Entfernungen bestimmen

1. Schritt: Entfernung messen

Schau im Inhaltsverzeichnis oder in der Kartenübersicht nach der gewünschten Karte bzw. nach dem gewünschten Kartenthema.

2. Schritt: Maßstab feststellen

Stelle die Maßstabszahl der Karte fest: z. B. 1 000 000.

3. Schritt: Entfernung berechnen

Multipliziere die gemessene Entfernung mit der Maßstabszahl, also: 2 cm x 1 000 000 ≙ 2 000 000 cm. Rechne das Ergebnis in eine sinnvolle Einheit um, also: 2 000 000 cm ≙ 20 000 m ≙ 20 km.

Rang	Stadt	EW 2000	EW 2014	Fläche in km²	EW pro km² 2014
1	Berlin	3382469	3469849	891,69	3891
2	Hamburg	1715392	1762791	755,30	2334
3	München	1210223	1429584	310,70	4601
4	Köln	962884	1046680	405,02	
5	Frankfurt a.M.	646550	717624	248,3	
6	Stuttgart	583874	612441	207,35	
7	Düsseldorf	569364	604527	217,41	

Ein Luftbild auswerten
Band 1 (Seiten 60/61)

1. Schritt: Sich orientieren

- Stelle die Bildart fest: Ist es eine Schräg- oder Senkrechtaufnahme?
- Stelle, wenn möglich, Titel und Aufnahmezeitpunkt des Bildes fest.
- Ermittle mit einer geeigneten Karte, wo und in welcher Blickrichtung die Aufnahme gemacht wurde.

2. Schritt: Den Bildinhalt beschreiben

- Beschreibe zuerst auffällige Einzelobjekte. Stelle dann die überwiegende Form der Flächennutzung und der Bebauung dar.
- Gliedere das Bild und unterscheide dabei bestimmte Bereiche/Elemente. Fertige hierzu am besten eine Skizze an: Lege Transparentpapier auf das Bild und übertrage wichtige Linien und Flächen.

3. Schritt: Den Bildinhalt deuten

Ermittle die Ursachen für die im zweiten Schritt beschriebene Verteilung.

- Werte Einzelheiten des Bildes aus. Unterscheide zum Beispiel: alt und neu bebaute Gebiete, gering bebaute und stark bebaute Flächen.
- Stelle Beziehungen zwischen einzelnen Bildelementen her und suche nach Zusammenhängen. Nutze zur Deutung des Bildes auch andere Informationsquellen.

4. Schritt: Ergebnisse darstellen

Halte das Ergebnis deiner Bildauswertung in Form eines Berichtes oder einer Skizze fest.

Eine Tabelle lesen
Band 1 (Seiten 116/117)

1. Schritt: Sich orientieren

Überlege, welcher Tabelleninhalt dargestellt ist und ob es eine zeitliche Abgrenzung gibt. Welche Zahlenarten und Maßeinheiten werden verwendet und aus welchem Jahr bzw. aus welcher Quelle stammen die Werte?

2. Schritt: Lesen und Inhalte klären

Betrachte die Bestandteile der Tabelle. Jede Tabelle hat eine Vorspalte und einen Tabellenkopf. Den Inhalten, die in der Vorspalte aufgelistet sind, werden in den Spalten des Tabellenkopfs andere Inhalte gegenübergestellt.

Beachte, dass manche Zeilen die Summe aus anderen Zeilen oder Spalten bilden.

3. Schritt: Zahlen miteinander vergleichen

Beschreibe durch den Zahlenvergleich Entwicklungen, Verteilungen oder Anteile. Darauf musst du achten:

- Besonders große und kleine bzw. die höchsten und tiefsten Werte, also Extremwerte.
- Entwicklungen wie Wachstum, Rückgang, Stillstand oder Schwankungen. Vorsicht: Manche Tabellen enthalten unterschiedliche Zeitsprünge.

4. Schritt: Aussagen formulieren

Notiere dir die wichtigsten Aussagen der Tabelle. Achte auf die Zusammenhänge zwischen den einzelnen Zeilen und Spalten der Tabelle.

Eine Kartenskizze zeichnen
Band 1 (Seiten 124/125)

1. Schritt: Objekte auswählen

- Suche als erstes eine geeignete Karte, in der die Inhalte der zu zeichnenden Skizze dargestellt sind.
- Wähle dann die Objekte aus, die notwendig sind, um das gewünschte Thema darzustellen.

2. Schritt: Skizzieren

- Skizziere zunächst den Umriss des jeweiligen Gebietes, z.B. Baden-Württemberg oder lege für den Ausschnitt ein Rechteck bzw. Quadrat an.
- Übertrage nun die Objekte in die Vorlage. Beachte dabei Lagemerkmale sowie die Lage der Objekte zueinander in ihrer ungefähren Entfernung und Himmelsrichtung.
- Lege dir also immer Buntstifte bereit. Verwende diese aber erst am Ende, wenn deine Skizze fertig ist. Bleistiftlinien lassen sich nämlich besser wegradieren und korrigieren.

3. Schritt: Beschriften und gestalten

- Formuliere zum Abschluss eine Überschrift für die Skizze und beschrifte die eingetragenen Objekte.
- Gestalte die Skizze danach farbig, z.B. blau für Gewässer, braun für Gebirge und Höhenzüge und rot für Grenzen und Städte.
- Hast du weitere Objekte eingetragen, ist es zweckmäßig, eine Legende anzulegen und die Eintragungen dort zu erklären.

Methoden im Überblick

Landschaften vergleichen
Band 1 (Seiten 160/161)

1. Schritt: Vergleichsobjekte auswählen
Wähle zunächst aus den zur Verfügung stehenden Informationsträgern aus. Es ist einfacher, zunächst mit dem gleichen Informationsträger (z. B. Karte, Luftbild, oder Grafik) zu beginnen.
2. Schritt: Vergleichsaspekte auswählen
Suche nach geeigneten Merkmalen, die sich anhand des Informationsträgers vergleichen lassen. Beschränke dich dabei auf einzelne Vergleichsaspekte. Erhältst du z. B. aus beiden Bildern Informationen zur Vegetation oder zur Nutzung der Landschaft?
3. Schritt: Gegenüberstellung
Du ermittelst für alle Vergleichsaspekte Gemeinsamkeiten und Unterschiede. Eine Vergleichstabelle erleichtert den Überblick. Kannst du keine Aussage für einen Einzelaspekt treffen, so ist dies auch ein Ergebnis.
4. Schritt: Auswertung
Werte deinen Vergleich aus. Welche Unterschiede fallen auf? Formuliere mögliche Ursachen für deine Beobachtungen. Auch die Gemeinsamkeiten müssen sich schlüssig erklären lassen.

Einen Betrieb erkunden
Band 1 (Seiten 232/233)

1. Schritt: Organisation
Welchen Betrieb erkunden wir?
Wie gelangen wir dorthin?
Wann soll die Erkundung stattfinden?
2. Schritt: Vorbereitung
Was wollen wir wissen bzw. erfragen? (Größe des Betriebs, Anzahl der Arbeitskräfte, ihre Tätigkeiten und Arbeitszeiten, Vermarktung der Produkte, besondere Probleme)
Wie können wir das erkunden? (Befragen, Zählen, Fotografieren, Anfertigen von Skizzen, Internetrecherche)
Was benötigen wir dazu? (Fragebogen, Aufnahmegerät, Fotoapparat)
Wie wollen wir arbeiten? (in Einzel- oder Gruppenarbeit, Aufgabenverteilung)
3. Schritt: Durchführung
Stellt die Fragen klar und deutlich und seid dabei immer freundlich.
Achtet auf Gefahrenstellen.
Folgt immer den Anweisungen und Ratschlägen der Betriebsinhaber.
Überprüft am Ende, ob ihr alle Aufgaben erledigt habt.
4. Schritt: Auswertung und Präsentation der Ergebnisse
Stellt eure Ergebnisse vor.
Diskutiert über eure Erfahrungen bei der Erkundung.
Hinterfragt die Aussage eurer Ergebnisse in Bezug auf eure Fragestellungen. Was hat euch besonders beeindruckt?
Wie sollen die Ergebnisse dargestellt und präsentiert werden? (Schülerzeitung, Ausstellung, Webseite der Schule)

Eine thematische Karte auswerten Band 1 (Seiten 240/241)

1. Schritt: Raum und Inhalt der Karte erkennen
Welcher Raum ist dargestellt?
Welches Thema hat die Karte?
Unter welcher Fragestellung soll die Karte ausgewertet werden?
2. Schritt: Legende der Karte lesen
Welche Bedeutung haben die Farben, Linien und Symbole der Karte?
Sind alle Farben, Linien und Symbole in der Legende erklärt?
Welchen Maßstab hat die Karte?
3. Schritt: Karteninhalt beschreiben
Welche Unterschiede in der Verteilung der Objekte sind zu beobachten?
Sind Regelmäßigkeiten zu erkennen?
Gibt es Besonderheiten in der räumlichender Verteilung?
4. Schritt: Karteninhalt erklären
Welche Ursachen hat die unterschiedliche Verteilung der dargestellten Objekte?
Könnten weitere Karten und Informationsquellen zur Erklärung hilfreich sein?

Operatoren nach Anforderungsbereichen

Operatoren sind Formulierungen innerhalb von Arbeitsaufträgen, die sehr genau angeben, wie eine Aufgabe bearbeitet werden soll. Dabei werden die Operatoren drei Anforderungsbereichen zugeordnet.

Anforderungsbereich I
Hier geht es um die Wiedergabe von Wissen.

Beschreibe: Du betrachtest ein Material oder liest einen Text und gibst den Sachverhalt mit eigenen Worten schlüssig wieder. Achte auf wesentliche Merkmale und die Verwendung der richtigen Begriffe. Beachte bei Vorgängen die zeitliche Reihenfolge.

Ermittle/finde heraus: Du findest durch gezieltes Suchen oder Nachschlagen in Tabellen, Diagrammen, Karten oder Texten eine Lösung. Formuliere das Ergebnis entsprechend der Aufgabe in Stichpunkten oder Sätzen.

Fasse zusammen: Du gibst aus einem Text oder einem anderen Material das Wichtigste in verkürzter Form und eigenen Worten wieder.

Lokalisiere: Die Angabe der Lage von Raumbeispielen.

Nenne/benenne: Fakten oder Begriffe aufzählen oder aus einem Material (Karte, Tabelle …) entnehmen und angeben. Sätze sind nicht erforderlich.

Zähle auf: Du erstellst eine Liste zu Begriffen, Informationen oder Aussagen.

Anforderungsbereich II
Hier geht es um die Anwendung von Wissen.

Analysiere: Du untersuchst Materialien oder Sachverhalte und wertest sie gezielt aus.

Arbeite heraus: Du entnimmst unter bestimmten Gesichtspunkten Informationen aus einem vorgegebenen Material und gibst diese wieder. Gegebenenfalls musst du diese auch berechnen.

Begründe: Du suchst in Texten und Materialien nach Gründen, Argumenten oder Belegen (für z.B. eine Behauptung) und stellst diese im Zusammenhang dar.

Charakterisiere: Du beschreibst oder bestimmst Sachverhalte und Vorgänge mit ihren typischen Merkmalen und Grundzügen.

Erkläre: Du stellst Informationen oder Sachverhalte so dar, dass Ursachen, Folgen und Gesetzmäßigkeiten deutlich werden. Stelle dir die Frage nach dem „Warum" und beantworte sie.

Erläutere: Du beschreibst Sachverhalte ausführlich im Zusammenhang und verdeutlichst Beziehungen mit Beispielen oder Belegen.

Erstelle: Du fertigst anhand vorgegebener Informationen einen Text (z. B. einen Steckbrief), eine Tabelle oder eine Grafik unter Verwendung von Fachbegriffen an.

Ordne ein/Ordne zu: Du stellst Sachverhalte oder Vorgänge begründet in einen vorgegebenen Zusammenhang.

Stelle dar: Du beschreibst und verdeutlichst Sachverhalte strukturiert und zusammenhängend.

Vergleiche: Du betrachtest zwei oder mehr Sachverhalte genau, stellst Gemeinsamkeiten und Unterschiede gegenüber und formulierst abschließend ein Ergebnis.

Anforderungsbereich III
Hier geht es um Urteilsfähigkeit.

Beurteile: Du prüfst, ob eine Aussage, Maßnahme oder ein Vorschlag stichhaltig bzw. angemessen ist und nennst die dabei angewandten Kriterien.

Bewerte: Du beurteilst eine Aussage, Maßnahme oder einen Vorschlag und nimmst dazu persönlich Stellung. Du formulierst dazu ein eigenes Werturteil, bei dem du die Wertmaßstäbe offenlegst.

Entwickle: Du entwirfst zu einer vorgegebenen oder selbst entworfenen Problemstellung einen begründeten Lösungsvorschlag.

Erörtere/Diskutiere: Du führst zu einer vorgegebenen Problemstellung Pro- und Kontra-Argumente an. Durch Abwägen der Argumente gelangst du zu einem begründeten Urteil.

Gestalte: Du setzt dich mit einem vorgegebenen oder selbstgestellten Problem gründlich auseinander und stellst dieses eindrucksvoll als Produkt dar.

Überprüfe: Du untersuchst, ob eine Aussage, eine Maßnahme oder ein Sachverhalt in sich stimmig ist bzw. zutrifft. Dazu vergleichst du die Aussage mit einem konkreten Sachverhalt, stellst fest, ob beides übereinstimmt oder sich widerspricht und formulierst ein Ergebnis.

Wichtige Grundbegriffe

A

Ablagerung (Sedimantation): Absetzen von Material, welches durch fließende Gewässer, Gletscher oder $\longrightarrow$ Wind transportiert wurde.

Abtragung (Erosion): Abtransport von Boden oder Gestein der Erdoberfläche durch Kräfte wie fleißendes Wasser, Gletscher oder $\longrightarrow$ Wind.

Agglomeration: bezeichnet eine räumliche Ballung bzw. Verdichtung von Bevölkerung und Wirtschaft in einem Gebiet.

Altersstruktur: altersmäßige Zusammensetzung der Bevölkerung eines Raumes (z. B. eines Staates).

Antarktis: das Südpolargebiet, das aus dem Kontinent Antarktika und den benachbarten Meeresteilen und Inseln besteht. Auf dem Festland liegt bis zu 3 km dickes Inlandeis.

anthropogener Treibhauseffekt: $\longrightarrow$ Treibhauseffekt

Äquator: längster Breitenkreis (Umfang 40 076,59 km), der die Erde in die Nord- und Südhalbkugel trennt.

arid: Bezeichnung für ein $\longrightarrow$ Klima bzw. Klimagebiet, in dem die mögliche jährliche Verdunstung größer ist als der Niederschlag.

Arktis: das Nordpolargebiet, das aus dem Nordpolarmeer und den nördlichsten Teilen Amerikas, Asiens und Europas besteht. Die nördlichen Meere sind weitgehend von driftendem Eis bedeckt. Das Treibeis ist zum Pol hin zum Packeis zusammengeschoben.

Armutsviertel: $\longrightarrow$ Slum

Atmosphäre: Gashülle von Himmelskörpern, speziell die Lufthülle der Erde. Diese wird nach der vertikalen Änderung der Temperatur in Troposphäre (0–10 km Höhe), Stratosphäre, Mesosphäre, Thermosphäre und Exosphäre eingeteilt. Die Atmosphäre besteht aus einem Gemisch verschiedener Gase. Hauptbestandteile sind Stickstoff (77%), Sauerstoff (20,7%) und Wasserdampf.

B

Beleuchtungszonen: Bereiche der Erdoberfläche, die im Verlauf eines Jahres von der Sonne unterschiedlich beleuchtet werden. Man unterscheidet die $\longrightarrow$ Polarzone, $\longrightarrow$ Gemäßigte Zone, $\longrightarrow$ Subtropen und die $\longrightarrow$ Tropenzone. Die Grenzen werden von den $\longrightarrow$ Polar- und Wendekreisen gebildet.

Bevölkerungsdichte: Zahl der Menschen in einem bestimmten Gebiet im Verhältnis zur Größe des Gebiets. Wird in Einwohner/km² angegeben.

Bevölkerungsprognose: Will die zukünftige Bevölkerungsentwicklung aufgrund möglichst realistischer Annahmen über die Entwicklung von Geburten- und Sterberate sowie von Zu- und Abwanderung treffen.

Bevölkerungsstrukturdiagramm (auch **Bevölkerungspyramide**): grafische Darstellung der Bevölkerung eines Gebietes nach Alter und Geschlecht.

Bevölkerungswachstum: Veränderung der Bevölkerung zwischen zwei Stichtagen als Ergebnis eines Abgleichs der erfolgten Geburten und Sterbefälle sowie Zu- und Abwanderung.

Bodenfruchtbarkeit: Fähigkeit, Pflanzen ein ertragreiches Wachstum zu ermöglichen. Je größer der Humusanteil, je besser die Durchlüftung, je ausreichender die Feuchtigkeit sowie die Mineral- bzw. Nährstoffe, desto fruchtbarer ist der Boden.

Borealer Nadelwald: Vegetationszone (Nadelwaldzone, in Russland Taiga), in der aufgrund der langen kalten Winter und einer kurzen Vegetationszeit ein artenarmer Wald mit Fichten, Tannen, Kiefern, Lärchen und Birken vorherrscht.

Brandrodung: $\longrightarrow$ Wanderfeldbau

Bodenerosion: Abtragung des Bodens durch Wasser oder Wind.

C

Cash Crop: Produkt, dessen Anbau ausschließlich verkaufsorientiert ist und überwiegend dem Export dient, z. B. Kaffee.

D

Desertifikation: Ausbreitung von $\longrightarrow$ Wüsten und wüstenähnlichen Verhältnissen in Gebiete, in denen aufgrund der natürlichen klimatischen Verhältnisse keine Wüsten sein dürften. Ursache ist die Übernutzung einer Landschaft durch den Menschen.

Disparität: Bezeichnung für Unterschiede des Lebensstandards zwischen gesellschaftlichen Gruppen oder unterschiedlichen Regionen eines Landes oder auch zwischen Ländern.

Dürre: über einen Zeitraum von mehreren Wochen bis zu einigen Jahren anhaltender Zustand, in dem Pflanzen weniger Wasser zur Verfügung haben, als zum Überleben notwendig ist.

E

Emission: Abgabe von Stoffen wie Gase, Wärmestrahlung, Staub oder Lärm in die Umwelt, meist in die $\longrightarrow$ Atmosphäre.

Entwicklungszusammenarbeit: Sie findet zwischen ärmeren und reicheren Ländern statt, wobei immer stärker auf eine partnerschaftliche Zusammenarbeit auf Augenhöhe geachtet wird.

Erdachse: Die Schrägstellung beim Umlauf um die Sonne in einem Winkel von 23,5° ist verantwortlich für die Verlagerung des $\longrightarrow$ Zenitstandes der Sonne.

Erosion: $\longrightarrow$ Abtragung

F

Fairtrade (Fairer Handel): Handel mit Produkten, bei dem darauf geachtet wird, dass die Handelsgüter ökologisch verträglich produziert werden und die Produzenten, vor allem in Entwicklungsländern, gerechter bezahlt werden. Er ist ein Modell für mehr Gerechtigkeit im $\longrightarrow$ Welthandel.

Flächenbedarf: Bedarf an Fläche für unterschiedliche Nutzungen, z. B. für Verkehr, Wirtschaft u. ä.

Flucht: erzwungenes Verlassen der Heimat aufgrund einer nicht zu bewältigenden Notsituation, z. B. (Bürger-)Krieg, aber auch Umweltveränderungen.

Flüchtlinge: gemeinhin Menschen, die erzwungenermaßen und unfreiwillig aufgrund unterschiedlicher Ursachen ihre Heimat verlassen haben. Im völkerrechtlichen Sinne: Menschen, die im Sinne der Genfer Konvention als Flüchtlinge anerkannt sind.

Frostsprengung: Zersetzung, Zerfall bzw. Zerkleinerung des Gesteins an der Erdoberfläche durch gefrierendes Wasser, welches in Klüfte, Risse oder Spalten eingedrungen ist.

G

Gated Comunity: moderne Luxus-Wohnanlagen für privilegierte Bevölkerungsschichten, die zum Schutz vor kriminellen Übergriffen eingezäunt, meist bewacht und elektronisch gesichert sind.

Geburtenrate: Zahl der Lebendgeborenen pro 1 000 Einwohner in einem Jahr.

Gemäßigte Zone: $\longrightarrow$ Beleuchtungszone zwischen den $\longrightarrow$ Polar- und Wendekreisen, in denen $\longrightarrow$ Jahreszeiten mit unterschiedlich langen Tagen und Nächten auftreten. Die Jahresdurchschnittstemperatur liegt bei etwa 8 °C. Je nach Ausmaß der Kontinentalität gliedert sie sich in sommergrüne Laub- und Mischwälder, winterkalte Steppen und winterkalte Wüsten.

globale Erwärmung: durchschnittlicher Temperaturanstieg der Atmosphäre und der Meere. Oft wird damit der seit den letzten 50 bis 150 Jahren festgestellte Temperaturanstieg durch zusätzliche $\longrightarrow$ Treibhausgase bezeichnet.

globaler Warenstrom: $\longrightarrow$ Welthandelsgut

H

HDI (= Human Development Index): Maß, um den Entwicklungsstand eines Landes zu messen. Dabei werden Lebenserwartung, Bildung und Wirtschaftsleistung berücksichtigt.

Hochdruckgebiet: ein Gebiet mit im Vergleich zu benachbarten Gebieten höherem Luftdruck. Im Zentrum dieses Gebietes herrscht dabei der höchste Luftdruck. Der Begriff Hochdruckgebiet ist also immer relativ zu seiner Umgebung zu sehen. In einem Hoch sinkt die Luft ab, wobei sich Wolken auflösen können. Auf der Nordhalbkugel wird ein Hochdruckgebiet im Uhrzeigersinn, auf der Südhalbkugel gegen den Uhrzeigersinn umströmt.

Höhenstufe: Vegetation in einer bestimmten Abfolge mit zunehmender Höhe. Sie passt sich vor allem an die abnehmende Lufttemperatur an.

humid: Bezeichnung für ein $\longrightarrow$ Klima bzw. Klimagebiet, in dem die mögliche jährliche Verdunstung geringer ist als der Niederschlag.

Hurrikan: $\longrightarrow$ tropischer Wirbelsturm

I

informeller Sektor: Tätigkeiten bzw. Beschäftigungen, die nicht staatlich kontrolliert werden. Zu den häufigsten Tätigkeiten in diesem Sektor gehören der Straßenverkauf, Herstellung und Verkauf eigener Produkte, Durchführung von Kleinreparaturen und Transportarbeiten wie Koffertragen u. a. Weitere Merkmale des informellen Sektors sind: keine festen Preise, geringer Kapitaleinsatz und relativ einfache Organisation.

Infrastruktur: Die für die Entwicklung eines Gebietes notwendige Ausstattung mit Einrichtungen, u. a. Verkehrsmittel, Verkehrswege, Einrichtungen des Bildungs- und Gesundheitswesens.

Inlandeis: große Eismassen, die weite Teile des Festlandes fast vollständig überdecken. Die maximale Eisdicke kann bis zu 4 000 Meter betragen. Inlandeis entsteht, wenn viele Gletscher während einer Kaltzeit zusammenwachsen.

Innertropische Konvergenzzone (ITC): Bereich der äquatorialen Tiefdruckrinne, in dem die $\longrightarrow$ Passate der Nord- und Südhalbkugel der Erde zusammenkommen (lat. convergere). Die ITC verlagert sich mit dem $\longrightarrow$ Zenitstand der Sonne.

J

Jahreszeiten: Als astronomische Jahreszeiten werden die vier Zeitabschnitte zwischen den Sonnenwenden (21. Juni und 21. Dezember) und den Tagundnachtgleichen (21. März und 23. September) bezeichnet. Die durch unterschiedliche Wärmeverhältnisse geprägten Hauptabschnitte des Jahres in den außertropischen Gebieten werden als klimatische oder thermische Jahreszeiten bezeichnet. Sie entstehen infolge der im Jahresverlauf wechselnden Sonneneinstrahlung.

Jahreszeitenklima: Klima in mittleren und höheren Breiten, in denen die Temperaturunterschiede im Laufe des Jahres größer sind als die Temperaturunterschiede im Laufe eines Tages.

K

Kalte Zone: Landschaftszone, in der das Jahresmittel der Temperatur um oder unter 0 °C liegt und die Winter kalt und lang sind.

Klima: durchschnittlicher Wetterablauf über einen längeren Zeitraum (mindestens 30 Jahre) an einem bestimmten Ort oder in einem Gebiet.

Klimadiagramm: graphische Darstellung der monatlichen Mittelwerte von Temperatur und Niederschlag an einem Ort.

Klimawandel: Bezeichnung für die Veränderung des Klimas auf der Erde, unabhängig davon, ob die Ursachen auf natürlichen oder menschlichen (anthropogenen) Einflüssen beruhen. Die gegenwärtige, vor allem durch Menschen verursachte $\longrightarrow$ globale Erwärmung ist ein Beispiel für einen Klimawandel.

Klimazonen: Gebiete gleichartiger klimatischer Bedingungen. Sie ordnen sich als Folge der unterschiedlichen Sonneneinstrahlung gürtelartig um die Erde an. Die unterschiedliche Land-Meer-Verteilung und die großen Gebirgszüge bewirken teilweise starke Abweichungen in der zonalen Anordnung.

14

Wichtige Grundbegriffe

Kohlenstoffdioxid: → Treibhausgas
Konsument: Endverbraucher oder Endnutzer eines Produkts.

L

Landflucht: Wechsel einer großen Anzahl von Menschen aus den ländlichen Gebieten in die Städte. Besonders in Lateinamerika hat diese **Land-Stadt-Wanderung** eine lange Tradition, da schon zur Kolonialzeit ein großes Stadt-Land-Gefälle in den Lebensbedingungen vorhanden war.
Luftdruck: Als Luftdruck wird der von der Masse einer Luftsäule unter Wirkung der Schwerkraft der Erde ausgeübte Druck auf eine Fläche bezeichnet. Der Luftdruck kann in verschiedenen Einheiten angegeben werden: in der Physik: $1 N/m^2 = 1$ Pa, in der Meteorologie: $1 hPa = 100$ Pa $= 1$ mbar (veraltet).
Luftfeuchte – absolute, relative: Die absolute Luftfeuchtigkeit gibt die Masse Wasserdampf in einem Volumen feuchter Luft an (g H_2O/m^3 Luft). Die maximale Luftfeuchtigkeit gibt an, welche Masse Wasserdampf ein Volumen Luft bei einer bestimmten Temperatur und einem bestimmten Luftdruck aufnehmen kann (g H_2O/m^3 Luft). Die relative Luftfeuchtigkeit gibt an, wie viel Prozent seiner maximalen Luftfeuchtigkeit ein Volumen Luft bereits aufgenommen hat. Sie ergibt sich aus dem Quotienten der absoluten Luftfeuchtigkeit und der maximalen Luftfeuchtigkeit.

M

Marginalsiedlung: Elendssiedlung in Großstädten der Entwicklungsländer.
Meereis: Bezeichnung für das Eis, das sich durch Gefrieren von Meerwasser bildet. Zum Meereis zählen deshalb weder das auf dem Festland liegende Eis (Gletscher, → Inlandeis) noch von ihm abbrechende Eismassen, z. B. Eisberge.
Meeresspiegelanstieg: Anstieg des mittleren Wasserspiegels der Ozeane. Ursachen für den Anstieg sind abschmelzende Gletscher und Inlandeismassen,

die Ausdehnung des Wassers infolge zunehmender Erwärmung sowie weiträumige Hebungen, die durch erdinnere Kräfte verursacht werden.
Megacity: (auch Megastadt) Großstadt, die je nach Definition mindestens 8 Mio. oder 10 Mio. Einwohner hat. In der Regel sind diese Städte politisch-ökonomisches Zentrum sowie Knotenpunkt von Verkehrs- und Informationsströmen.
Menschenrechte: für alle Menschen auf der ganzen Welt geltende Rechte, die niemals abgesprochen werden können. Dafür wurden 30 Grundrechte 1948 von den Vereinten Nationen (= UNO) in der Allgemeinen Erklärung der Menschenrechte festgeschrieben.
Metropole: Großstadt, die politischer, wirtschaftlicher und gesellschaftlicher Mittelpunkt eines Staates ist und alle anderen Großstädte an Größe und Bedeutung weit überragt.
Migration: freiwillige oder unfreiwillige, dauerhafte Verlagerung des Wohnsitzes von Personen oder Gruppen. Dies kann sowohl innerhalb eines Landes (Binnenmigration) als auch über Ländergrenzen hinweg (internationale Migration) geschehen. Dabei wird Auswanderung als Emigration und Einwanderung als Immigration bezeichnet.
Migrationsursachen: Gründe für die Migration. Dies sind im Wesentlichen wirtschaftliche, politische, religiöse oder ökologische Ursachen.
Mineralstoffkreislauf (Nährstoffkreislauf): Im Tropischen Regenwald herrscht ein geschlossener Mineralstoffkreislauf, bei dem Wurzelpilze für eine schnelle Aufnahme der Mineralstoffe auf dem nährstoffarmen Boden sorgen.
Monokultur: Vorherrschen einer bestimmten Bodennutzung in reinen Beständen und ohne Wechsel der Kulturpflanzen auf überwiegend großflächigen Feldern.

N

nachhaltige Entwicklungsziele (= SDG Sustainable Development Goals): Sie beschreiben den für das Jahr 2030 an-

gestrebten Entwicklungsstand der Welt. Die nachhaltigen Entwicklungsziele sind der Kern der Agenda 2030.
nachhaltige Entwicklung: Entwicklungsstrategie, mit der die Lebenschancen der heutigen Generation verbessert werden sollen, ohne die Chancen zukünftiger Generationen einzuschränken.
nachhaltige Produktion: Nachhaltige Produktion geht von der Vorstellung aus, dass soziale Verantwortung, wirtschaftliche Leistungsfähigkeit und der Schutz der natürlichen Umwelt untrennbar zusammengehören.
Nachhaltigkeit: Seit einigen Jahren gilt dieser Begriff („sustainable development") als Leitbild für eine zukunftsfähige Entwicklung der Menschheit.
natürlicher Treibhauseffekt: → Treibhauseffekt
Nomadismus: überwiegend auf Viehwirtschaft beruhende Wirtschaftsform einer Gruppe. Die Nomaden wechseln mit allen Familienmitgliedern und dem Hausrat ihre Weideplätze. Man unterscheidet Vollnomadismus (ohne festen Wohnsitz) und Halbnomadismus (Wanderungen nur einen Teil des Jahres).

O

Oase: Gebiet in Trockenräumen, das sich durch reicheren Pflanzenwuchs gegenüber der wüstenhaften Umgebung auszeichnet. Ursache dafür sind entsprechende Wasservorkommen. Je nach Art der Wasserförderung unterscheidet man Grundwasser-, Fluss- und Quelloasen.

P

Packeis: häufigste Form von Meereis, das aus aufeinander geschobenen, dicht angeordneten Eisschollen besteht. Zwischen den Eisschollen kann es noch kleinere freie Wasserflächen geben.
Passat: ganzjährige, richtungsbeständige Luftströmungen zwischen den subtropischen Hochdruckgebieten und der äquatorialen Tiefdruckrinne. Die Erdrotation bewirkt auf der Nordhalbkugel eine Ablenkung als Nordostpassat, auf

der Südhalbkugel als Südostpassat. Dieser ständige Kreislauf wird als **Passatkreislauf** bezeichnet.

Permafrostboden (Dauerfrostboden): Bezeichnung für einen in tieferen Horizonten ganzjährig gefrorenen Boden. Nur die obere, wenige Dezimeter dicke Schicht taut in den kurzen Sommern auf. Weil Niederschläge und Schmelzwasser nicht versickern können, kommt es in diesen Gebieten zu starker Sumpfbildung.

Plantage: Großbetrieb der Pflanzenproduktion in den Tropen und Subtropen mit überwiegendem Anbau von Tee, Bananen, Zuckerrohr, Kaffee oder Ölpalmen. Zur Plantage gehören auch die technischen Anlagen zur Aufbereitung und Verarbeitung der Agrarprodukte.

Polarkreis: Die Polarkreise begrenzen bei 66,5° südlicher und nördlicher Breite die ⟶ Polarzonen. Jenseits der Polarkreise herrschen Polarnacht bzw. Polartag.

Polarnacht: Erscheinung in den Polarräumen, die durch die ⟶ Schrägstellung der Erdachse gegenüber der Erdbahnebene zustande kommt. In der Zeit der Polarnacht bleibt die Sonne ständig unter dem Horizont, in der Zeit des ⟶ Polartages über dem Horizont.

Polartag: ⟶ Polarnacht

Polarzone (Polarraum): ⟶ Beleuchtungszone jenseits der ⟶ Polarkreise, in der Polartag und Polarnacht auftreten und die Temperaturen ganzjährig sehr niedrig sind.

Pull-Faktoren: Gründe, die auf die Bevölkerung oder Wirtschaft anziehend wirken und damit eine Wanderungsbewegung auslösen (z. B. ⟶ Land-Stadt-Wanderung); im engeren Sinne bezeichnet man damit die Anziehungskraft der großen Städte in den Entwicklungsländern auf die Bevölkerung in den ländlichen Räumen.

Push-Faktoren: Gründe, die die Bevölkerung oder die Wirtschaft zum Abwandern bewegen, vor allem die unzureichenden Lebensumstände und Einkommensmöglichkeiten in den ländlichen Räumen der Entwicklungsländer.

R

Raubbau: Bezeichnung für eine extreme Nutzung, die den Bestand des genutzten Gutes gefährdet. Raubbau am Wald bedeutet Schädigung oder Zerstörung durch Kahlschläge oder unangepasste Nutzung. Der Begriff wird auch verwendet, wenn der Wald gegen den Willen der dort ansässigen Bewohner von Holzfirmen genutzt wird.

Regenzeit: im Unterschied zur Trockenzeit, Jahreszeit mit regelmäßigem Niederschlag in den Tropen.

S

Sahel: Übergangszone zwischen Wüste und Trockensavanne mit einer spärlichen Dornstrauchvegetation. Die Sahelzone erstreckt sich ungefähr zwischen 12° und 18° nördlicher Breite entlang des Südrandes der Sahara. Die Niederschläge betragen 100 bis 500 Millimeter im Jahr. Da die Niederschläge aber stark schwanken, treten im Sahel regelmäßig ⟶ Dürren auf.

Savanne: Sammelbezeichnung für die wechselfeuchten Landschaften in der Tropischen Zone zwischen Regenwald und Wüste. Man untergliedert die Savannen in Feucht-, Trocken- und Dornsavanne.

Shifting Cultivation: ⟶ Wanderfeldbau

Slum: Elendsviertel, das sich im Gegensatz zu den ⟶ Marginalsiedlungen im Innenstadtbereich befindet. Merkmale sind u. a.: verfallene Bausubstanz, niedriger Wohnungsstandard, hohe Kriminalität und Arbeitslosigkeit.

Smog: Mit Smog bezeichnet man eine Mischung aus Abgasen und Dunst bzw. Nebel (aus engl. smoke und fog). Smog entsteht in Verdichtungsräumen bei geringem Luftaustausch und kann die Gesundheit gefährden.

Sterberate: Zahl der Verstorbenen pro 1 000 Einwohner in einem Jahr. Im Buch wird zum leichteren Verständnis die Sterberate pro 100 Einwohner angegeben.

Stockwerkbau: Abfolge/Schichtung der natürlichen Vegetation und/oder Nutz-

pflanzen nach Wuchshöhe, z. B. im Regenwald oder in einer Oase

Subtropen: Temperaturzone zwischen Gemäßigter Zone und ⟶ Tropenzone mit einer Durchschnittstemperatur von 18°C und milden Wintern und heißen Spommern.

T

Tageszeitenklima: ein ⟶ Klima, bei dem die Tagesschwankungen der Temperatur größer sind als die im Verlauf eines Jahres. Es ist kennzeichnend für die ⟶ Tropen.

Taifun: ⟶ tropischer Wirbelsturm

Temperaturzone: Fasst parallel zu den Breitenkreisen verlaufende Gebiete mit ähnlichen Jahresdurchschnittstemperaturen infolge unterschiedlicher Erwärmung der Erdoberfläche: Polarzone, Gemäßigte Zone, Subtropen und Tropen.

Tiefdruckgebiet: Gebiet mit niedrigerem Luftdruck als dem der Umgebung. In den mittleren Breiten erreicht ein Tiefdruckgebiet mittlere Luftdruckwerte von etwa 990 bis 1000 hPa.

Tornado: kleinräumiger Wirbelsturm, der durch starke Temperaturgegensätze über dem Festland entsteht. Tornados sind Luftschläuche, in deren Zentrum extrem niedriger Luftdruck herrscht. In diesem Luftschlauch erreicht der Aufwind Spitzengeschwindigkeiten von bis zu 160 km/h und die Luft rotiert mit einer Geschwindigkeit von 300 bis 500 km/h um das Wirbelzentrum herum. Auf seiner Zugbahn richtet ein Tornado verheerende Zerstörungen an.

Treibhauseffekt: Unter dem natürlichen Treibhauseffekt versteht man die Fähigkeit der ⟶ Atmosphäre, die Energieverluste der Erdoberfläche durch Ausstrahlung zu kompensieren und so ein Auskühlen der Erde zu verhindern. Dabei wird die von der Erdoberfläche abgegebene langwellige Wärmestrahlung durch Wasserdampf oder Kohlenstoffdioxid als Gegenstrahlung zur Erde zurückgestrahlt. Wird dieser Mechanismus durch zusätzliche ⟶ Treibhausgase des Menschen verstärkt, spricht man vom anthropogenen Treibhauseffekt.

Wichtige Grundbegriffe

Treibhausgase: die Gase innerhalb der → Atmosphäre, die einen Teil der von der Erdoberfläche ausgehenden Wärmestrahlung absorbieren und in alle Richtungen abstrahlen. Die Folge ist eine Erwärmung der Atmosphäre. Treibhausgase sind z. B. Wasserdampf, Kohlenstoffdioxid, Methan, Stickstoffoxid.

Trockenzeit: regelmäßig wiederkehrende, niederschlagsarme oder niederschlagslose Zeit innerhalb der wechselfeuchten Tropen und → Subtropen.

Tropen(zone): → Beleuchtungszone zwischen den Wendekreisen, in der aufgrund des hohen Einstrahlungswinkels der Sonnenstrahlen ganzjährig hohe Temperaturen herrschen. Die Tage und Nächte sind dort das ganze Jahr fast gleich lang. Die Tropen umfassen den Tropischen Regenwald, die Savannen und die tropischen → Wüsten.

Tropischer Regenwald: Waldtyp der immerfeuchten Tropen. Gedeiht bei gleichmäßig hohen Temperaturen (25 bis 28°C) und hohen Niederschlägen (über 1500 mm im Jahr). Gekennzeichnet durch große → Artenvielfalt, üppiges Wachstum und Stockwerkbau der Pflanzen. Wichtiger Sauerstofflieferant und Klimaregulator der Erde.

tropischer Wirbelsturm (Hurrikan, Taifun): Wirbelsturm, der über warmen Meeren (Oberflächentemperatur über 27°C) meist zwischen 10° und 20° nördl. Breite entsteht. Er ist durch hohe Niederschläge und große Geschwindigkeiten in der Wirbelbewegung gekennzeichnet. Die Drehbewegung wird durch die Ablenkung der Windströmung hervorgerufen.

Tundra: weitgehend baumlose und artenarme Vegetationszone des polaren und subpolaren Klimas.

U

Umweltflucht: → Flucht aufgrund von natürlichen oder durch Menschen verursachten Veränderungen der Umwelt und damit dem Verlust der Lebensgrundlagen (z. B. durch Erdbeben oder dem Anstieg des Meeresspiegels).

V

Vegetationszone: ein Raum, der sich aufgrund seiner natürlichen Vegetation bzw. der vorhandenen Pflanzengesellschaften von anderen Räumen unterscheidet und meist äquatorparallel verläuft. Zwischen den Vegetationszonen und den → Klimazonen der Erde besteht eine enge Verbindung, da die Vegetation in hohem Maße von den Klimafaktoren beeinflusst wird.

Verstädterung: 1. Wachstum der Städte eines Staates hinsichtlich ihrer Einwohnerzahl und/oder Fläche. 2. Vermehrung der städtischen Siedlungen eines Landes. 3. Wachsen des Anteils der Stadtbevölkerung eines Landes.

W

Wachstumsrate: der in Prozent ausgedrückte Zuwachs der Differenz von → Geburtenrate und → Sterberate.

Wanderfeldbau (Shifting Cultivation): Oberbegriff für mehrere Formen der ackerbaulichen Nutzung in den → Tropen, wobei ein Wechsel der Anbauflächen erfolgt. Die Erschließung erfolgt durch **Brandrodung**. Der Wechsel der Anbauflächen war früher mit einer Verlegung der Siedlung verbunden.

Welthandel: Der über Ländergrenzen hinausgehende Austausch von Waren, Dienstleistungen und Kapital.

Welthandelsgut: Waren, die über einen nationalen Markt hinaus Bedeutung erlangt haben, im internationalen Handel wichtig sind und so zu globalen Warenströmen führen.

Wendekreise: Sie begrenzen die → Tropenzone. Bei 23,5 Grad Nord bzw. Süd „erreicht" der Zenitstand der Sonne seinen nördlichsten bzw. südlichsten Punkt.

Westwindzone: globale atmosphärische Windströmung, die etwa im Bereich von 30–60° nördlicher und südlicher Breite auftritt. Besonders stark ist sie in den Breiten 45–55° ausgeprägt. Sie ist gekennzeichnet von vorherrschenden Westwinden und meist ostwärts ziehenden → Tiefdruckgebieten.

Wetter: Wetter ist das Zusammenwirken der Wetterelemente Temperatur, Luftdruck, Bewölkung, Windrichtung und Windstärke sowie Niederschlag zu einem bestimmten Zeitpunkt und an einem bestimmten Ort.

Windgürtel: Polare Ostwinde, die Westwinde der gemäßigten Breiten zwischen subpolaren Tiefdruckgebieten und dem subtropischen Hochdruckgürtel sowie die → Passate ziehen sich nahezu breitenkreisparallel um die Erde. An den Polen erzeugen die dortigen stationären Kältehochs Ostwinde. Diese strömen in Richtung Äquator und treffen in der Westwindzone auf die tropischen Luftmassen. Hier dominieren Tiefdruckgebiete, die die beiden unterschiedlichen Luftmassen vermischen.

Wirbelsturm: → tropischer Wirbelsturm und → Tornado

Wüste: → Vegetationszone, in der aufgrund großer Trockenheit (Trockenwüste) oder geringer Temperaturen (Kälte- oder Eiswüste) von Natur aus nur spärliches Pflanzenwachstum möglich ist. In Trockengebieten unterscheidet man nach der Oberflächenbeschaffenheit die Wüstenarten: Felswüste (Hamada), Kieswüste (Serir) und Sandwüste (Erg), nach der Entstehung die Wüstentypen: Passat- oder Wendekreiswüste, Relief- oder Binnenwüste und Küstenwüste.

Z

Zenit (Scheitelpunkt): Gedachter Himmelspunkt, der sich senkrecht über dem Beobachtungspunkt auf der Erdoberfläche befindet.

Zenitalregen: tropische Niederschläge, meist in Form heftiger Gewitter, die kurz nach dem Zenitalstand der Sonne einsetzen.

Zyklone: An der planetarischen Frontalzone im engeren Sinne entstehen dynamische Gebiete mit zu ihrer Umgebung relativ niedrigem Luftdruck. Diese Tiefdruckgebiete ziehen mit der Westwinddrift nach Osten über Mitteleuropa und bestimmen das Wettergeschehen maßgeblich.

Sachregister

Lösungshilfen

2 Globale Wetterphänomene

Seite 15

4 Gehe so vor:
- Beschreibe zunächst das jeweilige Wetter in Mitteleuropa sowie im Kongo: Temperaturverhältnisse tagsüber und im Jahresverlauf, Niederschläge, Luftfeuchtigkeit, Vorhandensein von Jahreszeiten usw.
- Setze die jeweiligen Wetterverhältnisse in Beziehung zu deinen Erfahrungen in nördlichen Breiten bzw. zu der Lage des Tropischen Regenwaldes.

Seite 17

6 Überlege dir zunächst, wo überall der Luftdruck auf deinen Körper wirkt. Ist die Einwirkung gleich hoch? Überlege dabei, wenn der Druck nur von oben auf Kopf und Schultern einwirken würde.

Seite 19

5 Einen wichtigen Hinweis zur Lösung der Aufgabe gibt dir die Abb. 6 auf S.17. Betrachte den linken Teil der Abbildung genau und treffe deine Schlussfolgerungen daraus.

Seite 22

4 Betrachte zunächst die unterste Fotozeile der Abbildung 2 auf S. 23. Beginne mit der ganz rechten Abbildung und beschreibe das Wolkenbild, die Temperatur und den Luftdruck aus den darüber angeordneten Grafiken. Gehe dann zum nächsten, weiter links stehenden Foto und verfahre ebenso, bis alle Fotos mit den entsprechenden Infos beschrieben sind.

3 Klima und Vegetationszonen der Erde

Seite 31

5 Folgender Tipp: Wenn die Erde nicht geneigt wäre, würde die Sonne ganzjährig sehr intensiv den Äquatorbereich beleuchten und die mittleren und höheren Breiten bis zu den Polen in immer weiter abgeschwächter Form.

Seite 33

9 Berücksichtige bei deiner Beantwortung die Höhe der Orte, die Lage zu Gewässern und Meeresströmungen usw.

Seite 39

Berücksichtige bei deiner Beantwortung die Höhe der Orte, die Lage zu Gewässern und Meeresströmungen usw.

4 In den Tropen

Seite 47

b) Beschreibe zunächst jeden Aufbau getrennt voneinander. Finde Gemeinsamkeiten und Unterschiede. Überlege dir Überbegriffe und eine Reihenfolge bei der Darstellung.

Seite 51

Gib zunächst die Bezeichnungen an den Achsen an. Betrachte dann zunächst die Baumwolle und vergleiche deren Entwicklung mit denen der anderen Anbauprodukte.

Seite 53

Beschreibe zunächst das ganz linke Bild, indem du auf die unterschiedlichen Prozesse in den einzelnen Stockwerken und im Boden achtest. Wiederhole die Beschreibungen für die beiden anderen Bilder, indem du die gleichen Stockwerke bzw. den Boden betrachtest.

Seite 57

b) Wiederhole für dich den Begriff der Nachhaltigkeit (Seite 11). Betrachte nun die Baumschwebebahn unter den einzelnen Aspekten der Nachhaltigkeit und formuliere abschließend eine eigene Meinung.

Seite 59

a) Wiederhole für dich zunächst den Passatkreislauf auf den Seiten 34 und 35. Ggf. veranschaulichst du die beiden Begriffe im Klimadiagramm auf der Seite 37, bevor du zur Beantwortung der Aufgabe kommst.

5 In den Trockenräumen

Seite 67

Erarbeite zunächst mithilfe des Textes auf S. 66/67 und der Grafik 2, wie Sonne (Temperaturunterschiede zwischen Tag und Nacht), Wasser (fließendes Wasser sowie als Eis in Felsspalten) und Wind zu den Vorgängen wie Verwitterung (z. B. Gesteinssprengung), Abtragung, Transport und Ablagerung in den Trockenwüsten beitragen; gestalte dazu ggf. eine Tabelle. Dann formuliere deine Erkenntnisse zu der Frage.

Seite 71

Bedenke bei deiner Beurteilung die Verfügbarkeit von Bewässerungswasser für die Kulturpflanzen.

Seite 73

Bedenke bei deiner Stellungnahme, welche natürlichen Voraussetzungen der Sahel hat, wie der Mensch den Sahel überhaupt nutzen kann, wie die Niederschlagsmengen variieren und wo die Grenzen der Nutzung liegen.

6 In den Polarräumen

Seite 87

Denke daran, dass an den Polen jeweils ein halbe Jahr Polartag und Polarnacht herrschen und an den Polarkreisen jeweils nur einen Tag im Jahr. Bei der Begründung dieser Unterschiede musst du an die Bewegung der Erde um die Sonne denken.

Seite 91

Denke dabei daran, das bei einer nachhaltigen Nutzung wirtschaftliche, soziale und ökologische Bedürfnisse und Interessen dieser und zukünftiger Generationen in Einklang gebracht werden müssen.

7 Eine Welt – ungleiche Welt?!

Seite 103

Tipp: Lies den Text gründlich durch. Überlege, warum die drei Aspekte „Lebenserwartung", „Bildung" und „Wirtschaftsleistung" zur Berechnung des Entwicklungsstandes festgelegt wurden. Notiere dir, ob diese drei Aspekte auch über andere Aspekte (z. B. die Lebenserwartung über die medizinische Versorgung) Auskunft geben können.
Suche dir dann in der Karte 3 Länder, die einen geringen und Länder, die einen hohen Entwicklungsstand und daher HDI haben. Beziehe diese Beispielländer in deine Erklärung mit ein.

Seite 105

Gehe folgendermaßen vor: Lege ein Blatt an mit der Überschrift „Disparitäten der weltweiten Ernährungssituation". Gehe nun die einzelnen Materialien (Bild 1, Bild 2, Karte 3, …) durch und suche gezielt nach ausgeprägten Unterschieden (= Disparitäten). Notiere deine Beobachtungen als Spiegelstriche auf deinem Ergebnisblatt.

Seite 107

Gehe folgendermaßen vor:
Lege ein Blatt an mit der Überschrift „Disparitäten der weltweiten Lebenserwartung". Gehe nun die einzelnen Materialien durch und suche gezielt nach ausgeprägten Unterschieden (= Disparitäten). In welchen Ländern erreichen die Menschen im Durchschnitt ein langes Leben? In welchen Ländern ist die Lebenserwartung im Durchschnitt geringer? Notiere deine Beobachtungen als Spiegelstriche auf deinem Ergebnisblatt.

Seite 109

Gehe folgendermaßen vor: Lege ein Blatt an mit der Überschrift „Disparitäten der weltweiten Bildungssituation". Gehe nun die einzelnen Materialien (Bild 1, Bild 2, Karte 3, …) durch und suche gezielt nach ausgeprägten Unterschieden (= Disparitäten). Notiere deine Beobachtungen als Spiegelstriche auf deinem Ergebnisblatt.

Seite 111

Gehe folgendermaßen vor:
Lege ein Blatt an mit der Überschrift „Disparitäten der weltweiten Einkommenssituation".
Gehe nun die einzelnen Materialien (Bild 1, Bild 2, Karte 3, …) durch und suche gezielt nach ausgeprägten Unterschieden (= Disparitäten). Notiere deine Beobachtungen als Spiegelstriche auf deinem Ergebnisblatt.

Seite 113

Vergleiche die räumliche Verteilung der Länder mit den höchsten und niedrigsten HDI-Werten mit der Verteilung der Länder mit den höchsten und niedrigsten Werten für die einzelnen Bestandteile des HDIs (Lebenserwartung, Schuldauer, Lebensstandard).

Seite 115

🔳 Sieh dir die Grafik 8 auf S. 11 in Ruhe an. Überlege, was mit „Umwelt", „Politik", „Wirtschaft" und „Soziales" gemeint ist. Überlege, was die eingezeichneten Pfeile bedeuten. Lies nun den Text unter der Abbildung und überprüfe, ob du die im Text genannten Hinweise in der Abbildung entdecken und verstehen kannst. Beginne deine Erklärung etwa mit den Worten: „Das Nachhaltigkeitsviereck veranschaulicht die Idee der Nachhaltigkeit …"

Seite 117

🔳 1. Kläre zunächst nochmals die Teilgebiete der Nachhaltigkeit (Wirtschaft, Umwelt, Soziales) sowie die damit verbundenen Zielsetzungen (z. B.: Umwelt: ökologische Verträglichkeit vgl. Grafik 8, S. 11).
2. Wähle den Bereich, der dir liegt, z. B. Umwelt oder zu Gesellschaft.
3. Überlege, ob es in diesem Bereich etwas gibt, das nicht gut ist und wie du in deinem Lebensbereich zu einer Verbesserung beitragen könntest.
4. Schreibe deine Ideen auf.

Seite 122

🔳 1. Informiere dich nochmals, was genau mit „Armut" in Deutschland gemeint ist.
2. Analysiere dann die Karte 3 und überlege dir, was die Zahlenangaben bedeuten. Nimm ggf. einen Atlas zur Hilfe.
3. Notiere dir deine Beobachtungen zunächst auf einem Notizblatt. Kläre dann, welchen Eindruck du hinsichtlich der regionalen Verbreitung von Armut in Deutschland gewonnen hast.
4. Beginne deinen Zeitungsartikel. Denke daran, dass deine Leser, die sich nicht mit dem Thema befasst haben, ihn verstehen können.

8 Auf der Suche nach Zukunft

Seite 127

🔳 1. Was wird dargestellt und aus welchem Jahr stammen die Daten?
2. Ordne die Länder jeweils den Kontinenten zu.
3. Beschreibe die Verteilung der Länder auf die Kontinente.

🔳 1. Erstelle zunächst eine Tabelle mit den drei Spalten freiwillige Migration, unfreiwillige Migration, unklar.
2. Entscheide dich bei jeder Ursache, ob die Menschen die Wahl haben in der Heimat zu bleiben oder nicht, und trage diese in die Tabelle ein.
3. Trage die Ursachen, für die eine Zuordnung schwierig ist, in die dritte Spalte ein und diskutiere diese mit deinem Partner.

9 Weltbevölkerung

Seite 141

🔳 1. Beschreibe zunächst den Zuwachs, z. B. um eine Milliarde.
2. Versuche zu erklären, warum die Weltbevölkerung nach 1990 weiter wächst, obwohl der durchschnittliche jährliche Zuwachs abnimmt.

Seite 141

🔳 Berechne zunächst den Wert, den die Differenz von Geburten- und Sterberate pro 100 oder 1 000 Einwohner haben muss. Formuliere dann eine Antwort.

Seite 143

🔳 Vergleiche zunächst die durchschnittliche Kinderzahl pro Frau. Betrachte anschließend den Anteil der Frauen, die auf moderne Verhütungsmethoden setzen. Bringe beides zueinander.

10 Globale Verstädterung

Seite 159

🔳 b) Beachte: Ein hoher Anteil von Menschen, die noch auf dem Land leben, bedeutet einen geringen Verstädterungsgrad von 5 bis 30 %.
Zur Beschreibung der räumlichen Unterschiede musst du die Kontinente und die Himmelsrichtungen oder Ländernamen nutzen, z. B.: eine besonders hohe Verstädterung weist der Westen von Europa auf.

11 Welthandel

Seite 175

🔳 Verfolge die Entwicklung des Weltmarktpreises in Diagramm 6 und ermittle die Schwankungen..

Seite 177

🔳 Lokalisiere die Länder mit Rohrzuckeranbau auf einer Karte der Landschaftszonen.

Seite 179

🔳 Es hilft dir, wenn du dir eine Tabelle anlegst, in der du die wirtschaftlichen, ökologischen und sozialen Folgen für Industrieländer und für Entwicklungsländer erfasst.

Seite 181

🔳 Durch Substraktion der Importe von den Exporten kannst du feststellen, ob ein Land eine negative oder eine positive Handelsbilanz aufweist.

Seite 185

🔳 In Abbildung 4 sind die Grundsätze des Fairen Handels zusammengefasst.

Seite 188

🔳 b) Ein Blick auf die Diagramme 1, 3 und 4 auf Seite 180/181 hilft dir bei der Antwort.

12 Der Klimawandel geht uns alle an

Seite 195

🔳 Beurteilen heißt, du musst dich entscheiden, ob die Aussage zutreffend ist oder nicht.
Mit Argumenten musst du dann deine Entscheidung begründen. Das schaffst du aber nur, wenn du die Aussage richtig verstehst. Denke dabei daran, was mit „Energiehunger" gemeint ist, z. B. unser gegenwärtiger Energieverbrauch und womit die Energie hauptsächlich erzeugt wird. Bei der Formulierung, dass wir dafür erst morgen bezahlen, musst du an den Klimawandel denken und eine Verbindung zu Treibhausgasen herstellen.

Seite 199

🔳 Denke bei der Antwort an die natürlichen Bedingungen wie Klima und Relief, aber auch an die wirtschaftliche Leistungsfähigkeit und die Kosten für Schutzmaßnahmen.

Nachweise

Bilder

Cover Getty Images (Education Images/UIG), München; **2.1** Getty Images (Philippe Lissac), München; **2.2** Getty Images, München; **2.3** GoogleEarth und Klett-Archiv (Wolfgang Schaar); **2.4** Thinkstock (Atelopus), München; **3.5** Mauritius RF (Corbis), Mittenwald; **3.6** Getty Images (Photodisc/ Cornelia Doerr), München; **3.7** Reuters (Lucas Jackson), Frankfurt; **3.8** Picture-Alliance (Pressefoto ULMER/ Markus Ulmer), Frankfurt; **4.9** Mauritius Images (Dinodia Photos/Alamy), Mittenwald; **4.10** Brodengeier, Dr. Egbert, Lichtenberg; **4.11** Thinkstock (EvrenKalinbacak), München; **4.12** Grönland Schneefläche: Shutterstock.com (Yongyut Kumsri), New York; Südsee Insel Palmen: Shutterstock.com (xamnesiacx), New York; Südsee Kanu: Fotolia.com (Gail Johnson), New York; **5.13** Getty Images (Chris Ratcliffe/Bloomberg), München; **5.14** Getty Images (Image Source/Stockbyte), München; **5.15** Klett-Archiv (Kay Fochtmann, Leipzig), Stuttgart; **6.li.** Grameen America, New York; **6.re.** vario images (Peter Günter), Bonn; **7.o.** Getty Images (Philippe Lissac), München; **7.u.** FOTOFINDER.COM (Lineair), Berlin; **7.u.re.** Green Belt Movement International, London; **9.3** ddp images GmbH, Hamburg; **9.4** Action Press GmbH, Hamburg; **10.5** Hoffmann, Dr. Thomas, Lauf; **10.6, 10.7** Masdar, Abu Dhabi; **11.9** akg-images, Berlin; **12.o.** Reuters (Erik De Castro), Frankfurt; **12.m.** Picture-Alliance (Dennis M. Sabangan), Frankfurt; **12.u.** Reuters, Frankfurt; **13** Getty Images, München; **14.1, 14.3** Obermann, Helmut, Ettlingen; **15.4** Bildagentur Schapowalow (Robert Harding), Hamburg; **15.6** Getty Images (Mint Images/ Frans Lanting), München; **16.1 o.** Klett-Archiv (Guido Rotermann, Haselünne), Stuttgart; **17.7** iStockphoto (Arturo Limon), Calgary, Alberta; **17.8** shutterstock (Mircea C), New York, NY; **20.1** Picture-Alliance (dpa/ NOAA), Frankfurt; **22.1** Bock, André, Erfurt; **23.2** Klett-Archiv (Heinz Nolzen, Stegen), Stuttgart; **24.2, 24.3** Klett-Archiv (Rausch, Linsenhofen), Stuttgart; **24.5** Obermann, Helmut, Ettlingen; **25.9** Jacques Descloitres, MODIS Rapid Response Team, NASA/GSFC; **25.10** Getty Images, München; **26.1** Picture-Alliance (AP/Matt Rourke), Frankfurt; **27.2** Alamy Stock Photo (Iuliia Bycheva), Abingdon, Oxon; **28** GoogleEarth und Klett-Archiv (Wolfgang Schaar); **32.7** Klett-Archiv (Eberhard Pyritz, Schloß Holte-Stukenbrock), Stuttgart; **34.1** shutterstock (vinz89), New York, NY; **36.1** Keystone (Schmid), Hamburg; **36.2** Gerster, Dr. Georg, Zumikon; **38.2.1** Steinert, Lorenz, Leipzig; **38.2.2** Klett-Archiv (Dietrich Schulz, Schwäbisch Gmünd), Stuttgart; **38.2.3** shutterstock (rawcaptured photography), New York, NY; **38.2.4** CC-BY-SA-4.0/https:// creativecommons.org/licenses/by-sa/4.0/deed.de (Markus Schweiss, keine Änderungen), Mountain View; **39.2.5** Getty Images (Josef F. Stuefer/Moment Open), München; **39.2.6** shutterstock (PHOTOCREO Michal Bednarek), New York, NY; **39.2.7** iStockphoto (Francisco Romero), Calgary, Alberta; **41.8** shutterstock (Sergey Timofeev), New York, NY; **41.9** Getty Images (Flickr Flash), München; **42.1, 42.3** Bünstorf, Altenberge; **44.1** Thinkstock (Atelopus), München; **45.2** Jangoux, Jacques, Belém, Pará; **46.1** Alamy Stock Photo (Nature Picture Library/Nick Garbutt), Abingdon, Oxon; **46.2** Klett-Archiv (Aribert Jung), Stuttgart; **46.3** Thinkstock (ABDESIGN), München; **47.6** Thinkstock (nikpal), München; **48.1** Seitz, Stefan Prof. Dr., Freiburg; **48.2** f1 online digitale Bildagentur

(Aflo), Frankfurt; **49.4** Strothjohann, Rita, München; **50.1 A** Getty Images Deutschland GmbH RM (Corbis Documentary /Tony Arruza), München; **50.1 B** Photo Projects GmbH, Hamburg; **50.1 C** Alamy Stock Photo (Central America), Abingdon, Oxon; **51.1 D** Bricks, Erfurt; **51.1 E** Getty Images (Corbis Documentary/Pablo Corral V), München; **52.1, 52.2** Deutsche, Dr. Tom, Hamburg; **56.1** Okapia (John Cancalosi), Frankfurt; **56.2** Bildarchiv Nutzpflanzen Beat Ernst, Basel; **56.3** VISUM Foto GmbH (Erik Sampers/ ASK), Hannover; **57.5, 57.6** Quelle: www.faszination-regenwald.de/; **58.1** Klett-Archiv (Egbert Brodengeier, Lichtenberg), Stuttgart; **58.2** Biosphoto/FOTOFINDER. COM, Berlin; **59.3** Biosphoto/FOTOFINDER.COM, Berlin; **59.6** Klett-Archiv (Ralph Jätzold, Trier), Stuttgart; **62.1** Getty Images (Juan Baretto/AFP), München; **62.2** Klett-Archiv (Info-Zentrum Schokolade (Leverkusen)), Stuttgart; **63.3** Katz, Thorsten, Freiburg; **63.4** Getty Images (Pavel Gospodinov), München; **64.1** Mauritius RF (Corbis), Mittenwald; **65.2** Mauritius Images (Jose Fuste Raga), Mittenwald; **66.3, 66.4** Obermann, Helmut, Ettlingen; **67.5** Klett-Archiv (Michael Geiger, Landau), Stuttgart; **67.6** Klett-Archiv (Detlef Busche, Rimpar), Stuttgart; **68.1** Fotolia.com (Francisco Javier Gil), New York; **68.2** Obermann, Helmut, Ettlingen; **69.3** Obermann, Helmut, Ettlingen; **70.2** Alamy Stock Photo (frans lemmens), Abingdon, Oxon; **71.3** Klett-Archiv (Rolf Six, Karlsruhe), Stuttgart; **71.4** Mauritius Images (Stefano Ravera/Alamy), Mittenwald; **72.1** Getty Images (Izzet Keribar), München; **73.8** Klett-Archiv (Detlef Busche, Rimpar), Stuttgart; **74.1** Picture-Alliance (dpa/EF/Afrimages/ Maxppp), Frankfurt; **75.2** Martius, Dr. Christopher, Tashkent; **75.3** Brot für die Welt (Christof Krackhardt), Berlin; **75.4** EIRENE Internationaler Christlicher Friedensdienst, Neuwied; **76.1** Obermann, Helmut, Ettlingen; **78.2, 78.3** Obermann, Helmut, Ettlingen; **79.4** shutterstock (gkuna), New York, NY; **79.5, 79.7** Klett-Archiv (Lothar Rother, Schwäbisch Gmünd), Stuttgart; **79.9** ASPECT Picture Library Ltd, London; **80.1** iStockphoto (Mlenny Photography), Calgary, Alberta; **80.2** Alamy Stock Photo (FLPA), Abingdon, Oxon; **80.3** iStockphoto (KingWu), Calgary, Alberta; **81.4** Imago (blickwinkel), Berlin; **81.5** iStockphoto (alefbet), Calgary, Alberta; **81.6** iStockphoto (JoenStock), Calgary, Alberta; **81.7** Okapia (Thomas Hagen), Frankfurt; **81.8** shutterstock (Alta Oosthuizen), New York, NY; **81.9** Obermann, Helmut, Ettlingen; **82.1** Getty Images (Photodisc/Cornelia Doerr), München; **83.2** Picture-Alliance (ZUMA Press), Frankfurt; **84.1** Picture-Alliance (Justin Jin for Wintershall), Frankfurt; **84.2** Dr. Egbert Brodengeier, Lichtenberg; **85.3** Mauritius Images (nature picture library/Enrique Lopez-Tapia), Mittenwald; **86.6** Picture-Alliance (Reinhard Koes), Frankfurt; **86.8** Okapia (Steve Kazlowski/Danita Delimont Agency), Frankfurt; **87.9** all images direct (Kosanetzky), Deisenhofen; **87.11** VISUM Foto GmbH (Hendel), Hannover; **88.2** Fotolia.com (Serg Zastavkin), New York; **89.4** Ullstein Bild GmbH (Nowosti), Berlin; **89.6** Klett-Archiv (Aribert Jung), Stuttgart; **90.7** Imago (Denis Kozhevnikov/ITAR-TASS), Berlin; **90.9** 123rf (André Padschenko), Nidderau; **90.10** Chernyshova, Elena, Labastide Saint-Pierre; **91.11** Klett-Archiv (Weissmann, Moskau), Stuttgart; **91.12** NASA (Visible Earth), Washington, D.C.; **92.3** laif (SUTTON/GAMMA), Köln; **95.4** Getty Images (Corbis Documentary/Neil Rabinowitz), München; **96.3** toonpool.com (Erl), Berlin; **98.1** iStockphoto (RF/

Kevin Drinkall), Calgary, Alberta; **98.3** shutterstock (Serg Zastavkin), New York, NY; **100.1** Picture-Alliance (Jens Kalaene/ZB), Frankfurt; **101.2** Reuters (Lucas Jackson), Frankfurt; **102.1** Getty Images (The India Today Group/Sipra Das), München; **102.2** Ullstein Bild GmbH (Minehan), Berlin; **103.3** Quelle: UN Human Development Report; **103.4, 103.5** Quelle: UNDP; **104.1, 104.2** FOCUS (Peter Menzel), Hamburg; **105.3** Quelle: FAO; **105.4** Quellen: International Food Policy Research Institute, Welthungerhilfe, Concern Worldwide; **106.1** laif (Johann Rousselot), Köln; **106.2** Picture-Alliance (Kai-Uwe Wärner), Frankfurt; **107.3, 107.4** Quelle: Clio Infra/Richard Zijdeman; **107.5** Quelle: UNDP; **108.1** Reuters (Khaled Abdullah), Frankfurt; **108.2** Getty Images (Hero Images), München; **109.3** Quelle: UNESCO; **109.4** Quelle: UNDP; **110.1** Mauritius Images (imageBROKER/Olaf Krüger), Mittenwald; **110.2** Rausch, Marion, Linsenhofen; **111.4, 111.5** Quelle: World Bank; **112** https://webgis.sachsen. schule/; **113.1, 113.2, 113.3** https://webgis.sachsen. schule/; **114.1** Peter, Andrea, Bern; **115.2** www. globalgoals.org; **116.1** Nagel, Holger, Heidenheim; **116.3** Picture-Alliance (dpa/Stefan Puchner), Frankfurt; **117.4, 117.7, 117.8, 117.9** Nagel, Holger, Heidenheim; **118.1, 118.2** www.worldmapper.org, Oxford; **119.3** Erl/ toonpool.com; **119.4** Quelle: Statistisches Bundesamt, Wiesbaden; **121.2** Klaus Wohlmann, Dortmund; **121.4** GIZ/Dr. Annemarie Matthess; **122.1** Fotolia.com (luxorphoto, kagemusha, Ingo Bartussek, ArTo, Alexander Raths, Gina Sanders, Roman Bodnarchuk, jiduha, highwaystarz), New York; **122.3** Quelle: Statistische Ämter des Bundes und der Länder; **123.4** Quelle: Bundesagentur für Arbeit; **123.5** Quellen: Bundesstadt Bonn - Statistikstelle, kleinräumige Bevölkerungsstatistik; Statistik der Bundesagentur für Arbeit; **124.1** Reuters (Marko Djurica), Frankfurt; **125.2** Picture-Alliance (Pressefoto ULMER/Markus Ulmer), Frankfurt; **127.3** Nach International Organization for Migration (IOM): World Migration Report, Ausgaben 2013 bis 2015; **128.2** UNICEF New Zealand, Wellington; **128.3** laif (kadir van lohuizen/ NOOR), Köln; **130.3** Picture-Alliance (Mika Schmidt), Frankfurt; **130.4** shutterstock (Anjo Kan), New York, NY; **132.3** Imago (imagebroker), Berlin; **132.4** Picture-Alliance (Juan De Dios Garcia Davish), Frankfurt; **133.5** Picture-Alliance (Andreas Gebert), Frankfurt; **133.6** Getty Images (Blend Images), München; **134.1** Picture-Alliance (EPA/NIC BOTHMA), Frankfurt; **134.2** Picture-Alliance (Reduan), Frankfurt; **135.3** Horst Haitzinger, München; **136.3** Kraus, Peter, Wäschenbeuren; **137.4** Picture-Alliance (Pressefoto ULMER/Markus Ulmer), Frankfurt; **137.5** laif (Maria Feck), Frankfurt; **137.6** Sommer, Christian, Sindelfingen; **138.1** Mauritius Images (Dinodia Photos/Alamy), Mittenwald; **140.1** nach UN (Hrsg.): World Population Prospects, The 2004 Revision. New York, 2005; **140.1 li.** Deutsche Stiftung Weltbevölkerung, Hannover; **141.2** Quelle: United Nations Population Division (1950-2050); **142.1** effner.com, Filderstadt; **142.2** Klett-Archiv (Marion Rausch, Linsenhofen), Stuttgart; **143.3** nach Deutsche Stiftung Weltbevölkerung: DSW Datenreport 2009. Soziale und demographische Daten zur Weltbevölkerung; **143.5** Quellen: Datenreport der Stiftung Weltbevölkerung 2015, Demographic and Health Surveys 2008-2014; **147.4** nach www.dsw-online. de; **148.1** Quelle: CIA World Factbook, www.cia.gov/ library/publications/the-world-factbook/geos/et.html; **150.1** Quelle: Deutsche Stiftung Weltbevölkerung,

Hannover; **150.2** Quelle: CIA World Factbook, www.cia.gov/library/publications/the-world-factbook/geos/bg.html und www.cia.gov/library/publications/the-world-factbook/geos/da.html; **151.3** nach U.S. Census Bureau, International Data Base; **151.4** nach Jürgen Bähr: Bevölkerungsgeographie: Verteilung und Dynamik der Bevölkerung in globaler, nationaler und regionaler Sicht. Stuttgart: UTB, 1997, Abb. 62; **151.5** CC-BY-ND-4.0 (Copyright Benjamin D. Hennig (Worldmapper Project)), Mountain View; **152.1** Quelle: CIA World Factbook, www.cia.gov/library/publications/the-world-factbook/geos/rw.html und www.cia.gov/library/publications/the-world-factbook/geos/it.html; **154.1 A** Quelle: Family care international and the safe motherhood inter-agency Group, Centers for desease control and prevention, vital statistics Report, CDC Atlanta; **154.1 B** Imago (Friedrich Stark), Berlin; **154.1 C** Quelle: Deutsche Stiftung Weltbevölkerung, Hannover; **155.2 A** nach: Lilli Sippel, Tanja Kiziak, Franziska Woellert, Reiner Klingholz: Afrikas demografische Herausforderung. Wie eine junge Bevölkerung Entwicklung ermöglichen kann. 2011, S. 52; **155.2 C, 155.3 A** Quelle: Datenreport der Stiftung Weltbevölkerung 2013 und Demographic and Health Surveys 2008-2013; **155.2 B** iStockphoto (ranplett), Calgary, Alberta; **155.3 B** iStockphoto (Juanmonino), Calgary, Alberta; **156.1** Brodengeier, Dr. Egbert, Lichtenberg; **160.1** Klett-Archiv (Thomas Daniel), Stuttgart; **161.4** Klett-Archiv (Rother, Schwäbisch Gmünd), Stuttgart; **162.7** laif (Aurora/Russel Gordon), Köln; **162.8** Klett-Archiv (Bricks), Stuttgart; **162.9** nach Thomas Brinkhoff: Die größten Agglomerationen der Welt, http://www.citypopulation.de; **164.11** Ruiz, Carlos Oscar, Mexiko-Stadt; **164.12** akg-images (Mel Longhurst), Berlin; **165.13** Mauritius Images (Alamy/Dorothy Alexander), Mittenwald; **165.14** laif (Rodrigo Cruz/NYT/Redux), Köln; **165.15** Plan Verde de la Secretaría del Medio Ambiente, Mexiko-Stadt; **168.1** laif (Contrasto), Köln; **168.2** Getty Images (Bambu Productions/The Image Bank), München; **169.3** shutterstock (Christine Gonsalves), New York, NY; **169.4** iStockphoto (PeskyMonkey), Calgary, Alberta; **169.5** Quelle: United Nations: World Urbanization Prospects; **169.6** Nach United Nations: World Urbanization Prospects. The 2014 Revision. Highlights. New York 2014, S. 13; **171.3** Getty Images (Bill O'Leary/The Washington Post), München; **172.1** Thinkstock (EvrenKalinbacak), München; **173.2** UNEP/GRID-Arendal, Arendal; **173.3** Getty Images (97/E+), München; **174.1** Getty Images (Melanie Stetson Freeman/The Christian Science Monitor), München; **174.3** Imago (imagebroker), Berlin; **175.5** Quelle: BDSI Bonn, ICCO London; **175.6** Quelle: Fairtrade Foundation; **175.7** TransFair e.V. (Fairtrade Deutschland), Köln; **176.1 A** Getty Images (Margie Politzer), München; **176.1 B** laif (Christian Beutler/Keystone Schweiz), Köln; **176.2** iStockphoto (Josef Mohyla), Calgary, Alberta; **176.3** Fotolia.com (Pseudonym), New York; **177.6** Quelle: USDA; **178.1 A** Getty Images (Dhiraj Singh/Bloomberg), München; **178.1 B** shutterstock (Iakov Filimonov), New York, NY; **179.4** Getty Images (Dhiraj Singh/Bloomberg), München; **180.1** nach UNCTADstat (2014): Values and shares of merchandise exports and imports, annual, 1948-2013; **181.3, 181.4** nach: WTO, International Trade Statistics 2011, World trade developments, Leading exporters and importers in world merchandise trade, 2010; **183.2** Quelle: Barry Callebaut Group/Schätzung

ICCO; **184.1** TransFair e.V. (Fairtrade Deutschland), Köln; **184.2** Fairphone, Amsterdam; **184.5** Rausch, Marion, Linsenhofen; **186.1** Quelle: International Coffee Organization; **187.2** Quelle: www.fairtrade-deutschland.de; **188.1** Getty Images (VCG), München; **189.2** shutterstock (mariakraynova), New York, NY; **190** Grönland Schneefläche: Shutterstock.com (Yongyut Kumsri), New York; Südsee Insel Palmen: Shutterstock.com (xamnesiacx), New York; Südsee Kanu: Fotolia.com (Gail Johnson), New York; **192.1** Quelle: IMK-TRO/KIT, 2010; **192.3** nach Ministerium für Umwelt, Klima und Energiewirtschaft Baden-Württemberg: Strategie zur Anpassung an den Klimawandel in Baden-Württemberg. Stuttgart 2015, S. 6; **193.5** Quelle: Doppelte Phänologische Uhr für die Naturraumgruppe „Nördliches Oberrheintiefland"; Daten: DWD 2010; Grafik: LUBW, verändert; **193.7** Plaßmann, Thomas, Essen; **198.1, 198.3** nach IPCC; **199.4** nach G.M. Sarwar (2005): Impacts of Sea Level Rise on the Coastal Zone of Bangladesh; **199.6** Böthling, Jörg/visualindia.de, Hamburg; **200.1** Die Bildstelle (Rex Features), Hamburg; **200.2** nach Spreen, G., L. Kaleschke, and G.Heygster (2008), Sea ice remote sensing using AMSR-E 89 GHz channels J. Geophys. Res.,vol. 113, C02S03, doi:10.1029/2005JC003384. Meereisdaten von 1979 bis 2016 stammen von www.meereisportal.de (Förderung: REKLIM-2013-04.); **201.3** Imago (imagebroker), Berlin; **201.4** nach Spreen, G., L. Kaleschke, and G.Heygster (2008), Sea ice remote sensing using AMSR-E 89 GHz channels J. Geophys. Res.,vol. 113, C02S03, doi:10.1029/2005JC003384. Meereisdaten von 1979 bis 2016 stammen von www.meereisportal.de (Föderung: REKLIM-2013-04.); **201.5** Getty Images (Peter Essick), München; **202.1** Getty Images (Corbis/Fuse), München; **202.2** Quelle: IPCC (2013): Climate Change 2013, Working Group I: The Science of Climate Change, Figure 4.14; **203.4** Mauritius Images (Marilyn Dunstan/Alamy), Mittenwald; **203.5 o., 203.5 u.** nach AWI; **204.1** bmu Bundesministerium für Umwelt, Naturschutz und Reaktorsicherheit (co2online/Phil Dera), Berlin; **206.1** Max-Planck-Institut für Meteorologie, Hamburg; **206.2A** MEV Verlag GmbH, Augsburg; **206.2B** laif, Köln; **207.7** Stuttmann, Klaus, Berlin; **208.1** Getty Images (Nick Dale/EyeEm), München; **209.2** Getty Images (Chris Ratcliffe/Bloomberg), München; **212.2** Getty Images (Richard Du Toit/Minden Pictures), München; **213.5, 213.6** Brodengeier, Dr. Egbert, Lichtenberg; **214.1** FOTOFINDER.COM (africamediaonline), Berlin; **214.2** Daten nach Bloomberg; Kimberley Process Certification Scheme; **215.5** Reuters (STR/Reuters), Frankfurt; **216.1** Mauritius Images (Hemis.fr/GUIZIOU Franck), Mittenwald; **217.4** laif (Bernd Jonkmanns), Köln; **217.5** Getty Images (Photolibrary/Martin Harvey), München; **217.6** Quellen: Trading Economics, World Travel & Tourism Council; **218** Getty Images (Image Source/Stockbyte), München; **226.re.** MairDumont, Ostfildern-Kemnat; **227.li.** Picture-Alliance (Hajo Dietz), Frankfurt; **228.m.** Bioland Rösslerhof, Schlier-Unterankenreute; **243.o., 243.u.** Klett-Archiv (Kay Fochtmann, Leipzig), Stuttgart;

Texte und Tabellen

51.2 Nach FAO: FAOSTAT, www.fao.org/faostat/en/#home; (Zugriff 09.01.2017); **73.6** Nach FAO: FAOSTAT, www.fao.org/faostat/en/#home; (Zugriff 09.01.2017) **75.3** Renate Of: Tansania: Biogas statt

Feuerholz. In: Global Lernen, Ausgabe 2/2007, S. 10 (gekürzt); **89.5** Nach Jens Hartmann: Norilsk– eine Stadt, unter schwerem Leid der Eiswüste abgetrotzt. In: DIE WELT, vom 15. 02. 1999. zit. nach: https://www.welt.de/print-welt/article566370/Norilsk-eine-Stadt-unter-schwerem-Leid-der-Eiswueste-abgetrotzt.html (Zugriff 09.01.2017); **97.7** Achim Steiner, Exekutivdirektor des UN-Umweltprogramms (UNEP), 2013. zit. nach: http://www.n-tv.de/wissen/Arktis-wird-ausgenommen-article10146381.html (Zugriff vom 09.12.2016); **115.3** GPF (Hrsg): Jens Martens und Wolfgang Obenland- Die 2030 Agenda - Globale Zukunftsziele für nachhaltige Entwicklung,. Bonn/Osnabrück 2016. Unter https://www.globalpolicy.org/images/pdfs/GPFEurope/Agenda_2030_online.pdf, S. 16/17 (Zugriff 09.12.2016); **120.1** Verändert nach: https://www.giz.de/de/welt-weit/16002.html (Zugriff vom 27.11.2016); **121.3** https://www.giz.de/de/weltweit/16002.html (Zugriff vom 27.11.2016); **121.5** http://www.bmz.de/de/ministerium/ziele/2030_agenda/historie/MDGs_2015/unser_beitrag/westafrika/westafrika_kasten.html(Zugriff vom 03.02.2017); **123.r.m** http://www.general-anzeiger-bonn.de/bonn/stadt-bonn/Jeder-fünfte-Minderjährige-lebt-unterhalb-der-Armutsgrenze-article3383460.html (Zugriff vom 24.10.2016). **123.r.u** Mannheimer Morgen: 18.10.2016 (Zugriff vom 24.10.2016); **126.2** UNHCR (Hrsg): Zahlen und Statistiken: www.unhcr.de/Service/zahlen und statistiken.html (Zugriff vom 10.12.2016); **128.2** Verändert nach: UNICEF New Zealand: Climate change: "I Fear Kiribati Will Be Gone Forever": unter https://www.unicef.org.nz/news/2016/june/kirita (21. 09. 2016); **133.r** World Bank fact book Migration and Ramittance.pdf; **135.4** General-Anzeiger Bonn 30.4.2011 (gekürzt); **137.4** http.//mitternachtssport.com (Zugriff 2.3.2017); **137.5** Dayan Kodua, zitiert nach http://www.dayan-k.com/ (Zugriff 02.03.2017); **144.1** Nach United Nations, Population Division (Hrsg.): UN world population prospects: http://esa.un.org/unpd/wpp/unpp/panel_population.htm (10.12.2016); **155.3C** Bundesministerium für Entwicklung und Zusammenarbeit (Hrsg.): Ägypten: www.bmz.de/de/was_wir_machen/laender_regionen/naher_osten_nordafrika/aegypten/profil.html (19.05.2015) **177.5** Nach Marianne Falck, in: Wirtschafts-woche, 10.03.2015. Zitiert nach http://www.wiwo.de/technologie/green/living/unsere-sucht-nach-zucker-das-suesse-gift/13551378.html; **179.6** http://www.n-tv.de/wirtschaft/Textilindustrie-sucht-Made-in-Africa-article15535926.htmlern-4281449-4281455 (Zugriff 02.03.2017); **185.6** Christoph Fröhlich: Fairphone – das Smartphone fürs gute Gewissen; stern. de, 8. 7. 2013; www.stern.de (Zugriff 02.03.2017); **185.7** Interview von Ingo Arzt mit Maren Sartory, auf: http://www.nachhaltigkeitsrat.de/aktuelles/news-nachhaltigkeit-archiv/2014/2014-01-16/faire-textilien-es-bringt-nichts-nur-eine-liste-abzuhaken-interview-mit-maren-sartory-von-fairtrade-deutschland/ (Zugriff 03.02.2017); **187.3** International Cotton Advisory Committee ICAC 2013; **188.2** https://www.containerbasis.de/blog/branche/groessten-container-hafen/ (Zugriff 6.1.2017); **189.1** Der neue Fischer Weltalmanach 2016. Frankfurt a. M.: Fischer Taschenbuch 2015, S.687; **189.3** Martin Harsche und Thomas Braun: Warenstruktur, Entwicklung und Nachfragespezifika des Luftfrachtmarktes in Deutschland. Berlin: Bundesverband der Deutschen Luftverkehrswirtschaft 2014, S. 15,

Abb. 8: https://www.bdl.aero/download/1386/warenstruktur-entwicklung-und-nachfragespezifika-des-luftfrachtmarktes-in-deutschland.pdf (Zugriff 06.01.2017); **192.2** Nach Ministerium für Umwelt, Klima und Energiewirtschaft Baden-Württemberg (Hrsg), Klimawandel in Baden-Württemberg. Stuttgart, 2015, S. 70; **192.4** Nach Ministerium für Umwelt, Klima und Energiewirtschaft Baden-Württemberg (Hrsg), Klimawandel in Baden-Württemberg. Stuttgart, 2015, S. 28/29; **193.6** Nach Ministerium für Umwelt, Klima und Energiewirtschaft Baden-Württemberg: Klimawandel in Baden-Württemberg. Stuttgart, 2015 S. 33; **193.6** Nach Ministerium für Umwelt, Klima und Energiewirtschaft Baden-Württemberg: Klimawandel in Baden-Württemberg. Stuttgart, 2015 S. 32; **193.8** Zusammengestellt nach LUBW Landesanstalt für Umwelt, Messungen und Naturschutz Baden-Württemberg, Karlsruhe 2017: http://www4.lubw.baden-wuerttemberg.de/servlet/is/244061/ (Zugriff 02.03.2017); **195.6** http://www.oekosystem-erde.de/html/treibhausgase.html (Zugriff 06.12.2016); **203.3** Nach Susanne Schmelzer. Globale Erwärmung vertreibt Pinguine, auf: http://www.geo.de/geolino/natur-und-umwelt/10508-rtkl-globale-erwaermung-vertreibt-pinguine; **207.5** Liedtext „Plant-for-the-Planet" von Niklas, zit. nach: https://www.badenova.de/web/de/ueberbadenova/pres pressemitteilungen/Pressemitteilungen (Zugriff 06.12.2016); **214.3** Zahlen für natürliche Industriediamanten. Daten nach U.S. Geo-logical Survey; www.usgs.gov: **215.4** Benjamin Dürr: Botsuana teilt seine Diamanten. In: evangelisch.de, 8. 7. 2013; www.evangelisch.de (gekürzt und stark verändert; **216.2** INTOSOL. Luxury Travel And The Beauty Of Pure Nature; unter www.intosol.de/reiseziele/Botswana.html (Zugriff 06.01.2017); **217.3** Dletlef Reepen: Krieg gegen die Wilderei! wdr5, 4. 12. 2013; www.wdr5.de (gekürzt);

Grafiken und Karten
49.5 Ertrag und Nutzungsdauer Wanderfeldbau; **51.3** http://www2.klett.de/sixcms/list.php?page=infothek_artikel&extra=TERRA-Online%20Lehrerservice&artikel_id=505456&inhalt=klett71prod_1.c.581277.de; **57.5** Nach http://www.faszination-regenwald.de/info-center/vielfalt/index.htm (Zugriff 3.2.2017); **57.6** Nach http://www.faszination-regenwald.de/info-center/vielfalt/index.htm (Zugriff 3.2.2017); **85.5** Infoblatt aus Terrasse Online: https://www.klett.de/alias/1012406; **103.3** Nach Daten HDI Report 2015, Weltbank, UNDP und http://weltbank.worldbank.org; **103.4; 103.5** nach HDI Report 2015, S. 56; **105.3** Nach FAO unter http://www.fao.org/hunger/en/; **105.4** Nach http://www.welthungerhilfe.de/fileadmin/user_upload/Mediathek/Welthunger-Index/WHI_2015/welthunger-index_2015_kurzfassung.pdf (Zugriff 06.01.2017); **107.3; 107.4** Nach www.OurWorldinData.org/data/population-growth-vital-statistics/life-expectancy; **107.5** nach Daten UNDP: Human Development Report 2015. New York 2015, Tabelle 9, S. 276 ff; **109.3** Nach Daten http://www.dw.org/de/stand-der-alphabetisierung-weltweit/a-1706880; **109.4** Nach Daten UNDP: Human Development Report 2015, New York 2015, Tabelle 4, S. 261; **111.3; 111.4, 111.5** Nach Daten The World Bank Group unter http://data.worldbank.org/; **113.1** Grundlage https://webgis.sachsen.schule/; **119.5** Nach Daten https://www.destatis.de/DE/ZahlenFakten/GesellschaftStaat/

EinkommenKonsumLebensbedingungen/Konsumausgaben/Tabellen/PrivateKonsumausgaben_D.html (Zugriff 6.1.2017); **122.3** nach Armutsbericht 2016; **123.4** Nach Bundesstadt Bonn Statistikstelle, kleinräumige Bevölkerungsstatistik und Statistik der Bundesanstalt für Arbeit; **123.5** Nach Übersichtskarte der Statistischen Bezirke unter http://www2.bonn.de/statistik/dl/rbs/bnkarte.zip (nicht öffentlich); **127.3** Daten http://www.unhcr.org; **129.4** nach Der_Klimawandel_macht_Millionen_Menschen_zu_Flüchtlingen.jpg; unter http://monde-diplomatique.de/archiv-karten. Copyright: © 2013, Le Monde diplomatique, Berlin Verlag: Le Monde diplomatique, Berlin/taz Verlags- und Vertriebs GmbH, Berlin; **140.1** Deutsche Stiftung Weltbevölkerung,Hannover: unter http://www.dsw.org/wp-content/uploads/2016/08/historischeentwicklungderweltbevoelkerung.jpg; **143.3** Nach Deutsche Stiftung Weltbevölkerung (Hrsg): Datenreport 2015, Soziale und demographische Daten zur Weltbevölkerung; **143.5** Nach http://www.weltbevoelkerung.de/uploads/pics/Verhuetung_und_Kinderzahlen_in_Entwicklungslaendern_12_15.jpg (Zugriff 06.01.2017); **145.3** Nach Daten http://pdwb.de/kontinen.htm (Zugriff 06.01.2017); **146.1; 147.2; 147.3** Nach UNAIDS, 2015 World AIDS Day Report. Unter http://aidsinfo.unaids.org/; **147.5** Nach Daten Deutsche Stiftung Weltbevölkerung, Hannover; **148.1** nach Daten U.S. Census Bureau unter http://www.census.gov/population/international/data/idb/informationGateway.php; **150.1** Nach UN (Hrsg.): World polulation prospects, The 2004Revision. New York, 2005/ergänzt; **150.2; 151.3** Daten U.S. Census Bureau unter http://www.census.gov/population/international/data/idb/informationGateway.php; **151.4** Nach Jürgen Bähr: Bevölkerungsgeographie: Verteilung und Dynamik der Bevölkerung in globaler, nationaler und regionaler Sicht. Stuttgart UTB, 1997, Abb. 62; **152.2** Daten U.S. Census Bureau unter http://www.census.gov/population/international/data/idb/informationGateway.php;**154.1A** Family care international and the safe motherhood inter-agency Group, Centers for desease control and prevention, vital statistics Report; **154.1C** Deutsche Stiftung Weltbevölkerung, Hannover; **155.2A** nach: Lilli Sippel, Tanja Kiziak, Franziska Woellert, Reiner Klingholz: Afrikas demografische Herausforderung. Wie eine junge Bevölkerung Entwicklung ermöglichen kann. 2011, S. 52; **155.2C** Datenreport der Stiftung Weltbevölkerung 2013 und Demographic and Health Surveys 2008-2013; **161.3** Nach Hans-jörg Sander: Mexiko-Stadt.Aulis-Verlag Köln 1983, S. 83 und Peter M.Ward: Mexiko-City. The production and reproduction of an urban enviroment. Hull Boston 1990; **161.5** Nach https://www.oecd.org/regional/regional-policy/valle-de-mexico-highlights-spanish.pdf (Zugriff 6.12.2016); **162.9** Zusammengestellt nach verschiedenen Datenquellen; **169.5** Nach United Nations Department of Economic and Social Affairs, Population Division: World Urbanization Prospects. The 2014 Revision. Highlights. New York 2014, S. 7; **169.6** Nach United Nations Department of Economic and Social Affairs, Population Division: World Urbanization Prospects. The 2014 Revision. Highlights. New York 2014, S. 13; **175.5** Nach BDSI Bonn, FAO New York und ICCO International Cocao Organization, London 2014; **175.6** Nach Daten ICCO International Cocao

Organization, London 2017; **177.4** Nach FAO: FAOSTAT, www.fao.org/faostat/en/#home; (Zugriff 09.01.2017); **177.6** Nach: https://www.lfl.bayern.de/iem/agrarmarkt/078442/index.php (Zugriff 06.12.2016); **179.5** Nach verschiedenen Datenquellen; **180.1** Nach UNCTADstat (2014): Values and shares of merchandise exports and imports, annual, 1948-2013; 161.2 nach WTO, International Trade Statistics 2009, S. 9 Tab. I.4; **181.2** Nach: WTO, International Trade Statistics 2014, World trade developments, Leading exporters and importers in world merchandise trade, 2013; **181.3** Nach: WTO, International Trade Statistics 2014, World trade developments, Leading exporters and importers in world merchandise trade, 2013; **183.2** Nach Daten BDSI Bonn, FAO und und ICCO International Cocao Organization; **186.1** Nach https://www.brandeins.de/fileadmin/redaktion/wissen/kaffee_in_zahlen/Kaffeereport2015.pdf S 12/13 und 85 (Zugriff 06.01.2017); **187.2** Nach www.fairtrade-deutschland.de und https://fair-einkaufen.com/woher-kommen-die-top-5-fairtrade-produkte-fuer-deutschland (Zugriff 06.01.2017); **187.4** Nach verschiedenen Quellen; **192.1** Nach IMK-TRO/KIT 2010; **192.3** Nach Ministerium für Umwelt, Klima und Energiewirtschaft Baden-Württemberg (Hrsg.): Strategie zur Anpassung an den Klimawandel in Baden-Württemberg. Stuttgart 2015, S. 6; **193.5** Nach http://www.pik-potsdam.de/~stock/presentations/2006-10-24_PIK_Stock.pdf Phänologische Uhr Nördliches Oberrheintiefland aus Unterrichtseinheit, M6, S. 8; **194.3** Nach http://bildungsserver.hamburg.de/klimaaenderung-nav/2041618/durchschnittstemperatur-150-jahre/ (Zugriff 06.12.2016; **198.1** Nach http://p5.focus.de/img/fotos/crop3734430/8112717491-w1200-h627-o-q75-p5/wissen-meeresspiegel.jpg (Zugriff 06.12.2016; **198.3** Nach http://bildungsserver.hamburg.de/meeresspiegelanstieg/2127658/meeresspiegel-einfuehrung/ (Zugriff 06.12.2016); **199.4** Nach http://wiki.bildungsserver.de/klimawandel/index.php/Meeresspiegelanstieg_Bangladesch_(einfach), (Zugriff 06.12.2016); **200.2; 201.4** Nach http://www.meereisportal.de/meereisbeobachtung/aktuelle-beobachtungsergebnisse-aus-satellitenmessungen/einschaetzung-meereissituation-arktis/2015/2; **202.2** Nach http://wiki.bildungsserver.de/klimawandel/index.php/Antarktischer_Eisschild (Zugriff 06.12.2016); **203.5** Nach http://www.spiegel.de/fotostrecke/antarktis-schelfeis-droht-gefahr-von-unten-fotostrecke-82154-5.html (Zugriff 06.12.2016); **206.2** Max Plank Institut für Meteorologie, Hamburg. unter: http://www.mpimet.mpg.de/fileadmin/grafik/presse/Klimaprojektionen2006.pdf; S.14 (Zugriff 06.01.2017); **212.4** Nach u. a. https://minetravel.co.bw/diamonds/2013/10/09/pangolin-diamonds-starts-core-diamond-drilling-at-jwaneng-south-project/#.WA-Fas_q04 und http://www.botswanatourism.us/images/tourist_big.jpg; **214.4** Daten nach Bloomberg; Kimberley Process Certification Scheme; **217.6** World Travel and Tourism Council: Travel & Tourism Economic Impact 2015 Botswana, S. 9 und http://www.tradingeconomics.com/botswana/international-tourism-number-of-arrivals-wb-data.html

Haack-Kartenteil

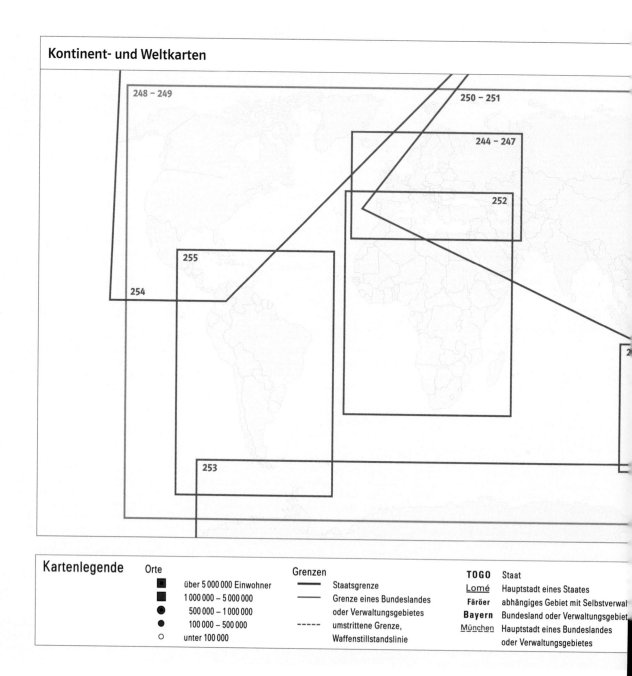

Kontinent- und Weltkarten

248 – 249

250 – 251

244 – 247

252

255

254

253

Kartenlegende

Orte

- ■ über 5 000 000 Einwohner
- ■ 1 000 000 – 5 000 000
- ● 500 000 – 1 000 000
- ● 100 000 – 500 000
- ○ unter 100 000

Grenzen

—— Staatsgrenze

—— Grenze eines Bundeslandes oder Verwaltungsgebietes

----- umstrittene Grenze, Waffenstillstandslinie

TOGO Staat

Lomé Hauptstadt eines Staates

Färöer abhängiges Gebiet mit Selbstverwal

Bayern Bundesland oder Verwaltungsgebiet

München Hauptstadt eines Bundeslandes oder Verwaltungsgebietes

Die folgenden Karten bieten dir eine schnelle Orientierung. Sie zeigen einen Überblick über die Räume, die im Unterricht behandelt werden. Mit dem Register kannst du geographische Objekte suchen, ganz so, wie du es von der Arbeit mit dem Atlas gewohnt bist.

Für alle physischen Karten gilt die Kartenlegende auf dieser Seite.
Interessierst du dich für Einzelheiten oder Karten mit bestimmten thematischen Inhalten, so schlage in deinem Haack Weltatlas nach.

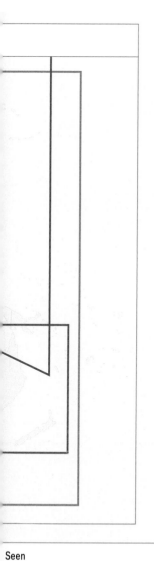

Seen

Fluss	⌒	See
zeitweise Wasser führender Fluss	～～	Schifffahrts-kanal
zeitweise gefüllter See	⤳⊢	Stausee mit Staudamm

Landhöhen

über	2000 m
1000 – 2000 m	
700 – 1000 m	
500 – 700 m	
300 – 500 m	
200 – 300 m	
100 – 200 m	
unter	100 m

▲1164 Höhe über dem Meeresspiegel (in m)

HESSEN

Darmstadt
Alzey
Melibocus 517
Bensheim
Neunkircher Höhe 605
Erbach
Miltenberg
Wertheim
129
Spessart
520
Würzburg
Volkach
Kitzingen
Ochsenfurt
175
498 Hoher Landsberg

BAYER

Steigerw

Worms
317
Frankenthal
89
Weinheim
593
Ludwigshafen
Mannheim
Heidelberg
566
108
516
Eberbach
Katzenbuckel 626
Neckargemünd
Odenwald
Walldürn
Buchen
Bauland
426
Bad Mergentheim
213
Creglingen
515 Hohe Leite
Rothenburg ob der Tauber
Hesse
41

Kaiserslautern

Rheinland-

Neustadt an der Weinstraße
Speyer
Eschkopf 608
Kalmit 673
Hockenheim
Wiesloch
Sinsheim
Waghäusel
Bruchsal
Eppingen · 335
Lauffen
Stutensee
Bretten
Adelsheim
Mosbach
Bad Rappenau 142
Künzelsau
Neckarsulm
Öhringen
Hohenloher Ebene
Crailsheim
555
Dinkelsb
579
Hornberg
Ellwanger Berge
Ellwangen
569
Gaildorf
564

Pfalz

Pirmasens
Landau in der Pfalz
Bad Bergzabern
476
561
571
Weißenburg (Wissembourg)
529
Wörth
110
580
Karlsruhe
Ettlingen
Mühlacker
Stromberg 477
Bietigheim-Bissingen
Heilbronn
525
Schwäbisch Hall
Mainhardter Wald
Hohe Brach 586
Löwensteiner Berge
Backnang
Murrhardt 585
Welzheimer Wald
Ipf 668
Aalen
Nördling
Härtsfeld
743

FRANK-

REICH

Hagenau (Haguenau)
Straßburg (Strasbourg)
137
Kehl
Rastatt
337
Gaggenau
Pforzheim
Vaihingen an der Enz
Enz
Leonberg
Ludwigsburg
Kornwestheim
Remseck
Winnenden
Waiblingen 512
Schorndorf
515
Stuifen 757
Oberkochen
684
Göppingen
248
Kirchheim unter Teck
Geislingen an der Steige
Heidenheim
Giengen
Dillin
430

Molsheim
Achern
Bühl
Baden-Baden
Hohloh 988
Calw
609
Böblingen
Sindelfingen
Herrenberg
Leinfelden-Echterdingen
Schönbuch 582
Stuttgart
Esslingen
Nürtingen
Metzingen
775
794
Römerstein
874
Achalm 707
Bad Urach

Hornisgrinde 1164
Schliffkopf 1055
Offenburg
545
Nagold
Tübingen
Rottenburg
Horb
390
Reutlingen
Mössingen
869
Münsingen
Blau
Ulm
468
Neu-Ulm
Senden
Krumbach

Lahr
932
Wolfach
Oberndorf
685
Balingen
Hechingen
956
Hundsrücken 931
Gammertingen
797
Ehingen
Günzbur

Haslach
Hünersedel 744
Emmendingen
Triberg
926
Schramberg
Rottweil
1005
Lemberg 1015
Albstadt
773
Bussen 767
Riedlingen
Laupheim

Bayer

Kaiserstuhl 557
Waldkirch
Kandel 1242
Schwenningen
Villingen-
977
Spaichingen
983
Sigmaringen
552
Federsee
579
Biberach

174
Breisach
Freiburg
Donaueschingen
674
Tuttlingen
652
Pfullendorf
Höchsten 833
Bad Saulgau
Bad Waldsee
791
Memminger

Oberschwaben

Schauinsland 1284
Feldberg 1493
Titisee-Neustadt
Blumberg
Hohenhewen 844
Stockach
Linzgau
Leutkirch

Müllheim
1414
1415
Belchen
Todtnau
St. Blasien
Höher Randen 924
Singen
Hohentwiel 686
662
Überlingen
754
Mainau
Meersburg
Weingarten
771
Ravensburg
Wangen
Isny
916
Kempte

1165
Blauen
983
Schopfheim
Hotzenwald
Waldshut-Tiengen
Schaffhausen
Rheinfall
Radolfzell
Reichenau
708
Konstanz
Friedrichshafen
Tettnang
Lindau
Lindenberg
724
Immenstadt
Sonthofen
Allgäu

Weil am Rhein 240
Lörrach
268
Bad Säckingen
316
Rheinfelden
Basel
Rhein
694
Frauenfeld
Thur
Bodensee
681
Romanshorn
252
Bregenz
Pfänder 1064
1786
Nebelh
Oberstdorf
2224
2593

Liestal
Baden
Winterthur
Schweizer Jura
SCHWEIZ
St. Gallen
1136
Dornbirn
Bezau
Hoher Ifen 2232
Alpen

Aarau
Zürich
Greifensee
1133
Hörnli
Uster
Appenzell
1136
395
2006
Madelegabel 2645

ÖSTERREICH
1795
Feldkirch

1:1 250 000
0 5 10 25 km

Deutschland

Landhöhen

über 5000 m
2000 – 5000 m
1000 – 2000 m
500 – 1000 m
200 – 500 m
100 – 200 m
0 – 100 m
unter 0 m

Gletscher

▴ 4807 Höhe über dem
Meeresspiegel (in m)

ABKÜRZUNGEN:

BOS. U.	BOSNIEN UND
HERZ.	HERZEGOWINA
KOS.	KOSOVO
LIE.	LIECHTENSTEIN
LUX.	LUXEMBURG
MAZED.	MAZEDONIEN
SLOW.	SLOWENIEN
SLOWAK.	SLOWAKISCHE
REP.	REPUBLIK
S.M.	SAN MARINO

3   1:20 000 000   0 100 200   500 km

2

ISLAND
Reykjavík
Hvannadalshnúkur ▴ 2119

Europäische

Nordm

nördlicher Polarkreis

Färöer
(dän.)

NORW

Shetlandinseln

Galdhøpi
24

A T L A N T I S C H E R

4

Hebriden

Orkney-
Inseln

▴1343

Glasgow

Nordsee

Gö

Belfast

IRLAND
Dublin
Manchester

**GROSS-
BRITANNIEN**

DÄNEM
Kopenh

Birmingham

40°

Bristol
London

**NIEDER-
LANDE**
Amsterdam
Rotterdam

Ha

O Z E A N

Kanal-
inseln
(brit.)

Der Kanal

Brüssel
BELGIEN

Köln

DEUTSC

Paris
LUX.
Luxemburg

Frankfur

Loire

Seine

FRANKREICH

Mün

5

*Azoren
(port.)*

Kap Finisterre

*Golf von
Biscaya*

Bordeaux

Bilbao

Zentral-
massiv

Bern
SCHWEIZ LIE.

Lyon

4810
Mont Blanc

Türin

Mailand

Mailand

Rhône

Po

Ape

L

Porto

Duero

PORTUGAL

Pyrenäen

3404
ANDORRA

Marseille
Genua
MONACO

40°

Lissabon

Tejo

Madrid

S P A N I E N

Ebro

Barcelona

Valencia

Korsika

**VATIKAN-
STADT·
Rom**

Nea

30°

*Madeira
(port.)*

Sevilla

Alicante

B a l e a r e n

Mallorca

Sardinien

ITA

3478

Straße von Gibraltar

Gibraltar (brit.)
Ceuta
(span.)

Melilla
(span.) Oran

Algier

M

Sizilien

30°

Casablanca
Rabat
Fes

MAROKKO

M a g h r e b

Tunis

TUNESIEN

Valle
M

Marrakech

A t l a s g e b i r g e

▴2328

Agadir

Kanarische Inseln
3718 (span.)

▴4165

*Kleine
Syrte*

Trip

6

El Aaiún

nördlicher Wendekreis

S

A L G E R I E N

SAHARA
(marokkanische
Verwaltung)

a h a r a

20°

MAURETANIEN

F 20° 1 Nordkap G 30° H 40° I 50° J 60° K 2 70°

© Klett

Barentssee

L

Workuta

Narodnaja
^1894

Surgut

Ob

60°

Ob

Petschora

U r a l g e b i r g e

S i b i r i e n

2123

Lappland

Murmansk

Halbinsel
Kola

Weißes
Meer

Irtysch

3

Tobolsk

Serow

Tjumen

Omsk

EDEN

FINNLAND

Archangelsk

Nördliche Dwina

Jekaterinburg

Perm

Tscheljabinsk

Astana

Onegasee

R U S S L A N D

Ladoga-
see

Helsinki

Kasan

Ufa

1640

Magnitogorsk

Rudny

50°

Åland
(finn.)

St. Petersburg

Peipus-
see

Kama

ckholm

Tallinn

ESTLAND

Jaroslawl

Nischni
Nowgorod

Samara

KASACHSTAN

Gotland

LETTLAND

Riga

323

Wolga

Moskau

Ural

Aral

Syr-Darja

4

tsee

LITAUEN

Düna

Tula

Saratow

Kaspische   Senke

Aralsee

Königsberg
(russisch)

Wilna

Minsk

Woronesch

USBEKISTAN

n

WEISSRUSSLAND

Gomel

Don

Wolgograd

-28

Astrachan

Moynoq

Amudarja

Warschau

Weichsel

Kiew

Charkiw

Krasnodar

Daşoguz

POLEN

Krakau

UKRAINE

Dnipropetrowsk

Donezk

Rostow

Kaspisches   Meer

40°

TURKMENISTAN

2655

SLOWAK. REP.

Pressburg

Karpaten

Chişinău

Dnipro

Krasnodar

Aschgabat

Budapest

MOLDAU

Odessa

1545

UNGARN

RUMÄNIEN

2543

Halbinsel
Krim

K a u k a s u s

Elbrus 5642

GEORGIEN

ASERBAID-
SCHAN

Baku

eb

Sotschi

Tiflis

5

EN

Belgrad

Bukarest

Schwarzes   Meer

ARMENIEN

Eriwan

Ararat
5165

4821

E l b u r s

5604

.U.

RZ.

SERBIEN

Donau

BULGARIEN

Balkan

Bosporus

P o n t i s c h e s   G e b i r g e

Täbris

Urmiah-
see

Teheran

rajewo

MONTE-
NEGRO

KOS.

Priština

Sofia

Istanbul

A n a t o l i e n

Qom

Podgorica

Skopje

Bursa

Ankara

Diyarbakır

I R A N

Tirana

MAZED

TÜRKEI

Van-
see

Zagrosgebirge

4548

Isfahan

ALBANIEN

2911

Izmir

A n a t o l i e n

3585

Adana

Kirkuk

30°

GRIECHENLAND

T a u r u s

Antalya

Aleppo

Bagdad

Shiraz

Athen

Peloponnes

ZYPERN

Nikosia

SYRIEN

Hims

M e s o p o t a m i e n

Euphrat

IRAK

Al Basrah

Kreta

LIBANON

Beirut

Damaskus

Tigris

ISRAEL

Tel Aviv-Jaffa

Amman

KUWAIT

Kuwait

Persischer Golf

6

m

e

e

r

Jerusalem

-422

JORDANIEN

Manama

(Arabischer Golf)

oße
rte

Alexandria

Kairo

Halbinsel
Sinai

BAHRAIN

Doha

KATAR

BYEN

-133

ÄGYPTEN

Nil

2637

SAUDI-ARABIEN

V.A.E.

20° G 30° H 40° I 50° J

247

Nordpolarmeer

Alaska
(USA)

nördl. Polarkreis

60°

Kalaallit Nunaat
(dän.)

Spitz
(nor

K A N A D A

ISLAND
Reykjavík   **Färöer**
(dän.)

N O R W E

Oslo

GROSS-
IRLAND **BRITANNIEN**
Dublin   London

DÄN.
Kopenhagen
NL.   Berli
Amst.
B.   **DEUTSCH**
Lux.   **LAND**
Paris   Be

Ottawa

St-Pierre u.
Miquelon
(franz.)

FRANKREICH Be

PORTUGAL
Lissabon

Madrid

Ljub
SM.
MON.
VAT. F
ITAL

AND.

SPANIEN

VEREINIGTE STAATEN
(USA)

Washington

30°

nördl. Wendekreis

Azoren
(port.)

Madeira
(port.)

Kanarische Inseln
(span.)

Algier Tunis

TUNESIEN
Tri

Rabat **MAROKKO**

Bermuda
(brit.)

A T L A N T I S C H E R

El Aaiún

SAHARA
(marokkan.
Verwaltung)

ALGERIEN

L

M E X I K O

Mexiko

Nassau

BAHAMAS
Havanna

KAP VERDE

Praia Dakar

MAURETANIEN
Nouakchott

MALI

NIGER

KUBA

BELIZE
Belmopan
GUATEMALA
Guatemala **HONDURAS**
San Salvador Tegucigalpa
EL SALVADOR
Managua **NICARAGUA**
COSTA RICA
San José   Panama
PANAMA

DOMINIK.
Kingston   **REP.** Puerto Rico
HAITI   (USA)
JAMAIKA
Port-au-Prince
Sto. Domingo

ANTIGUA U. BARBUDA
ST. K. *Guadeloupe* (franz.)
DOMINICA
ST. LUCIA *Martinique* (franz.)
BARBADOS
GRENADA **ST. VINCENT U. D. GRENADINEN**
TRINIDAD U. TOBAGO
Port-of-Spain

SENEGAL
GAMBIA   Bamako **BURKINA**
Banjul   **FASO** Niamey
GUINEA-BISSAU Bissau Ouagadougou
Conakry **GUINEA**
GHANA
Freetown Yamous-
SIERRA LEONE soukro
Monrovia
LIBERIA **CÔTE**
D'IVOIRE
(ELFENBEIN
KÜSTE)

NIGERIA

Abuja

Porto Novo
Lomé
BENIN
TOGO
Accra Malabo Jaund
ÄQUAT.
GUINEA
SÃO TOMÉ
U. PRÍNCIPE
São Tomé Librevill
GABUN

KAMERU

Caracas
VENEZUELA
Bogotá
KOLUMBIEN

Georgetown
GUYANA Paramaribo
SURINAME
Franz.-Guayana

Quito
ECUADOR

Galápagos-
inseln (ecuad.)

Äquator 0°

B R A S I L I E N

Brazzavill

Luanda

P
E
R
U
Lima

P A Z I F I S C H E R

4

Brasília

St. Helena
(brit.)

N
Wind

BOLIVIEN
Sucre

PARAGUAY
Asunción

südl. Wendekreis

Pitcairn
(brit.)

C
H

A
R
G
E
N
T
I
N
I
E
N

Santiago
de Chile

URUGUAY
Montevideo
Buenos Aires

O Z E A N

30°

O Z E A N

I
L
E

5

6

Nordpolarmeer

nördl. Polarkreis

R U S S L A N D

Moskau

Astana

K A S A C H S T A N

Ulan-Bator

M O N G O L E I

NE

GEO. Tiflis
AR. AS.
Ankara Baku
ÜRKEI

USBEKISTAN
Taschkent
TURKMENISTAN Bischkek
KIRGISISTAN
Aschgabat Duschanbe
TADSCHIKISTAN

Peking

NORDKOREA
Pjöngjang
Seoul
SÜDKOREA

Tokyo

JAPAN

Nik.
SYRIEN
Bei.
LIB. Dam.
ISR. Je.
Amman
JORD.
Teheran

Kabul

C H I N A

PAZIFISCHER

30°

nördl. Wendekreis

IRAK
Bagdad
IRAN

KUWAIT
Kuwait
SAUDI-
BAHRAIN
Manama **KATAR**
Riad Doha Abu Dhabi
V.A.E. Maskat
ARABIEN
OMAN

AFGHANISTAN
Islamabad

PAKISTAN
New
Delhi

NEPAL
Kathmandu
Thimphu
BHUTAN
Dhaka
BANGLADESCH-MYANMAR
(BIRMA)

Taipeh
Taiwan

Hanoi

PHILIPPINEN

Nördliche
Marianen
(USA)

**MARSHALL-
INSELN** 3

ERITREA
Sanaa
Asmara **JEMEN**

INDIEN

Naypyidaw
LAOS
Vientiane
**THAI-
LAND**
Bangkok

VIETNAM

Manila

Guam
(USA)

O Z E A N

DSCHIBUTI Dschibuti

Andamanen
(ind.)

KAMBODSCHA
Phnom
Penh

Melekeok
PALAU

Palikir

MIKRONESIEN

AN
Addis Abeba
ÄTHIOPIEN
Juba
SOMALIA

Colombo
SRI LANKA
Male
MALEDIVEN

BRUNEI
Bandar Seri
Begawan

Kuala Lumpur
MALAYSIA
SINGAPUR

Äquator 0°

UGANDA
Kampala
KENIA
Kigali
ujumbura Nairobi
JRUNDI
Dodoma
TANSANIA

Mogadischu

Victoria
SEYCHELLEN

I N D O N E S I E N

Jakarta

**PAPUA-
NEUGUINEA**

SALOMONEN
Honiara
Port
Moresby

Dili
TIMOR-LESTE

VANUATU

4

MALAWI
Lilongwe

INDISCHER

MAURITIUS
Port Louis

Neu-
kaledonien
(franz.)

südl. Wendekreis

KOMOREN
Moroni

re
MOSAMBIK
WE

Antananarivo
MADAGASKAR

na Maputo
SWASILAND
seru
OTHO

O Z E A N

A U S T R A L I E N

30°

Canberra

N E U S E E L A N D
Wellington

5

südl. Polarkreis

© Klett

P.

Birmingham Manchester
GR.-BRITANNIEN
London
SPANIEN
Madrid
Paris
Amsterdam
NL.
Brüssel
DÄN.
Kopenhagen
NORWEGEN
2469
Oslo
SCHWEDEN
Nordkap
Nordpolarmeer
Sewernaja Semlja
Neusib. Ins.
Kap Tscheljuskin
Laptew

3404
FRANKREICH
Lyon
Barcelona
AND.
Mont Blanc
4810
Marseille
Turin
München
Mailand
ÖST.
Wien
Hamburg
DEUTSCH-
LAND
Berlin
Prag
TS. R.
POLEN
Warschau
LIT.
LET.
EST.
St. Petersburg
Stockholm
FINNLAND
Helsinki
Nordsee
Ostsee
Murmansk
Archangelsk
Barentssee
Nowaja Semlja
1590
Workuta
Karasee
Halbinsel Taimyr
Norilsk
1701
Mitte
sibirisc
RUSSLAN

Korsika
Sardinien
ITALIEN
Neapel
Rom
SL.
KR.
BO.
UNG.
Budapest
MO.
SER.
KO.
MA.
AL.
Sofia
BUL.
Belgrad
RUM.
Bukarest
MOL.
UKRAINE
Kiew
Charkiw
WEISS-
RUSSL.
Minsk
Warschau
Moskau
Nischni Nowgorod
Perm
1894
Uralgebirge
Sibir
Westsibirisches
Tiefland
Jekaterinburg
Tscheljabinsk
Omsk
S i b i r i
Bergla

Sizilien
3340
GRIECHEN-
LAND
Athen
İstanbul
Bursa
İzmir
Ankara
3585
TÜRKEI
Schwarzes Meer
Odessa
Dnipropetrowsk
Donezk
Rostow
Wolgograd
Don
Wolga
Kaspische Senke
Astrachan
-28
Samara
Ufa
Kasan
1640
Ural
Orsk
Astana
Kasachensteppe
Nowosibirsk
KASACHSTAN
Balchaschsee
Altai
4506
3905
Ular
MONGO
Irkutsk
3491
Sajan

LIBYEN
Kreta
ZYPERN
Alexandria
-133
Aleppo
GEORGIEN
Tiflis
ARM.
Eriwan
5165
AS.
Tabris
Baku
5642
Kaukasus
Kasp. Meer
USBEKISTAN
Syr-Darja
Aralsee
Bischkek
Almaty
Taschkent
Kysylkum
Karakum
Amu-Darja
Duschanbe
KIRGISISTAN
Tien Schan
Ürümqi
-154
Dsungarei
G

Gise
Kairo
LIBANON
Tel Aviv-
Jaffa
Beirut
Damaskus
SYRIEN
ISRAEL
Jerusalem
Amman
Bagdad
JORDANIEN
IRAK
2637
Nil
ÄGYPTEN
Assuan
Euphrat
Zagrosgebirge
Elburs
5604
Teheran
3117
Meschhed
TURKMENISTAN
Aschgabat
TADSCHIKISTAN
7495
Pamir
7439
Wüste
Taklamakan
Tarimbecken
Kunlun Shan
Altun Shan
7723
Tibet
Transhimalaya
CHI
Nan Shain La
6346
Cheng

SAUDI-
ARABIEN
KUWAIT
Kuwait
BAHRAIN
KATAR
Riad
Jiddah
Mekka
Arabien
Rotes Meer
SUDAN
4548
Isfahan
IRAN
Shiraz
Wüste Lut
Persischer Golf
Abu Dhabi
V.A.E.
Maskat
3019
Golf von Oman
Ras al Hadd
AFGHANISTAN
Kabul
7690
8611
Hindukusch
Karakorum
Islamabad
Lahore
Multan
PAKISTAN
Karachi
Punjab
Delhi
New Delhi
Wüste Tharr
7816
Himalaya
Mt. Everest
8846
NEPAL
Lucknow
Kathmandu
Thimphu
BHUTAN
7756
3824
Hindustan
Ganges

ERITREA
Asmara
Große Arabische Wüste
SUDAN
JEMEN
Sanaa
3760
Aden
OMAN
4620
DSCHIBUTI
Addis Abeba
4307
ÄTHIOPIEN
KENIA
SOMALIA
Mogadischu
Golf von Aden
2406
Somali-Halbinsel
Sokotra
Kap Guardafui
Arabisches Meer
Ahmadabad
Surat
Bombay
Pune
Bhopal
1353
Nagpur
INDIEN
Indore
Haora
Dhaka
BANGLA-
DESCH
Kalkutta
MYANMAR
(BIRMA)
Naypyidaw
1680
Hyderabad
Dekkan
Ostghats
Westghats
Rangun

Mombasa
Aquator
Kap Delgado
Amiranten-inseln
Victoria
Aldabra-Inseln
Moroni
KOMOREN
SEYCHELLEN
Lakshadweep-Inseln
Madras
Bangalore
2698
Kap Comorin
Ceylon
Colombo
2524
SRI LANKA
MALEDIVEN
Male
Andamanen (ind.)
Nikobaren (ind.)
Halbinsel Malakka
Bangkok
Medan
Sur

INDISCHER OZEAN
Tschagosinseln
90° östl. Länge v. Greenwich

250

© Klett

Landhöhen

über 5000 m
2000 – 5000 m
1000 – 2000 m
500 – 1000 m
200 – 500 m
0 – 200 m
unter 0 m
Gletscher

▴ 8846 Höhe über dem Meeresspiegel (in m)

ABKÜRZUNGEN:

AL.	ALBANIEN	**MA.**	MAZEDONIEN
AND.	ANDORRA	**MO.**	MONTENEGRO
ARM.	ARMENIEN	**MOL.**	MOLDAU
AS.	ASER-BAIDSCHAN	**NL.**	NIEDERLANDE
BO.	BOSNIEN UND HERZEGOWINA	**ÖST.**	ÖSTERREICH
BO.		**P.**	PORTUGAL
BUL.	BULGARIEN	**RUM.**	RUMÄNIEN
DÄN.	DÄNEMARK	**S.**	SCHWEIZ
EST.	ESTLAND	**SER.**	SERBIEN
KO.	KOSOVO	**SK.R.**	SLOWAKISCHE REPUBLIK
KR.	KROATIEN	**SL.**	SLOWENIEN
L.	LUXEMBURG	**TS.R.**	TSCHECHISCHE REPUBLIK
LET.	LETTLAND	**UNG.**	UNGARN
LIT.	LITAUEN	**V.A.E.**	VEREINIGTE ARABISCHE EMIRATE

PAZIFISCHER

OZEAN

Bering-meer

Anadyr-gebirge

Korjakengebirge ▴2562

Kolymagebirge

Pobeda ▴3147

Kolyma

Magadan

Aleuten (USA)

Kommandeur-Inseln

Kljutschewskaja Sopka ▴4750

Kamtschatka

Ochotskisches Meer

Sachalin

Sichote-Alin

Kurilen

Jakutsk

Chabarowsk

Sapporo ▴2290

Hokkaido

Qiqihar

Harbin

Wladiwostok

2230

Honshu

Changchun

Fushun ▴2744

Shenyang

Anshan

NORDKOREA

Pjöngjang

Dalian

SÜDKOREA

Seoul

Tokyo ▴3776

Yokohama

Kyoto

JAPAN

Osaka

Peking

Gelbes Meer

Pusan

Tianjin

Tsingtau

Fukuoka

Jinan

Zhengzhou

Nanjing

Shanghai

Wuhan

Hangzhou

Ostchines. Meer

Nanchang

Changsha

Taipeh ▴3952

Kanton

Taiwan

Kaohsiung

Hongkong

Südchinesisches Bergland

Hainan

Luzon

▴2928 Quezon City

PHILIPPINEN

Manila

Mindoro

Cebu

Palawan

Mindanao ▴2954

Davao

Sulu-Inseln

Bandar Seri Begawan ▴4101

BRUNEI

Borneo ▴2988

Pontianak

Makassar

Sulawesi ▴3455

Molukken

Halmahera

Seram

Aru-Inseln

Arafurasee

Timorsee

Dili

TIMOR-LESTE

AUSTRALIEN

Java ▴3428

Surabaya

Japanisches Meer (Ostmeer)

Ryukyu-Inseln

nördlicher Wendekreis

Midway-Inseln (USA)

Hawaii-Inseln (USA)

Wake-Insel (USA)

Marcusinsel (jap.)

Bonin-inseln (jap.)

Vulkan-inseln (jap.)

MARSHALL-INSELN

Majuro

Gilbert-In.

South Tarawa

KIRIBATI

Äquator

Nördliche Marianen (USA)

Hagåtña

Guam (USA)

Palikir

Pohnpei

Chuuk-inseln

Yaren

NAURU

Karolinen

MIKRONESIEN

Yap-inseln

Melekeok

PALAU

Neuirland

Bismarck-Archipel

Neubritannien

Bougain-ville

SALOMONEN

Honiara

Neue Hebriden

PAPUA-NEUGUINEA

Neuguinea ▴4884

Port Moresby ▴4072

Korallen-see

VANUATU

Port Vila

Nouméa

Neukaledonien (franz.)

Gr. Barriereriff

Kap-York-Halbinsel ▴1611

1 : 40 000 000

0   500   1000 km

251

FRANK-REICH
Paris C
München
DEU.
SK. R. D
UKRAINE E
-28 F 1
Lyon
SCHWEIZ
ÖST. Wien
Budapest
MOL.
Donezki
Rostow
RUSSLAND
Astrachan
Aralsee
USBE-
TA
Mont Blanc
4810
Mailand
UNG.
KR.
Belgrad
RUMÄNIEN
Odessa
Bukarest
Kaukasus
5642
Kaspisches
KASACHS-
TAN
Madrid
Marseille
BO.
SER.
MO.
KO.
Sofia
Istanbul
GEORGIEN
Tiflis
AS.
Baku
TURKME-
TAN
Barcelona
Korsika
ITALIEN
MA.
BUL.
Schwarzes Meer
ARM.
5165
Täbris
ELburs
SPANIEN
Rom
GRIECHEN-
Ankara
TÜRKEI
IRAN
PORTUGAL
3478
Neapel
3340
LAND
Bursa
3585
5604
Sardinien
Izmir
Zagrosgebirg
Gibraltar (brit.)
Melilla
Algier
Tunis
Sizilien
Athen
ZYPERN
Aleppo
Teheran
4548
Isfa
Ceuta (span.)
Rabat
Oran
2328
Kreta
LIB. SYRIEN
Beirut
Damaskus
Bagdad
Casablanca
TUNESIEN
Tel Aviv-
Jaffa
Jerusalem
IRAK
Marrakech
4165
Tripolis
Banghazi
Alexandria
ISRAEL
Amman
JORDANIEN
Kuwait
KUWAIT

Lissabon
Madeira (port.)
Kanarische In. (span.)
30°
nördlicher Wendekreis
El Aaiún
ALGERIEN
LIBYEN
Gise
·133
Kairo
Libysche Wüste
2637
ÄGYPTEN
SAUDI-
BAHRAIN
Riad
V.A.
Arabien
ARABIEN

SAHARA
(marokkanische Verwaltung)
MAURETANIEN
Nouakchott
Ahaggar
2918
Tamanrasset
Tibesti
3265
3415
Assuan
Rotes
Jiddah
Mekka
Meer

MALI
2310
Aïr
NIGER
3024
1934
N'Djamena
Chari
TSCHAD
SUDAN
Khartoum
ERITREA
Asmara
4620
3760
JEMEN
Sanaa
Aden
Golf von Ade

Dakar
SENEGAL
GAMBIA
Banjul
GUINEA-BISSAU
Conakry
Bamako
Niamey
BURKINA
FASO
Kano
NIGERIA
Abuja
1781
Ibadan
Lagos
N'Djamena
Weißer Nil
Blauer Nil
SÜDSUDAN
Sudd
Hochland
von
Äthiopien
4307
DSCHI-
BUTI
Dschibuti
2406
Addis
Abeba
Somali-
Halbinsel
Freetown
SIERRA LEONE
1752
CÔTE
D'IVOIRE
GHANA
BENIN
TOGO
Yamous-
soukro
Monrovia
LIBERIA
Abidjan
Accra
Lomé
Cotonou
Porto
Novo
Douala
4070
KAMERUN
Jaunde
Hochland von
Adamaoua
Bangui
ZENTRALAFRIKA
Juba
UGANDA
KENIA
Mogadischu

Äquator
0°
SÃO TOMÉ
U. PRÍNCIPE
São Tomé
ÄQUAT.
GUINEA
Libreville
GABUN
Annobón
Golf von
Guinea
Bioko
KONGO
Brazzaville
Kinshasa
Kongo-
becken
Kongo
Oubangui
Kisangani
5109
Kampala
Kigali
Victoria-
see
5199
Mt. Kenia
Nairobi
RUANDA
BURUNDI
Bujumbura
5895
Kilimandscharo
Dodoma
SOMALIA
Mombasa
Äquator

ATLANTISCHER
Ascension
(brit.)
Luanda
Kasai
D. R. KONGO
(ZAIRE)
Mbuji-Mayi
Tanganjikasee
TANSANIA
Daressalam
SEYCHELL
KOMOREN

OZEAN
St. Helena
(brit.)
Kap Frio
ANGOLA
2610
Niederguinea
Kolwezi
Lubumbashi
2895
Lusaka
Lilongwe
Malawisee
MALAWI
SAMBIA
3000
Moroni
2876
Antananarivo

Namib
NAMIBIA
BOTSUANA
Kalahari
Okavango
Windhuk
Harare
SIMBABWE
Sambesi
MOSAMBIK
Straße von Mosambik
MADAGASKAR

südlicher Wendekreis
Gaborone
Pretoria
Maputo
Mbabane
SWASI-
LAND
Johannesburg
Maseru
LESOTHO
Drakensberge
Durban
3482

Kap Frio
SÜD-
AFRIKA
Kapstadt
Kap der
Guten Hoffnung
Port Elizabeth
INDISCHER
OZEAN

Landhöhen

	über 5000 m
	2000 – 5000 m
	1000 – 2000 m
	500 – 1000 m
	200 – 500 m
	0 – 200 m
	unter 0 m

▲ 5895 Höhe über dem Meeresspiegel (in m)

ABKÜRZUNGEN:

AL. ALBANIEN
ARM. ARMENIEN
AS. ASERBAIDSCHAN
BO. BOSNIEN UND HERZEGOWINA
BUL. BULGARIEN
DEU. DEUTSCHLAND
KO. KOSOVO
KR. KROATIEN
LIB. LIBANON
MA. MAZEDONIEN
MO. MONTENEGRO
MOL. MOLDAU
ÖST. ÖSTERREICH
SER. SERBIEN
SK.R. SLOWAKISCHE REPUBLIK
UNG. UNGARN
V.A.E. VEREINIGTE ARABISCHE EMIRATE

1 : 40 000 000
0   500   1000
km

30° östl. Länge v. Greenwich

© Kle

© Klett

Kleine Sunda-In.
Dili
TIMOR-LESTE
INDONESIEN
Sumba
Timor
Timorsee
Arafurasee
Port Moresby
4072
PAPUA-NEUGUINEA
Honiara
SALOMONEN
Santa-Cruz-Inseln
TUVALU
Ellice-Inseln

Kap York
Carpentaria-golf
Kap-York-Halbinsel
Korallen-see
VANUATU
Rotuma

Darwin
Arnhem-land
1611
Port Vila
Vanua Levu

Kimberley-plateau
Großes Barriereriff
Townsville
Neukaledonien (franz.)
Viti Levu
Suva
FIDSCHI

Port Hedland
Große Sandwüste
Macdonnellkette
1510
Alice Springs
Nouméa
südlicher Wendekreis

1226
Hamersleykette
A U S T R A L I E N
1515
Brisbane
P A Z I F I S C H E R

-12
Großes Artesisches Becken
Norfolkinsel (austr.)
Kermadecinseln (neuseeld.)

Große Victoriawüste
Great Dividing Range
Lord-Howe-Insel (austr.)

Perth
Nullarborebene
Darling
Adelaide
Gt. Dividing Range
Sydney
Canberra
O Z E A N
30°

Große Australische Bucht
Murray
2230
Mt. Kosciuszko
Melbourne

INDISCHER
Bassstraße
Tasmansee
Nordinsel
Auckland
2797

OZEAN
Tasmanien
1617
Hobart
NEUSEELAND
Südinsel
Wellington
Christchurch

3764
Dunedin
Chathaminseln (neuseeld.)

Stewart-insel

Australien
Landhöhen
über 2000 m
1000 – 2000 m
500 – 1000 m
200 – 500 m
0 – 200 m
unter 0 m
1515 Höhe über dem Meeresspiegel (in m)

1 : 40 000 000
0   500   1000   km

© Klett

40° westl. Länge
40° östl. Länge v. Greenwich
50°

Südpolarmeer
Falkland-In.
Südorkney-In.
Kap Norvegia

südlicher Polarkreis
3425

Königin-Maud-Land

Magellanstraße
Kap Hoorn
Feuer-land
Joinville-I.
Süd-shetland-In.
James-Ross-I.
Weddell-meer
Kap Batterbee

Drakestraße
Graham-land
Larsen-Schelfeis
Berkner-I.
Filchner-Schelfeis
Süd

Palmer-archipel
Antarktische H.-I.
Palmerland
3355
Amery-Schelfeis

Adelaide-I.
Mt. Jackson
4190
Ronne-Schelfeis
p

Alexander-I.
4093
o

Charcot-I.
l

Bellingshausen-see
Ellsworthland
Davis-see

Peter-I.-Insel
Mt. Vinson 4892
Südpol 2835
a

Thurston-I.
Mill-I.

PAZIFISCHER
Amundsen-see
Marie-Byrd-Land
Mt. Kirkpatrick 4528
Wilkesland
Kap Poinsett

OZEAN
4181
Ross-Schelfeis
Roosevelt-I.
Victorialand

31
Kap Dart
3794
Mt. Erebus
Ross-I.

Kap Colbeck
Rossmeer

Südpolarmeer
4165
Kap Adare
D'Urville-See

Antarktis
Landhöhen
über 2000 m
1000 – 2000 m
500 – 1000 m
200 – 500 m
0 – 200 m
Gletscher
4190 Höhe über dem Meeresspiegel (in m)

1 : 40 000 000
0   500   1000   km

© Klet

RUSSLAND

Ostsibirische See

Anadyr- gebirge

Wrangel- insel

Nordpolarmeer

Bering- straße

Beringstraße

Kap Barrow

Kap Pr. of Wales

Nome

Bering- meer

Yukon

Brookskette

△ 2749

Königin-Elisabeth-Inseln

Sverdrup- inseln

△ 2926

Kalaallit Nunaat
(dän.) △ 3231

△ 2164

Jan Mayen
(norw.)

Europäisches Nordmeer

Färöe (dän.)

ISLAND

△ 2119

△ 3700

Dänemarkstraße

Reykjavík

Beaufortsee

McClure-Straße

Banks- insel

Parry-Inseln

Ellesmereland

Grönland

Halbinsel Alaska

Alaska (USA)

Alaskakette

△ 5959 Denali

Anchorage

Kodiak

Golf von Alaska

△ 6050

Amundsengolf

Victoria- Insel

Kanadischer

Melville- Halbinsel

△ 2147

Archipel

Baffin Bay

Baffininsel

Davisstraße

nördlicher Polarkreis

Nuuk (Godthåb)

△ 2850

Uummannarsuaq

Juneau

Alexander- archipel

Küstengebirge

Haida Gwaii

Mackenziegebirge

Großer Bärensee

Barren Grounds

Yellowknife

Großer Sklavensee

Peace River

Hudson Bay

Churchill

Ungava- Halbinsel

Hudsonstraße

Labrador- see

KANADA

Labrador

Neufundland St. John's

Kap Race

Rocky

△ 4042

Edmonton

Calgary

Vancouver- insel

Vancouver

Seattle △ 4392

Portland

Kap Mendocino

San Francisco

San José

Oakland

Sierra Nevada

△ 4418

△ -85

Kaskadenkette

Küstenkette

Großes Becken

Salt Lake City

△ 4202

Colorado

△ 4399

Denver

△ 3658

Mountains

Prärie (Great Plains)

Missouri

Winnipeg

Oberer See

Minneapolis

Milwaukee

Chicago

Kansas City

St. Louis

Arkansas

Mississippi

Montreal

Ottawa

Toronto

Detroit

Cleveland

Pittsburgh

Cincinnati

Nashville

St.-Lorenz- Golf

St.-Pierre u. Miquelon (franz.)

Halifax

Kap Cod

Boston

New York

Philadelphia

Baltimore

Washington

Appalachen

△ 2037

Charleston

Bermuda (brit.)

VEREINIGTE

STAATEN

(USA)

Los Angeles

San Diego

Tijuana

△ 3078

Phoenix

Juárez

Dallas

Memphis

Atlanta

Houston

San Antonio

New Orleans

Kap Canaveral

Halbinsel Florida

Miami

nördlicher Wendekreis

Guadalupe (mex.)

Revilla- Gigedo-Inseln (mex.)

Niederkalifornien

Halbinsel

Westl. Sierra Madre

Hochland von Mexiko

Östl. Sierra Madre

Monterrey

León

△ 4265

Guadalajara

Mexiko

△ 5452

△ 5700

Puebla

Mérida

Halbinsel Yucatán

Straße von Yucatán

Havanna

KUBA

Nassau

BAHAMAS

Turks- u. Caicos-In. (brit.)

Jungfern- Puerto Rico (USA)

Santo Domingo

HAITI

Port- au-Prince

DOMINIKAN. REP.

Große

Antillen

Cayman-In. (brit.)

JAMAIKA

Karibisches Meer

Kap Gallinas

Caracas

Valencia

Maracaibo

VENEZUELA

△ 5780

△ 5007

Llanos de Orinoco

MEXIKO

PAZIFISCHER

OZEAN

Clipperton- insel (franz.)

BELIZE

HONDURAS

Tegucigalpa

Guatemala

GUATEMALA

EL SALVADOR

San Salvador

NICARAGUA

Managua

San José

△ 3820

COSTA RICA

PANAMA

Barranquilla

Panama

Medellín

△ 5493

KOLUMBIEN

Bogotá

Cali

Kokosinsel (cost.)

Malpelo-Insel (kol.)

Golf von Mexiko

ATLANTISCHER

OZEAN

Landhöhen

	über 5000 m
	2000 – 5000 m
	1000 – 2000 m
	500 – 1000 m
	200 – 500 m
	0 – 200 m
	unter 0 m
	Gletscher
△ 4418	Höhe über dem Meeresspiegel (in m)

1 : 40 000 000

0   500   1000   km

90° westl. Länge v. Greenwich

Südamerika

© Klett

ATLANTISCHER OZEAN

PAZIFISCHER OZEAN

ATLANTISCHER OZEAN

Karibisches Meer

90° westl. Länge v. Greenwich 45° E

A 90° B 75° C 60° D 45° E

MEXIKO
Mérida
Halbinsel Yucatán
BELIZE
GUATEMALA 4217
HONDURAS
EL SALVADOR
NICARAGUA
Managua
3820
COSTA RICA
Panama
PANAMA

KUBA
Cayman-In. (brit.)
JAMAIKA
HAITI
Port-au-Prince
Santo Domingo
DOMINIK. REP.
Puerto Rico (USA)
ST. K.
Monts. (brit.)

Jungfern-In. (USA) (brit.)
Anguilla (brit.)
Saint-Martin (franz.)
Sint Maarten (ndl.)
ANTIGUA U. BARBUDA
Guadeloupe (franz.)
DOMINICA
Martinique (franz.)
SAINT LUCIA
BARBADOS
SAINT VINCENT U. DIE GRENADINEN
TRINIDAD U. TOBAGO

Große Antillen
Kleine Antillen

Barranquilla
Maracaibo 5780
Valencia 5007
Caracas
Aruba (ndl.)
Curaçao (ndl.)
Bonaire (ndl.)
GREN.

Medellín 5493
Bogotá
Cali
KOLUMBIEN
5750

Llanos de Orinoco
Orinoco
Ciudad Guayana
VENEZUELA
2810
Bergland von Guayana
3014
Rio Negro

Georgetown
Paramaribo
GUYANA
SURINAME
Cayenne
Franz. Guayana

Kokosinsel (cost.)
Malpelo-Insel (kol.)
Galápagosinseln (ecuad.)

Quito
ECUADOR 6272
Guayaquil
Iquitos
Marañón
Amazonas
Amazonas-tiefland
Manaus 26
Amazonas
Äquator 0°

Belém

Fortaleza
Natal

Huascarán 6768
PERU
Anden
Andenvorland
Porto Velho
Madeira
BRASILIEN
Tocantins
Xingu
Campos
Brasilianisches
Caatinga
1801
Recife

Lima
6613
Titicaca 6421
La Paz
Santa Cruz
BOLIVIEN
Sucre
893
São Francisco
Brasília
Salvador

Arequipa 6520
Altiplano
Mamoré
Pantanal
Goiânia
Bergland
Belo Horizonte 2890
2787

Antofagasta
Atacama
Pilcomayo
Gran Chaco
Paraguay
PARAGUAY
Campo Grande
Paraná
São Paulo
Rio de Janeiro
Trinidade (bras.)
südlicher Wendekreis

Desventuradas-Inseln (chil.)
San Miguel de Tucumán 6880
Asunción
Curitiba

CHILE
La-Plata-Tiefland
Uruguay
Porto Alegre

Juan-Fernández-Inseln (chil.)
Aconcagua 6959
Córdoba
ARGENTINIEN
Rosario
URUGUAY
Montevideo

Santiago de Chile
Mendoza
Buenos Aires
Río de la Plata
Pampa

OZEAN
4708
Paraná
3776
Río Negro
Bahía Blanca

Valdivia
Patagonien
ATLANTISCHER OZEAN

KÜRZUNGEN:
GN. GRENADA
nts. Montserrat
K. SAINT KITTS U. NEVIS

Landhöhen
über 5000 m
2000 – 5000 m
1000 – 2000 m
500 – 1000 m
200 – 500 m
0 – 200 m
unter 0 m
Gletscher
959 Höhe über dem Meeresspiegel (in m)

4058
Falkland-In. (brit.)
Magellan-Str.
Feuerland
Südgeorgien (brit.)

1 : 40 000 000
0   500   1000 km

Punta Arenas
Kap Hoorn
Drakestraße
Südshetland-inseln
Südorkney-Inseln
Südsandwichinseln (brit.)

Palmer-archipel
Grahamland
Antarktische Halbinsel